OMNIBUS

Sophie Kinsella

FERMATE GLI SPOSI!

Traduzione di Paola Bertante

MONDADORI

Questo libro è un'opera di fantasia. Personaggi e luoghi citati sono invenzioni dell'autrice e hanno lo scopo di conferire veridicità alla narrazione. Qualsiasi analogia con fatti, luoghi e persone, vive o scomparse, è assolutamente casuale.

ISBN 978-88-04-63365-5

Copyright © Sophie Kinsella 2013
© 2013 Arnoldo Mondadori Editore S.p.A., Milano
Titolo dell'opera originale
Wedding Night
I edizione agosto 2013

FERMATE GLI SPOSI!

Per Sybella

Prologo

ARTHUR

Ah, i giovani! Con quel loro correre, preoccuparsi e volere *subito* tutte le risposte... Povere creature tormentate, mi sfiniscono.

Non tornate indietro, dico sempre. Non tornate indietro.

La giovinezza è ancora là dove l'avete lasciata, e là deve rimanere. Non tornate indietro.

Tutto quello che valeva la pena di portare con sé nel viaggio della vita, ve lo siete già preso.

Sono vent'anni che lo ripeto, ma mi danno retta? Col cavolo. Ecco che ne arriva un altro. È lì che ansima e sbuffa mentre sale in cima allo scoglio. Avrà poco meno di quarant'anni, immagino. Sembra abbastanza un bell'uomo, stagliato contro il cielo azzurro. Assomiglia vagamente a un politico. O no? Forse a una star del cinema.

Non mi ricordo la sua faccia, anche se non vuol dire niente. Negli ultimi tempi, quando do una sbirciata allo specchio, fatico persino a ricordare la mia, di faccia. Lo vedo scrutare il paesaggio e individuare me, seduto sotto il mio olivo preferito.

«Lei è Arthur?» mi domanda all'improvviso.

«Mi hai beccato.»

Lo studio con occhio esperto. Sembra ricco. Ha addosso una di quelle polo di marca. Probabilmente è il tipo da scotch doppio.

«Avrai voglia di bere qualcosa» propongo con garbo. È sempre utile deviare sin da subito la conversazione verso il bar.

«Non voglio bere» dice. «Voglio sapere che cosa è successo.»

Soffoco uno sbadiglio, è più forte di me. È così prevedibile. Vuole sapere che cosa è successo. Un altro promotore finanziario in preda a una crisi di mezza età che ritorna sulla scena della sua giovinezza. La scena del crimine. Lasciala lì dov'era, vorrei rispondere. Girati. Torna alla tua problematica vita da adulto, perché qui non troverai nessuna soluzione.

Lui però non mi crederebbe. Non mi credono mai.

«Caro ragazzo» ribatto con gentilezza. «Sei cresciuto, ecco che cosa è successo.»

«No» insiste lui impaziente, sfregandosi la fronte sudata. «Lei non ha capito. Sono qui per un motivo. Mi ascolti.» Avanza di qualche passo, una sagoma alta e imponente contro il sole, il bel volto deciso a ottenere quello che vuole. «Sono qui per un motivo» ripete. «Non avrei voluto immischiarmi, ma è più forte di me, devo farlo. Voglio sapere *che cosa è successo esattamente...*»

1

LOTTIE

Venti giorni prima

Gli ho comprato un anello di fidanzamento. Ho fatto male?

Cioè, non è un anello da donna. È una semplice fascia con un diamante minuscolo, che il tizio del negozio mi ha convinto a comprare. Se non gli piace il diamante, può sempre girarlo verso il basso.

O non metterlo neppure. Tenerlo sul comodino, in una scatolina o dove gli pare.

O magari potrei riportarlo indietro e non dirgli niente. A essere sincera, sono sempre meno convinta dell'acquisto, ma mi sembrava brutto lasciarlo a mani vuote. Non è che gli uomini ci guadagnino un granché da una proposta di matrimonio. Devono creare l'occasione giusta, inginocchiarsi, pronunciare la domanda *e* comprare un anello. Noi invece cosa dobbiamo fare? Dire: "Sì".

O "no", ovviamente.

Mi chiedo quale sia la percentuale delle proposte di matrimonio che finiscono con un "sì" o con un "no". Apro automaticamente la bocca per condividere questa mia riflessione con Richard, ma la richiudo subito. Che deficiente.

«Come, scusa?» Richard alza lo sguardo.

«Ah, niente!» sorrido. «Stavo solo... studiando il menu!»

Mi chiedo se abbia già comprato l'anello. Per me è uguale. Se l'ha fatto, sarà incredibilmente romantico. In caso contrario, sarà incredibilmente romantico sceglierne uno insieme.

Il successo è assicurato.
Sorseggio la mia acqua e sorrido amorevolmente a Richard. Siamo seduti a un tavolo d'angolo con vista sul fiume. È un ristorante nuovo sullo Strand, a due passi dal Savoy, tutto marmi bianchi e neri, lampadari vintage e poltroncine trapuntate grigio chiaro. Di un'eleganza discreta, è il posto ideale per fare una proposta di matrimonio a pranzo. Io indosso una sobria gonna bianca da futura sposa con una camicetta stampata, e ho speso uno sproposito per comprarmi un paio di autoreggenti, casomai decidessimo di rinsaldare il fidanzamento più tardi. È la prima volta che indosso calze del genere. Ma è anche la prima volta che ricevo una proposta di matrimonio.

Oh, magari ha prenotato una stanza al Savoy.

No, Richard non è così megalomane. Non farebbe mai un gesto ridicolo, sproporzionato. Un bel pranzo, sì; una camera d'albergo supercostosa, no. E io lo rispetto per questo.

Sembra nervoso. Continua a tirarsi i polsini, a controllare il cellulare e a rigirare l'acqua nel bicchiere. Quando vede che lo sto guardando, sorride anche lui.

«Eccoci qua.»

«Eccoci qua.»

È come se stessimo parlando in codice, girando intorno all'argomento principale. Giocherello con il tovagliolo e raddrizzo la sedia. L'attesa è insopportabile. Perché non si toglie il pensiero una volta per tutte?

No, non voglio dire che debba "togliersi il pensiero". Certo che no. Non è mica una vaccinazione. È... Appunto, che cos'è? Un inizio. Un primo passo. L'avvio di una grande avventura insieme. Perché noi due vogliamo affrontare la vita come una squadra. Perché non immaginiamo nessun'altra persona con cui ci piacerebbe intraprendere questo viaggio. Perché io lo amo e lui mi ama.

Ho già gli occhi lucidi. Non posso farci niente. Sono in questo stato da giorni ormai, cioè da quando mi sono resa conto delle sue intenzioni.

Richard è un po' maldestro. Cioè, lo è in un modo buono e adorabile. È un tipo pratico e schietto, che non fa giochetti di nessun genere (grazie a Dio) e non ti riserva neppure sorprese improvvise e sconvolgenti. Prima del mio ultimo compleanno continuava ad alludere al fatto che mi avrebbe regalato un viaggio a sorpresa, e per me è stato l'ideale, perché così sapevo già di dover preparare una borsa per stare via un giorno o due.

Solo che poi mi ha preso alla sprovvista lo stesso, perché non si trattava di andare via nel weekend, come avevo immaginato io. Richard mi aveva fatto recapitare senza preavviso un biglietto ferroviario per Stroud direttamente sulla mia scrivania da un fattorino in bici il giorno stesso del mio compleanno, che cadeva nel bel mezzo della settimana. A quanto pareva, si era accordato in segreto con il mio capo per farmi avere due giorni di permesso e, quando alla fine ero arrivata a Stroud, un'auto mi aveva portata subito a un cottage stupendo nei Cotswolds, dove lui mi stava aspettando con il camino acceso e un tappeto di pelle di pecora steso lì davanti. (Mmh. Vi dico solo che fare sesso davanti al fuoco è la cosa più bella del mondo. A parte quando è volata fuori quella stupida scintilla che mi ha bruciato la coscia. Ma non importa. È un dettaglio trascurabile.)

Perciò anche stavolta, quando si è messo a seminare indizi, non si è esattamente limitato a fare qualche vaga allusione. I suoi sembravano piuttosto enormi cartelli segnaletici piantati lungo la strada: "Sto per chiederti di sposarmi". Prima ha fissato la data, parlando di questo "pranzo speciale". Poi ha accennato a una "domandona" che avrebbe dovuto farmi, strizzandomi quasi l'occhio (io, naturalmente, ho finto di non capire). Poi ha cominciato a scherzare, chiedendomi se mi piaceva il suo cognome, Finch. (In effetti, sì, mi piace. Non dico che non mi mancherà il mio nome, Lottie Graveney, ma sarò comunque felicissima di essere la signora Lottie Finch.)

Quasi quasi avrei preferito che rimanesse un po' più sul vago, per avere un minimo di sorpresa. Almeno però sapevo che era il caso di fare la manicure.

«Allora, Lottie, hai deciso?» Richard mi guarda con quel suo sorriso solare e io ho una stretta allo stomaco. Per un istante ho creduto che, con una mossa estremamente abile, avesse deciso di formulare *così* la sua proposta di matrimonio.

«Ehm...» Abbasso lo sguardo per nascondere lo stato confusionale in cui mi trovo.

Ovvio che la risposta sarà "sì". Un grande e gioioso "sì". Faccio ancora fatica a credere che siamo arrivati a questo punto: alle nozze, voglio dire, alle nozze! Nei tre anni in cui io e Richard siamo stati insieme ho evitato accuratamente gli argomenti matrimonio, impegno e tutti gli annessi e connessi (bambini, case, divani, vasetti di erbe aromatiche). Praticamente viviamo tutti e due a casa sua, ma io continuo a tenere il mio appartamento. Siamo una coppia, ma a Natale ognuno va dalla propria famiglia. Insomma, siamo a quel punto lì.

Dopo un anno sapevo che stavamo bene insieme. Sapevo di amarlo. L'avevo visto dare il meglio di sé (nella gita a sorpresa per il mio compleanno e la volta che per errore gli avevo schiacciato il piede con la ruota dell'auto e lui non aveva neppure dato in escandescenze) e il peggio di sé (quando si era ostinatamente rifiutato di chiedere indicazioni per andare a Norfolk con il navigatore satellitare rotto. Ci abbiamo impiegato sei ore), e volevo ancora stare con lui. Era *mio*. Richard non è un esibizionista. È un tipo pacato e deciso. A volte sembra che non ti stia neppure ascoltando, ma poi riprende vita di botto e capisci che è rimasto vigile per tutto il tempo, come un leone che sonnecchia sotto un albero ma è pronto ad azzannare la preda. Io invece assomiglio più a una gazzella, che se ne va in giro saltellando. Ci completiamo a vicenda. È la natura.

(Non nel senso della catena alimentare, ovviamente. In senso metaforico.)

Insomma, dopo un anno sapevo che era l'uomo della mia vita. Ma sapevo anche che cosa sarebbe successo se per caso avessi fatto un passo falso. L'esperienza mi ha insegnato che la parola "matrimonio" è come un enzima. Provoca reazioni di tutti i tipi in un rapporto, perlopiù di tipo distruttivo.

Pensate a quello che è successo a Jamie, il primo ragazzo con cui ho avuto una relazione duratura. Stavamo felicemente insieme da quattro anni, quando ho detto *en passant* che i miei genitori si erano sposati più o meno quando avevano la nostra età (ventisei e ventitré anni). Fine. È bastato farlo una volta sola. Lui ha sclerato subito e ha detto che avevamo bisogno di "prenderci una pausa". Una pausa da che cosa? Fino a quel momento eravamo stati bene. Era evidente che aveva bisogno di prendersi una pausa dal rischio di sentire pronunciare un'altra volta la parola "matrimonio". Era evidente che l'idea lo preoccupava al punto che non se la sentiva neppure più di vedermi, per paura che la mia bocca potesse accennare a formulare di nuovo quell'ipotesi.

Prima della fine della "pausa" si era già messo con quella ragazza con i capelli rossi. Non me l'ero presa, perché a quel punto avevo incontrato Seamus. Seamus, con la sua sensuale cadenza irlandese. Non ho idea di che cosa sia andato storto con lui. L'infatuazione è durata per circa un anno – del tipo, sono pazzo di te, notti intere di sesso, l'unica cosa che conta nella mia vita sei tu – finché all'improvviso ci siamo ritrovati a litigare tutte le sere. Nel giro di ventiquattr'ore passavamo dall'euforia allo sfinimento. Una cosa malsana. Troppi incontri al vertice sul tema "Dove stiamo andando?" e "Che cosa vogliamo da questa relazione?", che hanno finito per logorarci entrambi. Ci siamo trascinati per un altro anno e, se mi guardo indietro, quel secondo anno mi sembra una grossa e triste macchia nera sulla mia vita.

Poi c'è stato Julian. Anche con lui la storia è durata due anni, ma non è mai decollata del tutto. È stata come uno scheletro di relazione. Mi sa che lavoravamo troppo tutte e due. Io ero da poco entrata alla Blay Pharmaceuticals e continuavo a girare per tutta la Gran Bretagna. Lui stava cercando di diventare socio dello studio contabile in cui era impiegato. Non so neanche se ci siamo lasciati nel vero senso della parola, più che altro ci siamo allontanati lentamente l'uno dall'altra. Ogni tanto ci rivediamo, come amici, e nessuno dei due ricorda di preciso quando sia andato tutto a rotoli. Circa un anno fa mi ha persino chiesto di nuovo un appuntamento, ma ho dovuto dirgli che stavo insieme a un altro e che ero molto felice. Si trattava di Richard. L'uomo che amo davvero. L'uomo seduto davanti a me con un anello in tasca (forse).

Richard è decisamente più attraente di tutti gli altri miei fidanzati. (Sarò un po' di parte, ma per me è bellissimo.) È molto appassionato al suo lavoro di *media analyst*, ma non ne è ossessionato. Non è ricco come Julian, ma che cosa importa? È spiritoso e pieno di energia e ha una risata fragorosa che riesce sempre a tirarmi su di morale, di qualunque umore sia. Dal giorno in cui siamo andati a fare un picnic e io gli ho intrecciato una collana di margherite, lui mi chiama Daisy. A volte ha degli scatti d'ira con qualcuno, ma non è grave. Nessuno è perfetto.

Quando ripenso alla nostra relazione, non vedo una macchia nera, come con Seamus, né uno spazio vuoto, come con Julian: vedo solo un videoclip sdolcinato con sorrisi e cieli azzurri, momenti felici, intimità, risate.

E ora stiamo arrivando al culmine. Al momento in cui Richard si inginocchia, prende un respiro profondo...

Sono così nervosa per lui. Voglio che vada tutto a meraviglia. Voglio poter raccontare ai nostri figli che il giorno in cui il loro padre mi ha chiesto di sposarlo mi sono innamorata un'altra volta di lui.

I nostri figli. La nostra casa. La nostra vita.

Mentre mi lascio cullare da queste immagini, provo un senso di liberazione. Sono pronta. Ho trentatré anni e sono pronta. Per tutta la mia vita di adulta ho evitato accuratamente l'argomento matrimonio, come le mie amiche, del resto. La zona sembra recintata come la scena di un crimine: VIETATO L'ACCESSO.

Eviti di entrarci, perché sennò porta sfortuna e il fidanzato ti lascia.

Ma adesso non ho più bisogno di fare scongiuri. Sento l'amore scorrere fra noi. Voglio afferrare le mani di Richard. Lo voglio stringere fra le braccia. È un uomo meraviglioso, davvero meraviglioso. Sono talmente fortunata. Forse fra quarant'anni, quando saremo tutti e due grigi e rugosi, passeggeremo mano nella mano sullo Strand e ricorderemo questo giorno, ringraziando Dio di averci fatto incontrare. Voglio dire, quante probabilità ci sono in questo mondo brulicante di sconosciuti? L'amore arriva in modo così casuale... *Così* casuale. È davvero un miracolo...

Oddio, sto sbattendo le ciglia...

«Lottie?» Richard ha notato che ho gli occhi lucidi. «Ehi, Daisy. Tutto bene? Che cosa succede?»

Anche se con lui sono sempre stata più sincera che con gli altri miei fidanzati, probabilmente non è il caso di rivelargli proprio *tutto* il flusso dei miei pensieri. Fliss, la mia sorella maggiore, dice che penso in Technicolor hollywoodiano e che devo ricordarmi che gli altri non sentono gli stacchi dei violini.

«Oh, scusa!» Mi tampono gli occhi. «Non è niente. È solo che mi dispiace che tu parta.»

Domani Richard andrà a San Francisco per lavoro. Dovrà restarci tre mesi – in fondo, sarebbe potuta andare peggio –, ma mi mancherà terribilmente. Anzi, l'unico pensiero che mi distrae è che dovrò organizzare il matrimonio.

«Tesoro, non piangere. Non lo sopporto.» Mi stringe le mani. «Ci vedremo tutti i giorni su Skype.»

«Sì, lo so.» Ricambio la stretta. «Me la caverò.»

«Anche se forse è il caso di ricordarti che, se sarò in ufficio, tutti potranno sentire quello che dici. Compreso il mio capo.»

Solo una minuscola scintilla nei suoi occhi mi fa capire che sta scherzando. L'ultima volta che è stato via per lavoro e ci siamo sentiti su Skype, io mi sono messa a dargli consigli su come tenere a bada il suo capo terrificante, dimenticando che Richard si trovava in un open space e che quell'uomo orribile sarebbe potuto passare di lì in qualsiasi momento. (Per fortuna, non l'ha fatto.)

«Grazie per la dritta.» Alzo le spalle con un'espressione ugualmente impassibile.

«Inoltre, ti possono vedere. Perciò forse non è il caso che ti presenti *completamente* nuda.»

«Non *completamente*» concordo. «Magari solo in mutandine e reggiseno trasparenti. Una cosetta semplice.»

Richard sorride e mi stringe più forte le mani. «Ti amo.» Ha la voce profonda, calda, morbida. Non mi stancherò mai di sentirglielo dire.

«Anch'io.»

«A proposito, Lottie...» Si schiarisce la gola. «Avrei una domanda da farti.»

Mi sento sul punto di esplodere. Ho un sorriso tirato, carico di aspettativa, e un turbinio di pensieri in testa. Oddio, adesso lo fa... Adesso cambia tutta la mia vita... Concentrati, Lottie, assapora il momento... Merda! Che cos'ho sulla gamba?

Abbasso lo sguardo con orrore.

Chiunque abbia inventato queste "autoreggenti" è un bugiardo e andrà all'inferno, perché col cavolo che si reggono da sole. Una è scesa giù fino alla caviglia e ho questa terrificante striscia "adesiva" intorno al polpaccio. Che orrore.

Non posso ricevere la proposta di matrimonio in questo stato. Non posso passare il resto dei miei giorni a pensare: "È stato un momento romanticissimo, peccato per la calza".

«Scusami, Richard» lo interrompo. «Un attimo solo.»

Abbasso la mano di nascosto e do uno strattone alla calza, ma il tessuto sottile si rompe. Fantastico. Adesso ho pure la gamba decorata da una striscia slabbrata e dal nylon strappato. Non posso credere che una calza stia mandando all'aria tutto. Avrei dovuto optare per le gambe nude.

«Tutto bene?» Quando mi vede emergere da sotto il tavolo, Richard ha l'aria un po' perplessa.

«Devo andare in bagno» borbotto. «Scusa. Scusa. Ti spiace se mettiamo un attimo tutto in pausa? Solo per un nanosecondo?»

«Stai bene?»

«Sì, bene.» Sono tutta rossa per l'imbarazzo. «Ho un problema con i vestiti. Non voglio che tu mi veda: potresti voltarti?»

Richard gira la testa obbediente. Spingo indietro la sedia e attraverso la sala in fretta, ignorando gli sguardi degli altri commensali. Non ha senso cercare di nasconderlo: ho una calza afflosciata.

Do una spinta alla porta del bagno, mi tolgo in fretta la scarpa e la stupida calza, poi mi guardo allo specchio con il cuore in tumulto. Non posso credere di aver messo in pausa la proposta di matrimonio.

Il tempo sembra essersi fermato. È come se fossimo in un film di fantascienza, le funzioni vitali di Richard fossero momentaneamente congelate e io avessi tutto il tempo del mondo per pensare se lo voglio sposare o no.

Ovviamente non ne ho bisogno, perché la risposta è sì.

Una ragazza bionda con una fascia per i capelli ornata di perline si gira a guardarmi stringendo una matita per le labbra fra indice e pollice. Devo avere un'aria un po' bizzarra, lì immobile con una scarpa e una calza in mano.

«Il cestino è là.» Fa un cenno con la testa. «Tutto bene?»

«Sì, bene. Grazie.» All'improvviso sento l'urgenza di condividere la solennità del momento. «Il mio ragazzo mi sta chiedendo di sposarlo!»

«Nooo!» Tutte le donne davanti agli specchi si girano a guardarmi.

«In che senso "ti sta chiedendo"?» mi domanda accigliata una ragazza esile con i capelli rossi e un vestito rosa. «Che cos'ha detto: "Vuoi...?".»

«Ha cominciato, ma mi è successo questo disastro con la calza.» Agito l'autoreggente. «Così è in pausa.»

«In pausa?» chiede un'altra incredula.

«Be', io mi darei una mossa» osserva la rossa. «Meglio non offrirgli l'opportunità di cambiare idea.»

«Che emozione!» esclama la bionda. «Possiamo guardare? Posso filmarvi?»

«Potremmo mettervi su YouTube!» dice l'amica. «Ha organizzato un flashmob o qualcosa di simile?»

«Non credo proprio...»

«Com'è che funziona?» Un'anziana donna con i capelli grigio ferro si intromette imperiosamente nella nostra discussione. Sta agitando rabbiosamente le mani sotto il distributore automatico di sapone. «Perché inventano queste macchine? Che cosa c'è che non va in una saponetta?»

«Guarda, zia Dee, si fa così» la rassicura la ragazza con i capelli rossi. «Tieni le mani troppo in alto.»

Mi tolgo l'altra scarpa e l'altra calza e, già che ci sono, prendo la lozione per le mani per spalmarmela sulle gambe nude. Un giorno non vorrei ritrovarmi a pensare: "È stato un momento romanticissimo, peccato per i talloni screpolati". Poi tiro fuori il cellulare. Devo assolutamente mandare un SMS a Fliss. Scrivo in fretta:

Lo sta facendo!!!

Un attimo dopo compare la risposta sul display:

Non mi starai mica scrivendo nel bel mezzo
della proposta di matrimonio!!!

In bagno. Un attimo solo.

Che emozione!!! Siete una coppia fantastica.
Dagli un bacio da parte mia. xxx

Sarà fatto! A dopo xxx

«Chi è lui?» chiede la bionda, appena metto via il cellulare. «Vado a dargli un'occhiata!» Sguscia fuori dal bagno e rientra pochi secondi dopo. «Oh, l'ho visto. È quel tipo bruno seduto al tavolo d'angolo. È uno schianto. Ehi, hai il mascara sbavato.» Mi passa una penna struccante. «Vuoi darti una rinfrescata veloce?»

«Grazie.» Le faccio un sorriso complice e comincio a cancellare i minuscoli segni neri che ho sotto gli occhi. Ho i capelli castani ondulati raccolti in uno chignon, e all'improvviso mi chiedo se sia il caso di scioglierli sulle spalle per il grande momento.

No. Troppo banale. Decido invece di sfilare dei ciuffetti e di arrotolarli intorno al viso mentre controllo tutto il resto. Rossetto: di una bella tonalità corallo. Ombretto: grigio brillante per mettere in risalto gli occhi azzurri. Fard: spero che non avrà bisogno di essere ritoccato, dato che sarò tutta rossa per l'emozione.

«Vorrei tanto che anche il mio ragazzo mi chiedesse di sposarlo» dice una ragazza con i capelli lunghi vestita di nero, osservandomi malinconica. «Qual è il trucco?»

«Non lo so» rispondo, dispiaciuta di non poterle essere di grande aiuto. «Credo che sia perché stiamo insieme da tanto tempo: sappiamo di essere compatibili, ci amiamo.»

«Ma anche noi due! Viviamo insieme, l'intesa sessuale è fantastica, va tutto alla grande.»

«Non metterlo sotto pressione» consiglia saggiamente la bionda.

«Tiro fuori l'argomento più o meno una volta all'*anno*.» La ragazza con i capelli lunghi sembra profondamente infelice. «Diventa tutto nervoso, così lasciamo perdere. Che cosa dovrei fare? Andarmene? Conviviamo da sei anni, ormai.»

«Sei anni?» La donna anziana alza lo sguardo dall'asciugamani elettrico. «Ma che cos'hai che non va?» La ragazza con i capelli lunghi arrossisce.

«Non ho niente che non va» dice. «Stavo parlando in privato.»

«In privato, pfui.» La donna agita bruscamente il dito intorno a sé. «Guarda che stanno ascoltando tutte.»

«Zia Dee!» La rossa sembra imbarazzata. «Ssh!»

«Non mi zittire, Amy!» L'anziana donna squadra con i suoi occhietti luminosi la ragazza con i capelli lunghi. «Gli uomini sono come animali della giungla. Appena trovano la preda, la mangiano e poi si addormentano. Be', tu gli hai offerto la preda su un piatto d'argento, giusto?»

«Non è così semplice» replica risentita la ragazza con i capelli lunghi.

«Ai miei tempi gli uomini si sposavano perché volevano fare sesso. Quella sì che era una motivazione!» La donna fa una risatina. «Voi giovani andate a letto con gli uomini e a convivere con loro e *poi* volete l'anello di fidanzamento. È il mondo al contrario.» Raccoglie la borsetta. «Sbrigati, Amy! Che cosa stai aspettando?»

Amy lancia occhiate disperate a ognuna di noi per scusarsi, poi sparisce insieme alla zia. Noi ci guardiamo con le sopracciglia alzate. Che pazza furiosa.

«Non ti preoccupare» dico rassicurante alla ragazza, stringendole il braccio. «Sono certa che andrà tutto bene.» Voglio diffondere gioia. Voglio che tutti abbiano la fortuna che abbiamo avuto io e Richard: quella di trovare la persona giusta e di saperlo.

«Sì.» Lei fa uno sforzo evidente per ricomporsi. «Speriamo. Be', vi auguro tanta felicità!»

«Grazie!» Restituisco la penna struccante alla bionda. «Ecco, adesso vado, incrociamo le dita!»

Esco dal bagno e guardo il ristorante affollato con la sensazione di aver appena schiacciato di nuovo il tasto "play". Richard è seduto nella stessa identica posizione in cui era quando l'ho lasciato. Non sta neppure trafficando con il cellulare. Deve essere concentrato quanto me su questo momento: il più speciale della nostra vita.

«Scusami.» Scivolo sulla sedia e gli lancio il sorriso più amorevole e aperto di cui sono capace. «Ricominciamo da dove ci eravamo interrotti?»

Richard sorride, ma noto che ha perso un po' di slancio. Forse deve ricalarsi gradualmente nella situazione.

«È un giorno così speciale» dico incoraggiante. «Non pare anche a te?»

«Assolutamente sì» annuisce.

«Il ristorante è favoloso.» Mi guardo intorno. «Il posto ideale per fare una... bella chiacchierata.»

Ho abbandonato le mani sul tavolo con nonchalance e Richard, come avevo previsto, le prende fra le sue. Fa un profondo respiro e aggrotta la fronte.

«A proposito, Lottie, avevo una domanda da farti.»

Mentre ci guardiamo negli occhi, i suoi si increspano leggermente agli angoli. «Non credo che sarà una sorpresa enorme per te...»

"Oddio, oddio, ci siamo."

«Sì?» La mia voce è uno starnazzio nervoso.

«Altro pane?»

Richard sobbalza per lo choc e io alzo la testa di scatto. Un cameriere si è avvicinato così silenziosamente che non ci eravamo accorti di lui. Senza che quasi me ne renda conto, Richard lascia andare la mia mano e si mette a parlare di pane integrale alla soda. Sono così frustrata che mi viene voglia di sbattere via il cestino. Possibile che il cameriere non si sia accorto di niente? Non li addestrano a riconoscere una proposta di matrimonio in arrivo?

Vedo che anche Richard è rimasto scombussolato. Quello stupido. Come osa rovinargli questo grande momento?

«Allora» dico incoraggiante a Richard, appena il cameriere si allontana. «Avevi una domanda da farmi?»

«Be', sì.» Mi guarda intensamente e fa un respiro profondo, poi la sua espressione cambia di nuovo. Mi giro per la sorpresa e vedo avvicinarsi un altro, maledetto cameriere. Be', in effetti, mi sa che è abbastanza normale in un ristorante.

Ordiniamo entrambi da mangiare – io non faccio quasi caso a quello che scelgo – e il cameriere si dilegua, ma potrebbe comparirne un altro in qualsiasi momento. Non ho mai provato tanta pena per Richard in vita mia. Come fa a chiedermi di sposarlo in circostanze del genere? Come *fanno* gli uomini?

Non riesco a trattenere un sorrisino ironico.

«Non è la tua giornata, eh?»

«Eh, no.»

«Fra un attimo arriverà il sommelier» osservo.

«Sembra di essere a Piccadilly Circus qui dentro.» Alza gli occhi al cielo avvilito, e io avverto un'intensa complicità fra noi. Siamo sulla stessa barca. Che importa quando mi farà la fatidica domanda? Che importa se non sarà un momento perfetto, scenografico? «Ordiniamo champagne?» aggiunge.

Non riesco a trattenere un sorriso d'intesa. «Non ti pare un po'... prematuro?»

«Be', dipende.» Alza le sopracciglia. «Dimmelo tu.»

Il sottotesto è talmente ovvio che non so se ridere o abbracciarlo.

«Be', in tal caso...» Faccio una pausa deliziosamente lunga, tenendo entrambi in sospeso. «Sì, la mia risposta sarebbe sì.»

La sua fronte si rilassa e vedo la tensione che l'abbandona.

Pensava davvero che avrei potuto dire di no? È talmente modesto... un uomo così caro. Oddio, stiamo per sposarci!

«Sì, Richard, con tutto il cuore» aggiungo per dare maggiore enfasi alla risposta, con voce improvvisamente tremante. «Non sai quanto sia importante per me. È... non so neanche che cosa dire.»

Lui mi stringe le dita fra le sue ed è come se avessimo un linguaggio in codice tutto nostro. Mi dispiace quasi per le altre coppie che sono costrette a spiegare tutto a parole. Non sono sintonizzate come noi.

Per un attimo rimaniamo in silenzio. È come se fossimo avvolti in una nuvola di felicità. Voglio che sia così per sempre. Vedo noi due nel futuro, intenti a imbiancare le pareti, a spingere un passeggino, a decorare un albero di Natale con i nostri bambini piccoli... Magari i suoi genitori vorranno trascorrere il Natale da noi e io non avrò nulla in contrario, perché adoro i suoi genitori. Anzi, appena avremo fatto gli annunci, per prima cosa andrò a trovare sua madre nel Sussex. Lei sarà felicissima di dare una mano a organizzare il matrimonio, e poi io non ho una madre che possa farlo al posto suo.

Quante possibilità. Quanti progetti. Quanti anni meravigliosi da vivere insieme.

«Allora» dico alla fine, sfregandogli delicatamente le dita. «Contento? Felice?»

«Non potrei esserlo di più.» Mi carezza la mano.

«È da un secolo che ci penso.» Sospiro soddisfatta. «Ma non avrei mai immaginato... Tu non... o sì? Sarà... come *sarà*? Che *effetto* farà?»

«Ah, sì, capisco cosa intendi dire» annuisce.

«Ricorderò sempre questa sala. Ricorderò sempre il tuo viso in questo momento.» Gli stringo la mano ancora più forte.

«Anch'io» dice semplicemente.

Quello che amo in Richard è la sua capacità di trasmettere così tanto con una semplice occhiata o inclinando la testa. Non ha bisogno di parlare molto, perché è come un libro aperto per me.

Vedo la ragazza con i capelli lunghi che ci guarda dall'altro capo della sala e non posso fare a meno di sorriderle. (Non è un sorriso trionfante, perché sarebbe insensibile da parte mia. Un sorriso umile, pieno di gratitudine.)

«Desidera del vino, signore? Signorina?» Il sommelier si avvicina e io lo guardo raggiante.

«Mi sa che qui ci vuole dello champagne.»

«*Absolument*» mi sorride di rimando. «Lo champagne della casa? Oppure abbiamo un ottimo Ruinart per le occasioni speciali.»

«Vada per il Ruinart.» È più forte di me, devo comunicare la nostra felicità anche a lui. «È un giorno molto speciale! Ci siamo appena fidanzati!»

«*Mademoiselle!*» La faccia del sommelier si increspa in un sorriso. «*Félicitations!* Signore, tanti auguri!» Ci giriamo tutti e due verso Richard, ma con mia grande sorpresa non sembra immerso nello spirito del momento. Mi sta fissando come se fossi un fantasma o qualcosa del genere. Perché ha un'aria così terrorizzata? Qual è il problema?

«Che cosa...» Ha la voce strozzata. «Che cosa intendi dire?»

D'un tratto capisco perché è sconvolto. Ovvio. Figurarsi se non rovino tutto come al solito.

«Scusami, Richard. Volevi avvisare prima i tuoi genitori?» Gli stringo la mano. «Ti capisco perfettamente. Non lo diremo a nessun altro, promesso.»

«Non diremo che cosa?» Mi fissa con gli occhi strabuzzati. «Lottie, noi non ci siamo fidanzati.»

«Ma...» Lo guardo incerta. «Mi hai appena chiesto di sposarti. E io ti ho detto di sì.»

«No, io non ho fatto proprio niente!» Stacca bruscamente la mano dalla mia.

Okay, uno dei due sta per andare fuori di testa. Il sommelier si è allontanato con discrezione e lo vedo mandare via l'altro cameriere, che stava tornando con il cestino del pane.

«Lottie, mi dispiace, ma non so proprio che cosa tu stia dicendo.» Richard si passa le mani fra i capelli. «Non ho mai parlato di fidanzamento ufficiale, né di matrimonio o altro.»

«Ma... era implicito! Quando hai ordinato lo champagne e hai detto "Dimmelo tu" e io ho risposto "Sì, con tutto il cuore". È stato tutto così sottile, così bello!»

Lo guardo, sperando che mi dia ragione e provi quello che provo io. Lui però sembra sconcertato, e io d'un tratto vado nel panico.

«Dunque... *non* erano queste le tue intenzioni?» Ho la gola così chiusa che faccio fatica a parlare. Non posso credere che stia succedendo davvero. «Non intendevi chiedermi di sposarti?»

«Lottie, io *non* ti ho chiesto di sposarmi!» dice deciso. «Punto!»

Deve proprio gridarlo così forte? Da ogni angolo della sala si levano sguardi incuriositi.

«Okay! Ho capito!» Mi sfrego il naso con il tovagliolo. «Non c'è bisogno che lo annunci a tutto il ristorante.»

Mi sento travolgere dall'umiliazione. Sono impietrita dal dolore. Come ho fatto a prendere un simile abbaglio?

E se non mi stava chiedendo di sposarlo, allora *perché* non lo stava facendo?

«Non capisco.» Richard sta praticamente parlando da solo. «Non ho mai detto niente, non ne abbiamo mai neppure discusso...»

«Invece hai detto un mucchio di cose!» Non riesco a contenere il dolore e l'indignazione. «Hai detto che stavi organizzando un "pranzo speciale".»

«Ed è speciale!» ribatte lui sulla difensiva. «Domani parto per San Francisco!»

«E mi hai chiesto se mi piaceva il tuo cognome! Il tuo *cognome*, Richard!»

«In ufficio stavamo facendo una specie di sondaggio per gioco!» Richard ha l'aria confusa. «Erano solo chiacchiere.»

«E mi hai detto che avevi una "domandona" da farmi.»

«Non una "domandona".» Scuote la testa «Una domanda.»

«Io ho sentito "domandona".»

Fra noi cala un silenzio penoso. La nuvola di felicità è svanita. Anche il Technicolor hollywoodiano e gli stacchi dei violini. Il sommelier spinge discretamente una lista di vini all'angolo del tavolo e si dilegua in fretta.

«Allora, di cosa si tratta?» chiedo alla fine. «Qual è questa importantissima domanda di media grandezza che dovevi farmi?»

Richard sembra in trappola. «Non è importante. Lascia stare.»

«Su, forza, dimmelo!»

«Be', okay» si arrende. «Volevo chiederti un consiglio su come usare le mie miglia aeree. Avevo pensato che potremmo organizzare un viaggio.»

«Miglia aeree?» ripeto sprezzante. È più forte di me. «Hai

prenotato un tavolo in un ristorante speciale e ordinato champagne per parlare di miglia aeree?»

«No! Cioè...» Richard fa una smorfia dispiaciuta. «Lottie, mi sento veramente malissimo. Non avevo la più pallida idea...»

«Ma se ci siamo appena detti così tante cose sul nostro fidanzamento ufficiale!» Mi viene di nuovo da piangere. «Ti ho accarezzato la mano, dicendoti che ero felicissima e che era un secolo che ci pensavo, e tu hai concordato! A cosa credevi che mi stessi riferendo?»

Gli occhi di Richard continuano a muoversi freneticamente, come in cerca di una via di fuga. «Pensavo che stessi... sì, insomma... parlando in generale.»

«"Parlando in generale"?» Lo fisso. «E che cavolo vorrebbe dire "parlare in generale"?»

Richard sembra ancora più disperato.

«La verità è che non capisco sempre bene quel che mi dici» ammette in un improvviso accesso di sincerità. «Quindi mi limito a... annuire.»

Annuire?

Lo fisso turbata. Credevo che avessimo un'intesa silenziosa senza pari e parlassimo un linguaggio in codice tutto nostro. Lui, invece, si limitava ad annuire.

Due camerieri ci mettono davanti le nostre insalate e filano via in fretta, come se avessero intuito che non siamo in vena di chiacchiere. Prendo la forchetta e poi la poso di nuovo. Richard non sembra neppure aver notato il proprio piatto.

«Ti ho comprato un anello di fidanzamento» dico, rompendo il silenzio.

«Oddio.» Si nasconde la testa fra le mani.

«Fa niente. Lo riporto indietro.»

«Lottie.» Sembra sotto tortura. «È proprio necessario... Domani parto. Non potremmo lasciare perdere l'argomento?»

«Insomma, pensi di sposarti o no, *prima o poi*?» Mentre formulo la domanda, sento un'angoscia profonda. Un attimo fa credevo di essere fidanzata. Avevo corso tutta la maratona. Ero sul punto di gettarmi contro il nastro del traguardo, slanciando le braccia in aria esultante... Ora sono di nuovo alla linea di partenza che mi allaccio le scarpe, a chiedermi se la gara ci sarà.

«Io... Oddio, Lottie. Non lo so.» Sembra un uomo in trappola. «Cioè, sì. Credo di sì.» I suoi occhi si muovono sempre più frenetici. «Forse, come dire, alla fine.»

Bene. Non avrebbe potuto lanciarmi un segnale più chiaro. Forse, un giorno, vorrà sposarsi con un'altra. Ma non con me.

D'un tratto mi assale una cupa disperazione. Credevo con tutto il cuore che fosse l'uomo della mia vita. Come ho fatto a prendere un simile abbaglio? Mi sembra di non potermi più fidare di me stessa.

«Bene.» Fisso per alcuni istanti la mia insalata, sorvolando con lo sguardo foglie verdi, fette di avocado e chicchi di melagrana, cercando di raccogliere i pensieri. «Il fatto è che io invece *voglio* sposarmi, Richard. Voglio sposarmi, avere dei bambini, una casa, insomma tutto quanto. E volevo farlo con te. Il matrimonio però è una cosa che si fa in due.» Mi interrompo respirando affannosamente, ma determinata a non perdere il controllo. «In ogni caso, va bene così, immagino. Prima viene fuori la verità, meglio è. Grazie comunque.»

«Lottie!» esclama Richard allarmato. «Aspetta! Questo non cambia nulla...»

«Cambia tutto, invece. Sono troppo vecchia per rimanere in lista d'attesa. Se non succederà mai fra noi due, preferisco saperlo sin da subito e procedere per la mia strada. Mi spiego?» Cerco di sorridere, ma i miei muscoli della felicità hanno smesso di funzionare. «Buon divertimento a San Francisco. Mi sa che è meglio che vada.» Le lacrime stanno spuntando dalle mie ciglia. Devo filare via di qui in fretta. Tornerò in ufficio a rivedere la presentazione di domani. Avevo chiesto un permesso per tutto il pomeriggio, ma a che cosa mi serve ormai? Non devo più telefonare a tutte le amiche per annunciare la bella notizia.

Sto per uscire, quando mi sento afferrare il braccio. Mi volto scioccata e mi ritrovo davanti la ragazza bionda con la fascia ornata di perline.

«Che cosa è successo?» mi domanda eccitata. «Ti ha regalato un anello?»

La domanda è come una pugnalata nel cuore. Non mi ha regalato un anello e non stiamo neppure più insieme, ma preferirei morire, piuttosto che ammetterlo.

«Veramente...» Sollevo il mento orgogliosa. «Veramente mi ha chiesto di sposarlo e io ho detto di no.»

«Oh.» Si porta subito la mano alla bocca.

«Eh, già.» Incrocio lo sguardo della ragazza con i capelli lunghi che sta origliando sfacciatamente dal tavolo vicino. «Ho detto di no.»

«Hai detto di no?» La sua espressione incredula mi provoca una fitta di indignazione.

«Sì!» La fisso con aria di sfida. «Ho detto di no. Alla fine non siamo fatti l'uno per l'altra, così ho deciso di chiudere, anche se lui voleva davvero sposarmi, avere bambini, un cane e tutto il resto.»

Gli sguardi curiosi mi trapanano la schiena e mi giro di scatto per affrontare altri ascoltatori elettrizzati. Adesso è coinvolto tutto il maledettissimo ristorante?

«Ho detto di no!» L'angoscia rende la mia voce sempre più stridula. «Ho detto di no. No!» urlo a Richard, che è ancora seduto al tavolo con un'espressione sbalordita in faccia. «Scusami, Richard. So che mi ami e so che ti sto spezzando il cuore, ma la risposta è no!»

Poi, leggermente risollevata, sguscio fuori dal ristorante.

Torno al lavoro e trovo la scrivania ricoperta di nuovi Post-it. Il telefono deve avere squillato in continuazione mentre ero via. Mi lascio cadere sulla sedia e faccio un sospiro lungo e tremante. Poi sento un colpo di tosse. Kayla, la mia stagista, è lì sulla porta del mio minuscolo ufficio che incombe. Kayla incombe spesso sulla mia porta. È la stagista più entusiasta che abbia mai conosciuto. Mi ha scritto un biglietto di auguri di Natale di due pagine, dicendomi che per lei ero un modello e una fonte di ispirazione e che, se non mi avesse sentito parlare alla Bristol University, non sarebbe mai venuta a fare lo stage alla Blay Pharmaceuticals. (Devo ammettere che, in effetti, come discorso finalizzato al reclutamento di personale nelle ditte farmaceutiche, mi era riuscito piuttosto bene.)

«Com'è andato il pranzo?» Le scintillano gli occhi.

Ho una stretta al cuore. Perché le ho detto che Richard mi avrebbe chiesto di sposarlo? Ero talmente sicura. L'entusiasmo della ragazza mi aveva galvanizzata. Mi ero sentita una superdonna su tutti i fronti.

«È andato bene. Bene. Bel ristorante.» Comincio a far passare i documenti sulla scrivania, come se stessi cercando un'informazione cruciale.

«Allora vi siete fidanzati?»

Le sue parole sono come succo di limone su una ferita. Possibile che questa ragazza non sia dotata del minimo tatto? Non si fanno domande dirette tipo "Allora vi siete fidanzati?" alla propria referente, soprattutto se quest'ultima non ha un enorme anello nuovo al dito, cosa che evidentemente io non ho. Potrei scriverlo nella mia valutazione finale. "Kayla ha qualche problema a mantenersi entro gli ambiti lavorativi che le competono."

«Bene.» Mi passo una mano sulla giacca, guadagnando tempo e mandando giù il groppo che ho in gola. «Veramente, no. Ho deciso di non accettare.»

«Davvero?» Sembra confusa.

«Sì» annuisco ripetutamente. «Certo. Ho deciso che in questa fase della mia vita e della mia carriera non sarebbe stato saggio.»

Kayla rimane di stucco. «Ma... voi due stavate così bene insieme.»

«Be', a volte queste cose non sono semplici come sembrano, Kayla.» Rovisto più freneticamente fra le carte sul tavolo.

«Ci sarà rimasto malissimo.»

«Sì, abbastanza» dico dopo un po'. «Eh, già. È stata una bella botta. Si è messo addirittura a... piangere.»

Posso dire quel che mi pare. Non rivedrà mai più Richard. Probabilmente non lo rivedrò mai più neppure io. E l'enormità di questa consapevolezza mi travolge di nuovo come una randellata sullo stomaco. È finita. Basta. Chiuso. Non farò più sesso con lui. Non mi sveglierò mai più con lui. Non lo abbraccerò più. Chissà perché, è soprattutto questo il pensiero che più mi fa venire voglia di piangere come una fontana.

«Oddio, Lottie, sei sempre una grande fonte di ispirazione per me.» Le brillano gli occhi. «Sapere che una cosa non va bene per la tua carriera e avere il coraggio di resistere e dire: "No! Non farò quello che tutti si aspettano da me".»

«Esatto» annuisco disperatamente. «Ho resistito in nome di tutte le donne.»

Mi trema la mandibola. Devo mettere subito fine a questa conversazione prima che si concluda in modo orribile, con me che scoppio a piangere davanti alla stagista.

«Allora, ci sono messaggi importanti?» Do una scorsa ai Post-it senza vederli.

«Uno di Steve, a proposito della presentazione di domani, e poi ha chiamato un certo Ben.»

«Ben chi?»

«Ben e basta. Ha detto che avresti capito.»

Nessuno dice "Ben e basta". Sarà uno studente sfacciato conosciuto a un colloquio di reclutamento che cerca di infilare un piede nella porta. Non è davvero il momento.

«Okay, bene, adesso rivedo la presentazione, allora.» Mi metto a cliccare energicamente sul mouse, a caso, finché non se ne va. Respiro profondo. Mandibola ferma. Su, dài, volta pagina. Volta pagina, volta pagina, volta pagina.

Il telefono squilla e io rispondo con un gesto rapido e deciso.

«Charlotte Graveney.»

«Lottie! Sono io!»

Resisto all'impulso di sbatterle il telefono in faccia.

«Ah, ciao, Fliss.» Inghiotto la saliva. «Ciao.»

«Allora, come stai?»

Colgo l'intonazione beffarda nella sua voce e mi maledico. Non avrei mai dovuto mandarle l'SMS dal ristorante.

Che pressione. Che orribile pressione. Perché ho parlato con mia sorella della mia vita sentimentale? Perché le ho detto che stavo con Richard? E li ho pure presentati. E mi sono persino messa a parlare di proposte di matrimonio.

La prossima volta che incontro un uomo, non dico niente a nessuno. Zero. *Nada*. Finché non saremo felicemente sposati da dieci anni, non avremo avuto tre bambini e rinnovato le promesse di matrimonio.

Solo a quel punto, e non prima, manderò un SMS a Fliss annunciandole: "Indovina un po', ho conosciuto un tipo! Sembra carino!".

«Sì, sto bene.» Cerco di assumere un tono pratico e spigliato. «E tu?»

«Io bene. Allora...?»

Lascia la domanda in sospeso. So benissimo che cosa mi vuole chiedere. "Allora, hai un enorme anello di diamanti al dito e stai brindando con un bicchiere di Bollinger mentre Richard ti succhia le dita dei piedi in una splendida suite?"

Sento un'altra fitta devastante. Non sopporto l'idea di parlarne. Non sopporto la compassione di cui mi sommergerebbe. Cambia argomento. Trovane uno a caso. Veloce.

«Be', comunque...» Cerco di assumere un tono allegro e noncurante. «In realtà, ehm, stavo pensando che... dovrei davvero decidermi a frequentare quel master in teoria economica. Sai che ho sempre avuto in mente di farlo. Cioè, che cosa sto aspettando? Potrei fare domanda di ammissione alla Birkbeck e studiare nel tempo libero. Che cosa ne pensi?»

2

FLISS

Oddio, mi viene da piangere. È andata male. Non so come, ma è andata male.

Tutte le volte che chiude una relazione, Lottie tira fuori questa storia del master. È come una reazione pavloviana.

«Magari potrei fare un master, no?» ripete con un impercettibile tremolio nella voce. «Magari vado a fare un po' di ricerca all'estero!»

Forse riuscirà a prendere in giro qualcun altro, ma non me, che sono sua sorella. Sta male.

«Sì, okay» rispondo. «Un master all'estero. Buona idea!»

Non ha senso cercare di estorcerle particolari o chiederle direttamente che cosa sia successo. Lottie segue un processo tutto suo per affrontare la fine delle storie. Non puoi torchiarla e non devi assolutamente manifestare qualsiasi forma di compassione. L'ho imparato sulla mia pelle.

Per esempio, quando si era lasciata con Seamus, si era presentata a casa mia con gli occhi arrossati e una vaschetta di gelato in mano, al che io avevo fatto l'errore di chiederle: "Che cosa è successo?" e lei era esplosa come una granata: "Maledizione, Fliss! Non posso neanche venire a mangiare un cavolo di gelato con mia sorella senza essere sottoposta a un terzo grado? Magari ho solo voglia di stare un po' con te. Magari la vita non ruota tutta intorno agli uomini. Magari desidero solo... dare una svolta alla mia vita. Fare un master".

Poi, quando era stata lasciata da Jamie, avevo fatto l'errore ancor più madornale di dire: "Oddio, Lottie, poverina".

Mi aveva sbranata viva. "Poverina? In che senso, poverina? Che cos'è, ti faccio compassione solo perché non ho un uomo? Credevo fossi una femminista." Mi aveva fatto una lunga tirata, riversandomi addosso tutto il suo dolore, e alla fine praticamente avevo bisogno di un trapianto alle orecchie.

Perciò adesso l'ascolto in silenzio mentre mi dice che è da un secolo che desidera esplorare il proprio lato accademico e che tanta gente non apprezza il fatto che lei sia una persona così cerebrale, e che il suo tutor l'aveva candidata per un premio universitario, non lo sapevo? (Sì che lo sapevo: me l'aveva già detto subito dopo la fine della storia con Jamie.)

Alla fine, si calma gradualmente e poi tace. Trattengo il fiato: forse sta per arrivare al nocciolo del problema.

«Ah, a proposito, io e Richard non stiamo più insieme» dice con nonchalance, come se le fosse venuto in mente per caso.

«Ah, sì?» mi adeguo al suo tono. Sembra che stiamo parlando di qualche evento secondario di una serie televisiva.

«Già, ci siamo lasciati.»

«Ah.»

«Non andava bene.»

«Ah, okay. È un vero...» Sto esaurendo i mono e bisillabi sedativi. «Voglio dire, è...»

«Sì, è un peccato.» Fa una pausa. «In un certo senso.»

«Certo. Allora, lui...» Sto camminando sulle uova. «Cioè, tu non dovevi...»

"Ma che cavolo è successo, se solo un'ora fa ti stava facendo la stramaledettissima proposta di matrimonio?" vorrei chiederle.

Non sempre mi fido della versione dei fatti di Lottie. A volte è un po' ingenua, vede solo quel che desidera vedere. Eppure, giuro su Dio che ero convinta quanto lei che Richard avesse intenzione di chiederle di sposarlo.

E adesso non solo non sono ufficialmente fidanzati, ma non stanno neppure più insieme? Sono molto turbata, è più forte di me. Ho avuto modo di conoscere Richard piuttosto bene, ed è un bravo ragazzo. Il migliore che Lottie abbia mai avuto, a mio parere (parere che lei mi ha chiesto un sacco di volte, spesso a mezzanotte, in momenti di grande arrabbiatura, interrompendomi prima che finissi di parlare per dire che tanto lei lo amava lo stesso, *checché* io ne pensassi). È un tipo solido, gentile, di successo. Non è permaloso né un peso morto. Bello, ma non vanesio. E innamorato di lei. Questa è la cosa più importante. Anzi, l'unica che conti davvero. Hanno un'aria da coppia felice, un legame forte, insomma. Si vede da come parlano, scherzano fra loro, stanno seduti uno accanto all'altra: lui le cinge sempre le spalle con un braccio, delicatamente, attorcigliandole i capelli con le dita. E sembrano sempre desiderare le stesse cose, che si tratti di un sushi da asporto o una vacanza in Canada. Sono uniti, si vede; almeno, io lo vedo.

Mi correggo: lo vedevo. Allora perché lui no?

Bastardo. Cretino. Che cosa spera di trovare in una compagna di preciso? Che cos'ha che non va mia sorella di preciso? Pensa forse che gli precluda una grande storia d'amore con una top model alta due metri?

Appallottolo un foglio e lo getto rabbiosamente nel cestino. Un attimo dopo mi rendo conto che in realtà mi serviva. Maledizione.

Il ricevitore continua a tacere, ed è come se lo sentissi emanare la tristezza di Lottie. Oddio, non lo sopporto. Pazienza se è suscettibile, devo per forza sapere qualcosa di più. È assurdo: un attimo prima erano a un passo dal matrimonio e poi, di botto, senza neppure passare dal "Via", siamo alla fase uno del "processo di fine relazione di Lottie".

«Mi era sembrato di capire che avesse una "domandona" da farti...» dico con tutta la delicatezza di cui sono capace.

«Be', sì, ha cambiato versione» replica, continuando ostinatamente a far finta di niente. «Ha detto che non era una "domandona", solo una "domanda".»

Faccio una smorfia. Andiamo proprio male.

«Allora che cosa ti voleva chiedere?»

«Che cosa dovevamo fare delle sue miglia aeree, pensa un po'» risponde con voce piatta.

Miglia aeree? Ahi... Posso solo immaginare la scena. All'improvviso mi accorgo che Ian Aylward è davanti alla parete di vetro del mio ufficio. Si sta sbracciando. So che cosa vuole: il discorso per la cerimonia di consegna dei premi.

"Fatto" mimo con le labbra, mentendo spudoratamente, e indico il computer, come a dire che il ritardo è dovuto solo a un intoppo informatico. "Te lo mando via mail."

Finalmente si allontana. Do un'occhiata all'orologio e il mio cuore comincia a battere un po' più forte. Ho esattamente dieci minuti per ascoltare e incoraggiare Lottie, finire di scrivere il discorso e ritoccarmi il trucco.

Anzi, no, nove e mezzo.

Ho un altro accesso di rabbia indirizzato direttamente a Richard. Se proprio doveva spezzare il cuore di mia sorella, non poteva almeno evitare di farlo nel mio giorno lavorativo più frenetico dell'anno? Apro in fretta il file del discorso e comincio a scrivere:

> Infine vorrei ringraziare tutti i presenti, sia coloro che hanno vinto un premio, sia coloro che si stanno rodendo dalla rabbia. Guardate che vi vedo! (Pausa per le risate.)

«Lottie, ti ricordi che stasera c'è la grande cerimonia per la consegna dei premi» dico piena di senso di colpa. «Devo uscire fra cinque minuti. Lo sai che se potessi verrei subito a trovarti.»

Quando ormai è troppo tardi, mi rendo conto di avere commesso un terribile errore: le ho mostrato compassione. Adesso, poco ma sicuro, se la prende con me.

«Verresti a trovarmi?» sbotta feroce. «Non c'è nessun bisogno che tu mi venga a trovare! Che cosa credi, che sia sconvolta per Richard? Credi che tutta la mia vita giri intorno a un uomo? Non stavo neanche *pensando* a lui. Ti ho solo chiamato per parlarti dei miei progetti di studio. Punto e basta.»

«Sì, certo» batto in ritirata. «Lo so bene.»

«Quasi quasi vedo se c'è un programma di scambio con gli Stati Uniti. Magari a Stanford...»

Lei continua a parlare e io a scrivere sempre più veloce. È la sesta volta che tengo questo discorso. Ogni anno sempre le solite parole trite e ritrite, ma in ordine diverso.

> L'industria alberghiera continua a innovarsi mirabilmente. Sono davvero strabiliata di fronte ai progressi e ai risultati del nostro settore.

No, stronzate. Cancello e riprovo.

> Io e i miei redattori siamo stati testimoni di strabilianti risultati e innovazioni in tutto il mondo.

Sì, "testimoni" aggiunge un tocco di solennità. Si potrebbe quasi pensare che abbiamo trascorso un anno intero in compagnia di santi e profeti, anziché giovani e abbronzate PR con i tacchi a spillo, impegnate a mostrarci le nuove tecnologie in materia di relax a bordo piscina.

> Come sempre, ringrazio con tutto il cuore Bradley Rose...

Ringrazio prima Brad o Megan? O Michael?

Dimenticherò qualcuno, lo so. È la legge dei discorsi di ringraziamento. Ti scordi una persona fondamentale, poi riacciuffi il microfono e ne strilli il nome, anche se ormai non ti sta ascoltando più nessuno. Allora devi andare a cercare quella persona e passare un'orribile mezz'ora a ringraziarla e, benché ti sorrida, sopra la sua testa fluttua una nuvoletta che dice: "Ti sei dimenticata della mia esistenza".

> Un sentito ringraziamento agli organizzatori di questa cerimonia, ma anche a chi non l'ha organizzata e a tutto il mio staff e al vostro, a tutti i nostri parenti e ai sette miliardi di abitanti di questo pianeta, a Dio, Allah e gli altri...

«... io la vedo davvero come una cosa positiva, te lo assicuro, Fliss. È un'occasione per riconfigurare la mia vita, capisci? Cioè, ne avevo proprio bisogno.»

Torno a prestare attenzione al telefono. Il rifiuto di ammettere che ci sia qualcosa che non va è una delle caratteristiche di Lottie che fanno più tenerezza. La sua risolutezza eroica è così straziante che vorrei abbracciarla.

Ma mi viene anche un po' voglia di strapparmi i capelli. Vorrei urlare: "Smettila di parlare di questi stupidi master! Ammetti che stai male e basta!".

Perché so come va a finire, ci sono già passata. Ogni rottura sortisce lo stesso effetto. Prima è tutta coraggio e positività, si rifiuta di riconoscere il problema. Per giorni di fila, magari addirittura settimane, non fa una piega, sempre con il sorriso stampato in faccia, e la gente che non la conosce dice: "Però, Lottie ha affrontato molto bene la rottura".

Finché non ha la sua reazione a scoppio ritardato, che arriva puntualmente sotto forma di qualche gesto impulsivo, oltraggioso e totalmente sconsiderato che la rende euforica per circa cinque minuti. Ogni volta è diverso: un tatuaggio alla caviglia, un taglio di capelli estremo, l'acquisto di un appartamento costosissimo a Borough seguito dalla sua rivendita a prezzo ribassato, l'adesione a una setta, un piercing "intimo" che poi si infetta. Quello è stato il peggiore.

Anzi, no, ritiro quello che ho detto, il peggiore è stato l'adesione alla setta. Dopo che le avevano spillato seicento sterline, lei continuava a parlare di "illuminazione". Mi sa che quegli ignobili predatori si aggirano per le vie di Londra a fiutare la gente appena mollata.

È solo dopo la fase euforica che Lottie crolla davvero. Solo allora cominciano i piagnistei, le assenze dal lavoro e i vari "Fliss, perché non mi hai fermato?", "Fliss, questo tatuaggio mi fa schifo!" e "Fliss, come faccio ad andare dal medico di base? Che vergogna! Adesso che cosa faaaaaccio!".

Fra me e me chiamo queste azioni insensate post rottura "scelte infelici", espressione che nostra madre usava spesso quando era ancora in vita. Poteva riferirsi a qualsiasi cosa, da un paio di scarpe di dubbio gusto indossato da un'ospite a cena alla decisione finale di nostro padre di andare a vivere con una miss sudafricana. "Una scelta infelice" mormorava con quella sua espressione glaciale, e noi bambine rabbrividivamo, ringraziando la buona sorte di non essere state noi a compierla.

Non mi capita spesso di provare nostalgia per mia madre. A volte però vorrei avere un altro parente a cui chiedere aiuto per cercare di rimettere insieme i cocci della vita di Lottie. Mio padre non conta. Innanzitutto, vive a Johannesburg, e poi si interessa solo di cavalli e di whisky.

Ora, mentre ascolto Lottie blaterare dei suoi progetti di anni sabbatici, provo una terribile stretta al cuore. Avverto la minaccia di un'altra scelta infelice: la sento in agguato là fuori. È come se stessi scrutando l'orizzonte, schermandomi il viso con la mano e chiedendomi dove sbucherà lo squalo che le azzannerà il piede.

Preferirei che si mettesse a lanciare insulti, a urlare e a tirare oggetti. Allora potrei rilassarmi: a poco a poco la follia rabbiosa la abbandonerebbe. Quando io e Daniel ci siamo lasciati, sono andata avanti a imprecare come uno scaricatore di porto per due settimane di fila. Non è stato carino. Almeno però non sono entrata in una setta.

«Lottie...» mi gratto la testa. «Sai che domani vado in vacanza per due settimane?»

«Ah, sì.»
«Non avrai problemi?»
«Certo che non avrò problemi.» Torna il tono aggressivo. «Stasera vado a prendermi una pizza e una bella bottiglia di vino. È una vita che volevo farlo.»
«Be', allora divertiti. Ma non cercare di annegare il dolore.»
Un altro modo di dire di nostra madre. Ho un ricordo improvviso di lei con il suo completo pantalone bianco attillato e il suo ombretto verde brillante. "Annegare il dolore, care mie." Era seduta accanto al mobile bar che avevamo nella casa di Hong Kong con un Martini in mano, mentre io e Lottie la guardavamo con le nostre vestagliette rosa uguali portate dall'Inghilterra.
Quando poi usciva di casa, ripetevamo insieme la frase come una specie di preghiera. Io pensavo fosse un generico motto da brindisi tipo "Salute!", e molti anni dopo, durante un pranzo in famiglia, scioccai una compagna di scuola alzando il bicchiere e dicendo: "Allora, anneghiamo il dolore tutti quanti!".
Adesso per noi è un modo sintetico per dire "ubriacarsi in maniera indecorosa".
«No, non annegherò il dolore, grazie» ribatte Lottie offesa. «Comunque, da che pulpito, Fliss.»
In effetti, può essere che abbia bevuto qualche vodka di troppo quando io e Daniel ci siamo lasciati, e che abbia tenuto un lungo discorso a un pubblico di commensali in un ristorante indiano. Su questo non posso darle torto.
«Eh, già» sospiro. «Allora, ci sentiamo presto.»
Metto giù il telefono, chiudo gli occhi e concedo al mio cervello circa dieci secondi per riprendersi e concentrarsi. Devo dimenticare la vita sentimentale di Lottie. Devo focalizzare l'attenzione sulla cerimonia di consegna dei premi. Devo finire il discorso. Forza. Avanti.
Apro gli occhi e scrivo in fretta una lista di persone da ringraziare. È lunga circa dieci righe, ma meglio abbondare. Mando il file a Ian in una mail con oggetto "Discorso! Urgente!" e mi alzo di scatto dalla scrivania.
«Fliss!» Mentre esco dall'ufficio, vengo assalita da Celia. È una delle mie redattrici freelance più prolifiche e ha le tipiche zampe di gallina intorno agli occhi di un recensore professionista di spa. Si potrebbe pensare che i trattamenti termali cancellino

i danni provocati dal sole, ma secondo me è l'esatto contrario. Dovrebbero davvero smettere di aprire spa in Thailandia e costruirne invece in paesi freddi del Nord totalmente privi di luce diurna.

Mmh, potrebbe essere lo spunto per un nuovo pezzo?

Scrivo in fretta sul mio BlackBerry: "Terme senza luce solare?", poi alzo lo sguardo. «Tutto bene?»

«È arrivato il Gruffalo. Sembra inferocito.» Manda giù saliva. «Forse è il caso che me ne vada.»

"Il Gruffalo" è il soprannome con cui è noto nel settore Günter Bachmeier. È proprietario di una catena di dieci alberghi di lusso, vive in Svizzera e ha un girovita largo un metro. Lo sapevo che era stato invitato stasera, ma non immaginavo che si sarebbe presentato. Non dopo aver letto la recensione del suo Palm Stellar, un nuovo albergo con centro benessere a Dubai.

«Va tutto bene. Non preoccuparti.»

«Non dirgli che sono stata io.» Le trema davvero la voce.

«Celia.» L'afferro per le spalle. «Tu credi in quello che scrivi, vero?»

«Sì.»

«Bene.» Sto cercando di infonderle un po' di forza, ma sembra terrorizzata. È incredibile che una persona dotata di una prosa così caustica, tagliente e acuta possa essere tanto gentile e sensibile di persona.

Mmh, un altro spunto?

Scrivo: "Ecco come sono i nostri redattori di persona?? Profili??".

Poi cancello. I lettori non vogliono conoscere gli autori delle recensioni.

Non vogliono sapere che "CBD" vive a Hackney e che è anche una poetessa affermata. Vogliono solo sapere che la quantità enorme di denaro che spenderanno per una vacanza a cinque stelle garantirà loro tutto quel che richiedono: sole o neve, spiagge bianche o montagne, solitudine o bella gente, cotone egiziano o amache, cucina raffinata o bar con tavola fredda.

«Nessuno sa chi è "CBD". Non corri alcun pericolo.» Le do un buffetto sul braccio. «Devo scappare.» Percorro il corridoio a lunghi passi, entro nell'atrio centrale e mi guardo intorno. È un ampio e arioso salone con la volta alta – l'unico spazio veramente notevole della Pincher International – e ogni anno i nostri redattori, costretti in locali troppo angusti, propongono che venga convertito in area per uffici. Per la cerimonia della consegna dei premi è davvero perfetto. Do una rapida occhiata alla sala, spuntando mentalmente le voci della mia lista: "Torta gigantesca rivestita di glassa a forma di copertina di rivista che non mangerà nessuno: controllare; distribuzione dei bicchieri da parte degli addetti del catering: controllare; tavolo delle coppe: controllare". Ian del reparto informatico, accovacciato accanto al podio, sta trafficando con i microfoni.

«Tutto a posto?» gli chiedo raggiungendolo in fretta.

«Perfetto.» Balza in piedi. «Ho caricato il discorso. Vuoi fare un soundcheck?»

Salgo sul palco e accendo il microfono.

«Buonasera!» Alzo la voce. «Sono Felicity Graveney, direttrice della "Pincher Travel Review". Desidero darvi il benvenuto alla nostra ventitreesima cerimonia annuale per la consegna dei premi... E che annata è stata questa!»

Il sopracciglio alzato di Ian mi dice che è il caso di assumere un tono un filino più entusiasta.

«Zitto» dico e lui sorride. «Ho diciotto premi da consegnare...»

Che sono decisamente troppi. Ogni anno scoppia una vera e propria guerra per decidere quali eliminare e poi ce li teniamo tutti.

«Bla, bla, bla... Okay, va bene.» Spengo il microfono. «Ci vediamo dopo.»

Mentre mi affretto a tornare in ufficio, vedo Gavin, il nostro editore, in fondo al corridoio. Sta facendo entrare in ascensore un inconfondibile girovita di un metro. Mi fermo, e il Gruffalo si volta per lanciarmi un minaccioso antisorriso. Alza quattro dita grassocce, che rimangono sollevate anche quando le porte dell'ascensore si chiudono.

So che cosa intende dire e non mi lascerò intimidire da lui. Abbiamo assegnato al suo nuovo hotel quattro stelle anziché cinque. Avrebbe dovuto costruire un albergo migliore, investire più soldi in sabbia da posare sulla base di cemento della sua "premiata spiaggia creata dall'uomo" e cercare di assumere personale un po' meno supponente.

Mi dirigo in bagno, do un'occhiata allo specchio e faccio una smorfia. A volte rimango sinceramente scioccata dalla versione di me stessa che vedo riflessa. Sono davvero così diversa da Angelina Jolie? Quando mi sono comparse quelle ombre sotto gli occhi? Tutto in me è troppo scuro, decido all'improvviso. I capelli, le sopracciglia, la pelle giallastra. Devo farmi schiarire qualcosa. O forse tutto, in una volta sola. Da qualche parte ci sarà di sicuro una spa dotata di bagno schiarente. Un'immersione veloce, tenendo la bocca aperta per usufruire dell'opzione sbiancamento denti.

Mmh, uno spunto? Scrivo "sbiancamento?" sul BlackBerry, poi aggredisco tutto quel che posso con spazzole e spazzolini. Alla fine mi applico uno strato generoso di rossetto. C'è una cosa da dire: cavolo, come mi sta bene il rossetto. Forse lo scriveranno sulla mia tomba: "Qui giace Felicity Graveney. Cavolo, come le stava bene il rossetto".

Esco, guardo l'orologio e telefono a Daniel. Sapeva che lo avrei chiamato adesso, abbiamo discusso sull'orario, risponderà, deve rispondere per forza. Su, dài, Daniel, prendi il cellulare... Dove sei?

Segreteria telefonica.

Bastardo.

Con Daniel sono capace di passare dalla calma alla furia nel giro di un minuto esatto.

Scatta il *bip* e io prendo fiato.

«Non ci sei» dico con calma studiata, mentre mi dirigo verso il mio ufficio. «È un vero peccato perché fra poco inizierà la cerimonia, e tu lo sapevi, perché ne avevamo parlato. Più volte.»

Mi trema la voce. Non posso permettergli di alterarmi l'umore. Lascia perdere, Fliss. Il divorzio è un processo, e come tale ha le sue fasi, e anche questo è un processo, e facciamo tutti parte del Tao, o dello Zen, o quel che è, insomma di quella cosa di cui parlano tutti i libri da me ricevuti in regalo sulla cui copertina, in cima a un cerchio o a un albero, compare la parola "divorzio".

«Be', comunque.» Faccio un respiro profondo. «Magari puoi far sentire il messaggio a Noah, eh? Grazie.»

Chiudo gli occhi un attimo e mi ricordo che non sto più parlando con Daniel. Devo allontanare la sua faccia schifosa dalla mia mente. Sto parlando al faccino che mi illumina la vita. Al faccino che – contro ogni ragionevole aspettativa – continua a dare un significato al mondo intero. Focalizzo l'attenzione sulla sua frangetta spettinata, sui suoi enormi occhi grigi, sui calzini della divisa scolastica stropicciati intorno alle caviglie. Sarà raggomitolato sul divano di Daniel con Monkey sottobraccio.

«Tesoro, spero che ti stia divertendo con il papà. Ci vediamo presto, va bene? Proverò a richiamare più tardi, ma se non ce la faccio, buona nanna, ti voglio tanto bene.»

Sono quasi arrivata alla porta del mio ufficio. Ho un po' di cose da fare ma è più forte di me, devo parlare finché posso, finché il segnale mi dice che è ora di darmi una svegliata.

«Dormi bene, tesoro.» Mi premo il telefono contro la guancia. «Sogni d'oro! Buonanotte.»

«Buonanotte» risponde una vocina familiare, e per poco non inciampo nelle mie Manolo da sera.

Che cos'è? Un'allucinazione? Si è sovrapposto alla segreteria telefonica? Guardo il telefono, lo sbatto un attimo contro il palmo e ascolto di nuovo.

«Pronto?» dico con cautela.

«Pronto! Ciao-ciao-ciao...»

Oh, mio Dio. La voce non viene dal telefono. Viene da...

Giro l'angolo, entro nel mio ufficio e lo vedo. Il mio bambino di sette anni. Seduto sulla poltroncina riservata ai visitatori.

«Mamma!» esclama felice.

«Caspita.» Sono quasi senza parole. «Noah. Sei qui. Nel mio ufficio. Ma come... Daniel?» Mi giro verso il mio ex marito, in piedi vicino alla finestra, intento a sfogliare un vecchio numero della rivista. «Che cosa succede? Pensavo che a quest'ora Noah stesse cenando. A casa tua...» sottolineo in tono brioso. «Come avevamo detto...»

«E invece no» si intromette Noah trionfante.

«Sì, lo vedo, tesoro! Allora... Daniel?» Il sorriso mi occupa tutta la faccia. In genere funziona così: più sorrido al mio ex marito, più desidero accoltellarlo.

Non posso fare a meno di osservarlo con occhio critico, anche se non ha più niente a che fare con me. Ha preso qualche chilo. Ha una nuova camicia a righine. Non usa più prodotti per i capelli: fa male, li ha troppo mosci e sottili. Forse a Trudy piace così.

«Daniel?» riprovo.

Lui non dice niente, alza le spalle con indifferenza, come

se fosse tutto ovvio e non servisse parlare. Quella scrollata di spalle è una novità. È arrivata dopo di me. Quando stavamo insieme le sue spalle erano costantemente afflosciate. Adesso le alza. Indossa un braccialetto della kabbalah sotto la giacca del completo. La conflittualità gli rimbalza addosso come se fosse fatto di gomma. Il suo senso dell'umorismo è stato sostituito dalla rettitudine morale. Non scherza più: sentenzia.

Mi sembra impossibile che noi due facessimo sesso. Non posso credere che abbiamo prodotto Noah insieme. Forse sono dentro *Matrix*, e a un certo punto mi sveglierò in una vita molto più sensata, come se nel frattempo fossi rimasta attaccata ai cavi elettrici in una specie di baccello.

«Daniel?» Ho il sorriso stampato in faccia.

«Avevamo deciso che Noah avrebbe dormito da te stanotte» dice alzando di nuovo le spalle.

«*Cosa?*» Lo fisso sbalordita. «No, non è vero, questa è la tua sera.»

«Stasera devo andare a Francoforte. Ti ho mandato una mail.»

«No, che non me l'hai mandata.»

«Sì, invece.»

«No! Non mi hai mandato *nessuna* mail.»

«Eravamo d'accordo che ti avrei portato Noah qui.»

È perfettamente calmo, come solo Daniel sa essere. Io, invece, sto per avere una crisi di nervi.

«Daniel.» Mi trema la voce per lo sforzo di non spaccargli la testa. «Perché avrei dovuto accettare di farti accompagnare qui Noah quando devo tenere una cerimonia per la consegna dei premi? Perché mai avrei dovuto farlo?»

Daniel scrolla di nuovo le spalle. «Sto per andare all'aeroporto. Ha mangiato qualcosa. Qui c'è la borsa con le sue cose.» Butta lo zainetto di Noah a terra. «Va bene, Noah? Stasera ti tiene la mamma, che fortuna!»

Sono in trappola.

«Fantastico!» sorrido a Noah, che ci sta guardando ansioso. Vedere quegli occhioni preoccupati mi spezza il cuore. Un bambino della sua età non dovrebbe preoccuparsi mai di niente. «Che bella sorpresa per la mamma!» Gli scompiglio i capelli con un'espressione rassicurante. «Scusa un attimo, arrivo subito...»

Esco in corridoio diretta al bagno. È vuoto, e meno male, perché non riesco più a trattenermi.

«NON MI HA MANDATO NESSUNA CAZZO DI MAIL!» La mia voce riecheggia fra i gabinetti. Quando incrocio il mio sguardo nello specchio, sto ansimando. Mi sento meglio al dieci per cento circa. Abbastanza per affrontare la serata.

Torno con calma in ufficio e vedo Daniel indossare il soprabito.

«Bene, allora buon viaggio o quel che è.» Mi siedo, apro la penna stilografica e scrivo "Congratulazioni!" sul biglietto del mazzo di fiori che verrà consegnato al vincitore (un nuovo centro benessere a Marrakech). "Con i migliori auguri di Felicity Graveney e del suo team."

Daniel è ancora nel mio ufficio. Lo sento incombere su di me. Ha qualcosa da dire.

«Sei ancora qui?» Alzo lo sguardo.

«Un'altra cosa.» Mi osserva di nuovo con la sua espressione da persona supercorretta. «Ho ancora un paio di obiezioni da sollevare sui nostri accordi.»

Per un attimo non sono in grado di reagire, tanto sono basita.

«C-cosa?» riesco a dire alla fine.

Non può più sollevare nessuna obiezione. Abbiamo finito, stiamo per dirci addio. Il gioco è fatto. Dopo un processo, due appelli e un milione di lettere di avvocati, abbiamo chiuso.

«Ne ho parlato con Trudy. Ha messo in evidenza alcune questioni interessanti.»

No, non se ne parla proprio. Mi viene voglia di picchiarlo. Non ha il diritto di parlare del nostro divorzio con Trudy, è nostro. Se Trudy vuole il divorzio, che se lo sposi prima, così poi vediamo se le piace.

«Solo un paio di questioni.» Posa un blocchetto di fogli sulla scrivania. «Dacci una letta.»

"Dacci una letta." Come se mi stesse consigliando un bel giallo.

«Daniel.» Mi sento come un bollitore sul punto di fischiare. «Non puoi tirare fuori altre menate adesso. Il divorzio è fatto, ormai. Abbiamo già sviscerato tutti gli argomenti.»

«Non è più importante fare le cose come si deve?»

Ha un tono di rimprovero, come se gli stessi proponendo un divorzio scadente e mal organizzato. Privo di professionalità. Tenuto insieme con la pistola a caldo, anziché cucito a mano.

«Io sono felice degli accordi presi» dico seccamente, anche se la parola "felice" è tutto fuorché appropriata. Sarei "felice", se non avessi trovato la brutta copia delle sue lettere d'amore indirizzate a un'altra donna nella sua ventiquattrore, dove le avrebbe potute trovare chiunque stesse cercando una gomma da masticare.

Lettere d'amore. Voglio dire, lettere d'amore! Non mi sembra ancora vero che abbia scritto delle lettere d'amore a un'altra donna e non a sua moglie. Non posso ancora credere che abbia scritto poesie di argomento esplicitamente sessuale, illustrate da vignette. Mi avevano lasciato davvero scioccata. Se avesse scritto quelle poesie a me, forse sarebbe andata diversamente. Forse avrei capito prima di sposarlo che razza di maniaco narcisista lui sia.

«Bene.» Alza un'altra volta le spalle. «Forse io sono più lungimirante, mentre tu senti la cosa ancora troppo vicina.»

Troppo vicina? Come faccio a essere vicina al mio divorzio? Chi è questa faccia di bronzo emotivamente ritardata, e come ha fatto a entrare nella mia vita?

La rabbia repressa mi ha accelerato il respiro. Se solo mi alzassi dal tavolo adesso, mi sa che potrei dare del filo da torcere a Usain Bolt.

Poi succede. Non è che lo faccia proprio apposta. Muovo il polso di scatto ed è fatta: sulla sua camicia ci sono sei macchioline di inchiostro tutte in fila e il mio petto si gonfia di felicità.

«Che cos'è?» Daniel si guarda la camicia e poi rialza la testa, sbigottito. «Inchiostro? Mi hai appena schizzato di inchiostro con la penna?»

Do un'occhiata a Noah per vedere se si è accorto della regressione di sua madre a un comportamento infantile. Lui però è perso nel mondo di gran lunga più maturo di *Capitan Mutanda.*

«Mi è scivolata di mano» dico con aria innocente.

«Scivolata di mano. Che cos'è, hai cinque anni?» Fa una smorfia contrariata e si tampona la camicia allargando una macchiolina. «Potrei chiamare il mio avvocato per questa cosa.»

«Già che ci sei, magari parlagli di responsabilità genitoriali, il tuo argomento preferito.»

«Divertente.»

«No, che non è divertente.» D'un tratto, sono serissima. Sono stanca dei giri di parole. «Per niente.» Guardo nostro figlio, che sta ridendo come un matto leggendo il suo libro. Ha i pantaloni corti un po' sollevati, e sul ginocchio noto una faccina disegnata a biro con una freccia che indica una scritta un po' traballante: SONO UN SUPEREROE. Come può piantare in asso suo figlio? Non lo vede da quindici giorni, non lo chiama mai per fare due chiacchiere con lui. È come se Noah fosse un hobby per cui si era comprato tutta l'attrezzatura e in cui aveva raggiunto il livello base, ma poi aveva deciso che in fin dei conti non gli piaceva un granché e che forse avrebbe fatto meglio a darsi all'arrampicata sportiva.

«Proprio per niente» ripeto. «Mi sa che dovresti andartene.»

Non alzo neanche lo sguardo mentre esce dalla stanza. Afferro il suo stupido blocchetto, lo sfoglio, troppo arrabbiata per leggere una sola parola, poi vado al computer, apro un documento e scrivo furiosamente:

> D si presenta in ufficio e lascia N da me senza preavviso, contravvenendo ai nostri patti. Atteggiamento poco disponibile. Desidera sollevare nuove obiezioni sugli accordi per il divorzio. Si rifiuta di discutere in modo ragionevole.

Stacco una chiavetta USB dalla catenina che tengo intorno al collo e salvo il file. La chiavetta è la mia coperta di Linus. Lì dentro c'è tutto il fascicolo: tutta la penosa storia di Daniel. La riaggancio alla catena, poi telefono a Barnaby, il mio avvocato.

«Barnaby, non ci crederai» comincio appena parte la segreteria telefonica. «Daniel vuole rivedere *di nuovo* gli accordi. Mi puoi richiamare?»

Lancio un'occhiata ansiosa a Noah per accertarmi che non abbia sentito, ma lui sta ridacchiando per qualcosa che ha letto sul suo libro. Lo devo affidare alla mia assistente, che già altre volte mi ha fatto da baby-sitter d'emergenza.

«Vieni.» Mi alzo e gli scompiglio i capelli. «Andiamo a cercare Elise.»

Evitare la gente alle feste è abbastanza facile, se sei tu l'organizzatrice. Hai sempre una scusa per allontanarti nel bel mezzo di un discorso se per caso vedi avanzare pericolosamente verso di te una camicia a righine rosa con un metro di girovita ("Scusatemi tanto, devo andare a salutare il direttore del marketing della Mandarin Oriental, torno subito...").

La festa è iniziata da mezz'ora e per il momento sono riuscita a schivare completamente il Gruffalo. Devo dire che la sua mole e l'affollamento della sala hanno giocato a mio favore. Sono riuscita a far apparire del tutto normale che, ogni volta che lui arriva nel raggio di un metro da me, io mi diriga spedita nella direzione opposta o addirittura fuori dalla sala o, nei casi proprio disperati, nella toilette delle donne.

Accidenti. Appena esco, è lì che mi aspetta. Günter Bachmeier sta presidiando la porta del bagno in corridoio.

«Ah, ciao, Günter» dico soave. «Che piacere rivederti. Avevo in mente di chiamarti...»

«Mi hai efitato» dice severo con un accento gutturale.

«Ma no! Ti stai divertendo alla festa?» Mi costringo a posare la mano sul suo grasso avambraccio.

«Hai tiffamato il mio nuofo hotel.»

Pronuncia la parola "tiffamato" con enfasi. Rimango molto colpita dalla sua conoscenza di questo verbo. Di sicuro non saprei dire quale sia l'equivalente nella sua lingua. Il mio tedesco non va oltre il "Taxi, *bitte*?".

«Dài, Günter, non esagerare.» Sorrido amabilmente. «Quattro stelle non possono certo essere definite una... diffamazione. Mi spiace che il recensore non abbia potuto assegnarti cinque stelle...»

«Non hai recenzito tu il mio hotel.» Sprizza rabbia da tutti i pori. «Hai mantato una tilettante. Non mi hai mostrrrato rrrispetto!»

«No, non è fero!» replico, prima di riuscire a controllarmi. «Cioè, non è... vero.» Ho il viso in fiamme. «Non è vero.»

Non l'ho fatto apposta, solo che ho l'orribile abitudine di scimmiottare le persone. Imito le voci e gli accenti senza volerlo. Adesso Günter mi fissa con occhi ancora più minacciosi.

«Tutto bene, Felicity?» Gavin, il nostro editore, arriva di corsa. Vedo che ha il radar acceso e so perché. L'anno scorso il Gruffalo ha acquistato ventiquattro pubblicità a doppia pagina. È il Gruffalo a mandare avanti la baracca. Ma non posso assegnare al suo albergo cinque stelle solo perché ha comprato delle pubblicità. Cinque stelle sulla "Pincher Travel Review" pesano parecchio.

«Stavo giusto spiegando a Günter che ho mandato una delle nostre migliori professioniste freelance a recensire il suo hotel» dico. «Mi spiace che non sia rimasto soddisfatto...»

«Sarresti tofuta antarre ti perrrsona.» Günter pronuncia le

parole in tono sprezzante. «Tof'è finita la tua crretipilità, Felicity? Tof'è la tua rrreputazione?»

Mentre lui si allontana a passi pesanti, mi sento leggermente scossa. Con il cuore in tumulto, alzo lo sguardo verso Gavin.

«Mamma mia!» Cerco di avere un tono rilassato. «Che reazione esagerata!»

«Perché non sei andata a recensire il Palm Stellar?» Gavin mi fissa accigliato. «Dovresti occuparti tu dei posti nuovi da promuovere. I patti sono questi da sempre.»

«Ho deciso di mandare Celia Davidson» dico allegramente, evitando di rispondere alla domanda. «Scrive molto bene.»

«Perché non sei andata tu a recensire il Palm Stellar?» ripete, come se non mi avesse neppure sentito.

«Dovevo fare delle cose per... per...» Mi schiarisco la gola, riluttante a pronunciare la parola. «Cose personali.»

D'un tratto, vedo che ha capito.

«Il divorzio?»

Non riesco proprio a rispondere. Giro il mio orologio da polso, come se improvvisamente fossi molto interessata al meccanismo.

«Il divorzio?» La sua voce assume un tono tagliente e minaccioso. «Di nuovo?»

Ho le guance in fiamme per l'imbarazzo. Lo so che il mio divorzio ha assunto dimensioni epiche da *Signore degli anelli*. Lo so che mi ha preso più tempo lavorativo di quel che avrebbe dovuto. Lo so che continuo a garantire a Gavin che ormai è tutto finito e dimenticato.

Ma non è colpa mia. Non è che mi diverta.

«Dovevo parlare con un avvocato specializzato che ha lo studio a Edimburgo» ammetto alla fine. «Ho dovuto raggiungerlo in aereo, perché aveva l'agenda fitta di impegni.»

«Felicity.» Gavin mi fa cenno di spostarci a un lato del corridoio e il suo sorriso teso mi procura una stretta allo stomaco. È il sorriso che adotta per tagliare gli stipendi e i bilanci, per dire ai direttori delle riviste che purtroppo bisogna chiudere e che devono liberare gli uffici, grazie. «Felicity, sai benissimo che nessuno al mondo potrebbe capirti meglio di me.»

Che bugiardo. Che cosa ne sa lui, di divorzi? Ha una moglie e un'amante, e nessuna delle due sembra preoccuparsi dell'esistenza dell'altra.

«Grazie, Gavin» mi sento in obbligo di dire.

«Ma non puoi permettere a questo divorzio di intaccare il tuo lavoro e la reputazione della Pincher International» mi abbaia contro. «Chiaro?»

D'un tratto, per la prima volta, mi preoccupo sul serio. So per esperienza che Gavin tira fuori la "reputazione della Pincher International" tutte le volte che sta pensando di licenziare qualcuno. È un avvertimento.

So anche per esperienza che l'unico modo di affrontarlo è negare tutto.

«Gavin.» Mi ergo in tutta la mia altezza e assumo un'aria fiera. «Mettiamo le cose *bene* in chiaro.» Faccio una pausa, come se fossi David Cameron che risponde alle interrogazioni al Primo Ministro.

«*Bene* in chiaro. Se c'è una cosa che non faccio proprio *mai* è permettere alla mia vita personale di interferire con il mio lavoro. Anzi...»

«*Buum!*» Un urlo assordante mi interrompe. «Attacco laser!»

Mi si gela il sangue nelle vene. Non può essere...

Oh, no.

Un familiare *ra-ta-ta-ra-ta-ta-ta* mi investe le orecchie. Proiettili di plastica arancione sfrecciano nell'aria, colpiscono la gente in faccia e finiscono nei bicchieri di champagne. Noah attraversa di corsa il corridoio diretto verso l'atrio, sparando con la sua pistola giocattolo e ridendo come un matto. Ma perché non ho controllato il suo zainetto?

«Fermo!» Mi lancio su Noah, lo afferro per il colletto e gli strappo la pistola dalle mani. «Smettila! Gavin, mi dispiace moltissimo» aggiungo ansimante. «Toccava a Daniel tenere il bambino stasera, ma mi ha piantato in asso e... merda!»

Nell'agitazione ho schiacciato per sbaglio un pulsante della pistola e questa si è messa a sputare altre pallottole che colpiscono Gavin al petto. Sembra una scena delle *Iene* di Tarantino. Un pensiero mi attraversa fulmineo la mente: "Sto trucidando il mio capo con un'arma automatica. Non gioverà molto alla mia valutazione". La raffica di pallottole si dirige verso la sua faccia e lui farfuglia inorridito.

«Scusa!» Lascio cadere la pistola a terra. «Non volevo sparare...»

Noto con orrore la sagoma di Günter tre metri più in là. Ha tre proiettili incastrati fra gli stopposi capelli bianchi e uno nel bicchiere.

«Gavin.» Deglutisco affannosamente. «Non so che cosa dire...»

«È stata colpa mia» mi interrompe in fretta Elise. «Stavo badando io a Noah.»

«Lui però non dovrebbe essere in ufficio» preciso. «Quindi la colpa è mia.»

Ci giriamo verso Gavin, come in attesa del verdetto. Lui fissa la scena, scuotendo la testa.

«Vita personale. Lavoro.» Si torce le mani. «Fliss, devi darti una regolata.»

Rossa per l'umiliazione, trascino un Noah recalcitrante nel mio ufficio.

«Ma stavo vincendo!» continua a lamentarsi.

«Scusami.» Elise si prende la testa fra le mani. «Ha detto che era il suo gioco preferito.»

«Non c'è problema.» Le sorrido. «Noah, non si gioca con le pistole nell'ufficio della mamma. Mai.»

«Vado a prendergli qualcosa da mangiare» dice Elise. «Fliss, tu devi tornare subito al ricevimento. Su, sbrigati. Me la caverò. Forza, Noah, vieni.»

Sospinge Noah fuori dall'ufficio e io sento ogni cellula del mio corpo afflosciarsi.

Ha ragione, devo tornare di corsa di là, fare il mio ingresso, raccogliere i proiettili, scusarmi, ammaliare la gente e trasformare di nuovo la serata nel raffinato evento professionale che è sempre stata.

Ma sono talmente stanca che potrei addormentarmi all'istante, credo. La moquette sotto la scrivania mi sembra il posticino ideale dove raggomitolarmi.

Appena mi lascio andare sulla sedia, squilla il telefono. Risponderò solo a questa chiamata. Forse qualcuno mi tirerà su di morale con una buona notizia.

«Pronto?»

«Felicity? Sono Barnaby.»

«Ah, Barnaby.» Drizzo la schiena, nuovamente galvanizzata. «Grazie per avermi richiamata. Non hai idea di che cos'ha appena fatto Daniel, da non crederci. Aveva accettato di tenere Noah per stasera, ma poi mi ha piantato in asso. E adesso dice che vuole rivedere gli accordi! Rischiamo di finire in tribunale!»

«Fliss, calmati. Rilassati» mi dice con la sua parlata lenta di Manchester. Spesso preferirei che parlasse un po' più in fretta, soprattutto quando lo sto pagando all'ora. «Risolviamo tutto. Non ti preoccupare.»

«Mi fa una rabbia...»

«Lo sento, ma non devi stressarti. Cerca di non pensarci.»

Sta scherzando?

«Ho messo tutto per iscritto. Posso mandarti una mail.» Giocherello con la chiavetta agganciata alla catenina. «Vuoi che lo faccia adesso?»

«Fliss, ti ho detto che non c'è bisogno che tu tenga traccia di ogni singolo episodio.»

«Ma io voglio farlo! Cioè, quando si parla di "comportamento irragionevole"... Se elencassimo uno per uno tutti gli episodi, se il giudice *sapesse* com'è...»

«Il giudice sa già com'è.»

«Ma...»

«Fliss, queste sono "fantasie sul divorzio"» dice Barnaby tranquillamente. «Che cosa ti ho detto delle fantasie sul divorzio?»

Silenzio. Detesto la sua capacità di leggermi nel pensiero. Lo conosco sin dai tempi dell'università e, anche se mi costa un botto nonostante il trattamento da amico, non mi è mai venuto in mente di rivolgermi a nessun altro avvocato. Adesso aspetta che io risponda, come un insegnante in classe.

«"Le fantasie sul divorzio non si avvereranno mai"» mormoro alla fine, fissandomi le unghie.

«"Le fantasie sul divorzio non si avvereranno mai"» ripete con enfasi. «Il giudice non declamerà mai in tribunale un fascicolo di duecento pagine sulle mancanze di Daniel mentre la folla sbeffeggia il tuo ex marito. Non riepilogherà mai i fatti dicendo: "Signora Graveney, lei deve essere una santa per aver sopportato un uomo così stronzo e malvagio, e pertanto le accordo tutto quello che desidera".»

Arrossisco mio malgrado. In effetti, non posso negare di essermi crogiolata in fantasie molto simili, anche se nella mia immaginazione la folla lo bersagliava anche di bottigliette.

«Daniel non ammetterà mai di avere torto» incalza Barnaby. «Non scoppierà mai a piangere davanti al giudice dicendo: "Fliss, ti prego, perdonami". I giornali non pubblicheranno mai un articolo sul tuo divorzio dal titolo: *Pezzo di merda ammette tutta la sua stronzaggine in tribunale*.»

Non riesco a trattenere una mezza risatina. «Lo so.»

«Davvero, Fliss?» Barnaby sembra scettico. «Ne sei proprio sicura? Ti aspetti ancora che un bel giorno si svegli e si renda conto di tutto il male che ha fatto? Perché devi capire che Daniel non si renderà mai conto di niente. Non confesserà mai di essere una persona orribile. Mai e poi mai, anche se dovessi dedicare mille ore a questo caso.»

«Ma è una tale ingiustizia.» Ho un nodo di frustrazione nello stomaco. «È una persona orribile.»

«Lo so che è uno stronzo, quindi non pensare troppo a lui, eliminalo dalla tua vita. Via, basta.»

«Non è così facile» borbotto dopo un attimo di pausa. «È il padre di mio figlio.»

«Lo so» dice Barnaby con più gentilezza. «Non ho detto che sia facile.»

C'è un momento di silenzio. Fisso l'orologio dell'ufficio e la stupida lancetta che continua a girare. Alla fine mi piego in avanti, nascondendo la testa nell'incavo del gomito.

«Dio mio, il divorzio.»

«Divorzio, eh, sì» dice Barnaby. «La più grande invenzione dell'uomo.»

«Vorrei solo... mah, non so...» Sospiro forte. «Agitare una bacchetta magica e cancellare il nostro matrimonio. A parte Noah. Noah me lo terrei, ma tutto il resto sarebbe solo un brutto sogno.»

«Vuoi un annullamento, ecco quel che vuoi» dice Barnaby allegramente.

«Annullamento?» Fisso sospettosa il telefono. «È una possibilità reale?»

«Sì, abbastanza. Significa che il contratto è nullo e inefficace. Il matrimonio non c'è mai stato. Se sapessi quanti clienti chiedono esattamente questo, rimarresti sbalordita.»

«Potrei ottenerlo anch'io?»

L'idea mi esalta. Forse esiste un modo semplice e a buon mercato di cavarsi d'impaccio che io non avevo mai considerato. L'annullamento. Il contratto è nullo e inefficace. Un'ipotesi *molto* allettante. Perché Barnaby non me ne aveva mai parlato?

«No, a meno che Daniel non sia bigamo» risponde Barnaby «o sia stato costretto a sposarsi, o che il matrimonio non sia mai stato consumato, o che uno di voi due all'epoca non fosse nel pieno possesso delle sue facoltà mentali.»

«Io!» dico all'improvviso. «Sono stata una pazza solo a pensare di sposarlo.»

«Dicono tutti così.» Ride. «Non funzionerà, temo.»

Il barlume di speranza svanisce lentamente. Accidenti. Adesso rimpiango che Daniel non sia bigamo. Come sarebbe bello se si presentasse un'ex moglie con una cuffietta da mormone in testa e dicesse: "C'ero prima io!" e mi risparmiasse tutta questa trafila.

«Mi sa che dovrò tenermi il divorzio» dico alla fine. «Grazie, Barnaby. Sarà meglio che vada, prima che mi fatturi altre trentamila sterline solo per avermi detto ciao.»

«Hai ragione.» Barnaby non sembra mai minimamente offeso da quello che gli dico. «Solo un'altra cosa, vai ancora in Francia, vero?»

«Sì, domani.»

Io e Noah andiamo per due settimane in Costa Azzurra. Per lui sono le nostre vacanze di Pasqua, mentre io dovrò recensire tre alberghi, sei ristoranti e un parco a tema. Lavorerò sul portatile ogni sera fino a tardi, ma non mi posso lamentare.

«Ho contattato il mio vecchio amico Nathan Forrester. Hai presente quello di cui ti avevo parlato, che vive ad Antibes? Voi due dovreste vedervi, andare a bere qualcosa insieme.»

«Oh.» Mi torna il buon umore. «Bene, sarà divertente.»

«Ti mando le informazioni via mail. È un tipo simpatico. Gioca un po' troppo a poker, ma non giudicarlo male per questo.»

Un giocatore di poker che vive nel Sud della Francia. Mi pare interessante. «No, figurati. Grazie, Barnaby.»

«Piacere mio. Ciao, Fliss.»

Appena riaggancio, il telefono squilla di nuovo. Barnaby deve essersi dimenticato qualcosa.

«Ciao, Barnaby...»

Non sento nulla, a parte un respiro decisamente pesante e affannoso. Mmh, non è che Barnaby mi ha richiamato per sbaglio mentre si sbaciucchia con la segretaria? Ma in realtà so benissimo chi è, riconosco quel modo di respirare. E sento *I Try* di Macy Gray in sottofondo: la classica colonna sonora da fine relazione di Lottie.

«Pronto» riprovo. «Lottie? Sei tu?»

Altri respiri pesanti, stavolta rochi.

«Lottie? Lotts?»

«Oh, Fliss...» Scoppia in un singulto fortissimo. «Io credevo davvero che mi avrebbe chiesto di sposaaaaaaarlo...»

«Oh, mio Dio, Lottie.» Cullo dolcemente il telefono, come se ci fosse lei al suo posto. «Lottie, tesoro.»

«Sono stata con lui per ben tre anni e pensavo che mi amasse e volesse dei bambiiiiiiiini... E invece no! Invece no!» Piange disperatamente, come Noah quando si sbuccia un ginocchio. «E adesso che cosa faccio? Ho trentatré anniiiiiiiiii...» Ha il singhiozzo.

«Trentatré anni non sono niente» mi affretto a dire. «Niente! E sei una persona splendida e adorabile.»

«Gli ho persino comprato un aneeeeelloooo...»

Gli ha comprato un anello? Fisso il telefono. Ho sentito bene? Lei ha comprato un anello a lui?

«Che anello?» non posso fare a meno di domandarle. La immagino porgere a Richard una scatolina con dentro uno zaffiro scintillante.

Ti prego, non dirmi che gli hai regalato una scatolina con uno zaffiro scintillante.

«Be', solo...» Tira su con il naso sulla difensiva. «Un anello. Un anello di fidanzamento da uomo.»

Un anello di fidanzamento da uomo? No, non esiste proprio.

«Lotts» le dico con delicatezza «sei sicura che Richard sia un tipo da anello di fidanzamento? Cioè, non sarà stato quello a scoraggiarlo?»

«L'anello non c'entra niente!» Scoppia di nuovo a piangere. «Non l'ha neppure visto! Vorrei non averlo nemmeno comprato, quello stupido anello! Ma mi era sembrato giusto nei suoi confronti! Perché avevo immaginato che lui ne avesse uno per meeeeeeeeee!»

«Okay» mi affretto a dire. «Scusami!»

«Fa niente.» Si calma un pochino. «Scusami tu. Non voglio fare scene isteriche...»

«Su, non fare la sciocchina. A che cosa servo io, sennò?»

È orribile sentirla così a pezzi. Ovvio che mi dispiace. Fra me e me, però, non posso fare a meno di sentirmi un po' risollevata. La maschera è caduta. La negazione è finita. È un bene, un passo avanti.

«In ogni caso, ho deciso che cosa fare e mi sento molto meglio. È successo proprio al momento giusto, Fliss.» Si soffia rumorosamente il naso. «Mi sento determinata. Ho un piano. Un obiettivo.»

Le mie antenne vibrano. Oh-oh, un "obiettivo". Questa parola mi fa scattare il campanello d'allarme. È una di quelle che usa alla fine di ogni relazione, insieme a "progetto", "svolta" e "una nuova, meravigliosa amicizia".

«Bene» dico con cautela. «Grandioso! Allora, ehm, qual è il tuo obiettivo?»

Sto già cercando di indovinare. Per favore, non un altro piercing, o un'altra follia immobiliare. L'ho convinta a non lasciare il suo lavoro così tante volte che non può essere di nuovo quello, no?

Per favore, non trasferirti in Australia.

Per favore, non perdere sei chili. Perché: 1) è già magrissima, e 2) l'ultima volta che ha fatto una dieta, mi ha chiesto di essere la sua "aiutante" e di chiamarla ogni mezz'ora per dirle: "Rispetta gli impegni, brutta cicciona", poi si è lamentata perché mi sono rifiutata.

«Allora, qual è?» insisto con la massima delicatezza, paralizzata dal terrore.

«Voglio prendere il primo volo per San Francisco, fare una sorpresa a Richard e chiedergli di sposarmi!»

«Cosa?» Per poco non mi cade il telefono di mano. «No! Pessima idea!»

Che cos'è, vuole fare irruzione nel suo ufficio? Aspettarlo sulla porta? Inginocchiarsi e porgergli l'anello di fidanzamento "da uomo", per così dire? Non posso permetterglielo. Sarebbe un'umiliazione terribile per lei e ne rimarrebbe distrutta, poi toccherebbe a me raccogliere di nuovo i cocci.

«Ma io lo amo!» Sembra sovreccitata. «Lo amo moltissimo! E se lui non capisce che siamo fatti l'uno per l'altra, tocca a me *dimostrarglielo*! Devo essere *io* a fare la prima mossa! In questo momento sono sul sito della Virgin Atlantic. Mi prendo un biglietto in Premium Economy? Mi puoi fare avere uno sconto?»

«No! Non prenotare nessun volo per San Francisco» dico, con tutta la fermezza e l'autorevolezza di cui sono capace. «Chiudi il computer. Esci da Internet.»

«Ma...»

«Lottie, ragiona» dico con più gentilezza. «Richard ha avuto la sua possibilità. Se avesse voluto sposarsi, adesso stareste organizzando il matrimonio.»

So che le mie parole sono dure, ma è la pura verità. Gli uomini che si vogliono sposare, lo chiedono apertamente. Non c'è bisogno di interpretare segni. Lo chiedono, e quello è il segno.

«Ma lui non si *rende conto* di volersi sposare!» dice convinta. «Bisogna *persuaderlo*. Se tu gli dessi una piccola *spinta*...»

Una piccola spinta? È più facile che gli dia una gomitata nelle costole.

Ho un'improvvisa visione di Lottie che afferra Richard per i capelli e lo trascina all'altare, e faccio una smorfia. So esattamente come finiscono queste storie: nello studio di Barnaby Rees, avvocato specializzato in diritto di famiglia, cinquecento sterline per il primo colloquio.

«Lottie, ascolta» dico severa. «Ascoltami molto bene. Non è il caso di sposarsi, a meno che non si sia sicuri al duecento per cento che andrà tutto bene. Anzi, no, al seicento per cento.» Do un'occhiata furente alle ultime obiezioni di Daniel sugli accordi di divorzio. «Credimi, non ne vale la pena. Ci sono passata ed è... sì, insomma, orribile.»

All'altro capo della linea cala il silenzio. Conosco Lottie così bene. Praticamente vedo sfumare il suo sogno a occhi aperti tutto fiorellini e cuoricini di lei che chiede a Richard di sposarla sul Golden Gate Bridge.

«Almeno, pensaci bene prima» insisto. «Non lanciarti come un razzo. Qualche settimana non cambierà nulla.»

Trattengo il fiato incrociando le dita.

«Okay» risponde infine in tono desolato. «Ci penserò.»

Sbatto le palpebre sbalordita. Ce l'ho fatta, ce l'ho fatta davvero! Per la prima volta in vita mia ho dirottato una scelta infelice prima ancora che lei la mettesse in atto. Ho bloccato l'infezione prima che potesse diffondersi.

Forse con l'età sta diventando più razionale.

«Appena torno dalle vacanze, andiamo a pranzo insieme» le propongo per tirarla su di morale. «Offro io.»

«Sì, sarebbe carino» dice Lottie con una vocina sottile. «Grazie, Fliss.»

«Stammi bene. Ci sentiamo presto.»

Chiude la comunicazione e io emetto un lungo gemito rabbioso, anche se non so bene con chi ce l'abbia in particolare. Richard? Daniel? Gavin? Günter? Tutti gli uomini? No, non tutti. Forse tutti gli uomini a parte alcune onorevoli eccezioni, per esempio Barnaby, il mio adorabile lattaio Neville, il Dalai Lama, naturalmente...

D'un tratto fisso il mio riflesso nello schermo del computer e mi sporgo in avanti inorridita. Ho un proiettile di plastica infilato tra i capelli.

Meraviglioso.

3

LOTTIE

Non ho dormito tutta la notte.

Con questa frase di solito la gente intende dire che si è svegliata qualche volta, si è preparata una tisana ed è tornata a letto. Ma io non ho *veramente* dormito tutta la notte. Ho contato le ore che passavano.

All'una avevo deciso che Fliss aveva torto su tutta la linea. Di lì all'una e mezza mi ero trovata un volo per San Francisco. Alle due avevo scritto il discorso perfetto per una proposta di matrimonio, amorevole e appassionata, con tanto di citazioni di Shakespeare, di Richard Curtis e dei Take That. Alle tre mi ero filmata mentre facevo le prove (undici). Alle quattro mi ero vista in video e mi ero resa conto della triste verità: Fliss ha ragione, Richard non dirà mai di sì. Si spaventerà e basta, soprattutto se gli faccio quel discorso. Alle cinque mi ero mangiata tutto il gelato alla crema con praline. Alle sei avevo divorato un'altra vaschetta. E adesso sono accasciata su una seggiola di plastica, nauseata e pentita di tutto quello che ho fatto.

Una parte minuscola di me si chiede ancora se lasciando Richard non abbia fatto l'errore più grande della mia vita. Se avessi aspettato un attimo, mi fossi morsa la lingua e non avessi mai parlato di matrimonio, la nostra relazione avrebbe potuto funzionare lo stesso? In qualche modo?

Il resto di me però è più razionale. Si dice che le donne si basino sull'intuito e gli uomini sulla logica, ma sono tutte stupidaggini. Ho studiato logica all'università, grazie tante. Lo so bene come funziona. Se A=B e B=C, A=C. E che cosa potrebbe esserci di più logico del seguente ragionamento sintetico e distaccato?

Premessa uno: Richard non ha intenzione di chiedermi di sposarlo, l'ha detto chiaro e tondo.

Premessa due: io voglio sposarmi e impegnarmi con una persona e un giorno, si spera, avere un bambino.

Conclusione: ergo non sono destinata a stare con Richard. Ergo, devo mettermi con un altro.

Altra conclusione: ergo, lasciarlo è stata la decisione giusta.

Ulteriore conclusione: ergo, devo trovarmi un altro uomo che voglia mettere su famiglia con me e non strabuzzi gli occhi in quella maniera solo a sentir nominare la parola matrimonio, come se fosse una prospettiva terrificante. Uno che capisca che, se sta tre anni con te, forse sta pensando di impegnarsi, di fare un figlio, di prendere un cane e... e... di decorare un albero di Natale con te... e perché dovrebbe essere una brutta cosa? Perché dovrebbe essere una prospettiva così fuori programma e innominabile, visto che la gente dice che siamo una coppia stupenda e stiamo così bene insieme, e che persino tua madre, Richard, aveva buttato là l'idea che un giorno potessimo andare a vivere vicino a loro?

Okay, forse non è un'argomentazione tanto sintetica. Né distaccata.

Bevo un sorso di caffè, cercando di tranquillizzarmi. Diciamo che sono calma e razionale quanto ci si potrebbe aspettare da una persona nelle mie condizioni, e cioè di una che ha dovuto prendere il treno delle 7.09 per Birmingham dopo una notte insonne. E che sta per tenere un discorso di fronte a cento studenti in un auditorium che puzza di formaggio e cavolfiore.

Sono nella stanza di fianco al palco dell'auditorium, in compagnia del mio collega Steve, che è lì chino sul suo caffè, più o meno sveglio quanto me. Io e Steve teniamo un mucchio di questi discorsi per reclutare nuove leve, siamo praticamente come un comico e la sua spalla, lui si occupa delle questioni scientifiche, io della presentazione generale. L'idea è questa: lui impressiona tutti gli studenti parlando del nostro dipartimento di ricerca e di sviluppo all'avanguardia, io li rassicuro sottolineando che ci prenderemo cura di loro e che avranno una carriera entusiasmante e non dovranno svendersi.

«Biscotto?» mi chiede Steve.

«No, grazie» rabbrividisco. Ho già incamerato abbastanza grassi trans e additivi vari.

Forse dovrei partecipare a qualche campo di addestramento estremo. Tutti dicono che correre cambia la vita e offre nuove prospettive. Io dovrei andare in un ritiro dove non si fa altro che correre e bere integratori isotonici. In montagna. O nel deserto. Qualcosa di veramente duro e difficile.

O magari fare il triathlon Iron Woman. Sì.

Prendo il mio BlackBerry e cerco su Google "campi allenamento iron woman" quando Deborah, la responsabile dell'orientamento, si affaccia alla porta. Non eravamo mai stati in questo college, perciò è la prima volta che la vedo. A essere sinceri, è un po' strana. Non avevo mai conosciuto una persona così tesa ed eccitabile.

«Tutto okay? Cominciamo fra una decina di minuti. Vi consiglierei di fare una cosa rapida.» Annuisce nervosamente. «Bella rapida e concisa.»

«Alla fine della presentazione, ci piace chiacchierare con gli studenti» ribatto io, estraendo dalla mia borsa di tela un fascio di brochure dal titolo *Perché lavorare alla Blay Pharmaceuticals?*

«Bene.» Il suo sguardo vaga ovunque, irrequieto. «Be'... io direi di fare una cosa bella rapida e concisa.»

Mi viene la tentazione di ribattere seccamente: "Siamo venuti fin qui da Londra!". Insomma, di solito i responsabili dell'orientamento sono ben felici di vederci rispondere alle domande.

«Insomma, solito schema?» chiedo a Steve. «Io, tu, parte uno io, parte due tu, domande?» Lui fa segno di sì con la testa e io passo il DVD a Deborah. «Ti do io il segnale. È abbastanza ovvio.»

Il DVD del reclutamento è la nota dolente della nostra presentazione. È stato girato come un video musicale degli anni Ottanta, con illuminazione scadente e brutta musica elettronica, e persone impacciate con orribili tagli di capelli che fingono di fare una riunione. Solo che è costato centomila dollari, quindi dobbiamo usarlo.

Deborah va a infilare il DVD nel lettore e io mi appoggio allo schienale della sedia, cercando di rilassarmi, però continuo a torcermi le mani. Non so che cosa mi stia succedendo. Sembra tutto così orribile. Che piega sta prendendo la mia vita? In che direzione sto andando? Che cosa sto facendo?

E a proposito, non mi sto riferendo a Richard. Non c'entra proprio niente. È semplicemente la mia vita. Ho bisogno... non lo so... di una svolta. Di nuova energia.

Vedo un libro su una sedia vicina e lo prendo. È intitolato *Il principio di inversione: cambia la tua strategia aziendale per sempre*; sulla fascetta c'è scritto: "Dieci milioni di copie vendute!!!".

Mi arrabbio all'istante con me stessa: perché non leggo più libri di economia? È per questo che la mia vita è andata a rotoli. Non ho messo abbastanza energia nel lavoro. Sfoglio il volume, cercando di assorbire le informazioni più in fretta che posso. C'è un mucchio di diagrammi con frecce che vanno in una direzione e poi in quella opposta. Il messaggio è chiaro: invertite la direzione della freccia. Be', quello l'ho capito in circa due secondi. Devo essere dotata per natura.

Forse dovrei leggere tutti questi libri e diventare un'esperta. Forse dovrei studiare economia e commercio a Harvard. All'improvviso mi vedo in una biblioteca impegnata a saturarmi il cervello di principi economici, per poi ritornare in Inghilterra a dirigere una società tra le più quotate del paese. Il mio sarebbe un mondo di idee e strategie. Un mondo cerebrale, di pensiero di alto livello.

Sto cercando "studenti europei a Harvard" su Google quando ricompare Deborah.

«Bene, a questo punto gli studenti dovrebbero essere arrivati tutti» dice con voce disperata, deglutendo freneticamente.

«Ah, okay.» Mi sforzo di concentrarmi su di lei. Che cavolo di problema ha quella donna? Forse è nuova. Forse è la sua prima presentazione aziendale, per questo è così tesa.

Mi passo il lucidalabbra, cercando di non guardare i miei occhi iniettati di sangue. Deborah scompare dietro la porta a due battenti che si apre sul palco con l'aria di una sul punto di suicidarsi. La sento alzare la sua debole voce per sovrapporsi al brusio. Poco dopo scatta l'applauso e io sospingo verso l'uscita Steve, che ha appena addentato un croissant. Tipico.

«Dài, tocca a noi!»

Mentre mi avvio a lunghi passi sul palchetto per dare un'occhiata al pubblico, ho un momento di esitazione.

Quando ti occupi di reclutamento di nuove leve per un'azienda che opera in campo scientifico, sei abituato a vedere studenti che si trascinano in giro con i capelli non lavati, la barba non fatta, le borse sotto gli occhi. Questi qui invece sono favolosi. In prima fila c'è un gruppo di ragazze curatissime, con lunghi capelli lucidi, unghie laccate alla perfezione e il trucco impeccabile. Dietro ci sono ragazzi in forma smagliante, con le magliette gonfiate dai muscoli. Sono senza parole. Che tipo di laboratori hanno da queste parti? Laboratori con tapis roulant incorporati?

«Come sono belli!» bisbiglio incoraggiante a Deborah. «Dieci e lode in presenza!»

«Be', in effetti, consigliamo loro di fare uno sforzo» dice arrossendo e fila subito via. Do un'occhiata a Steve, che sta sbirciando quelle splendide ragazze come se non si capacitasse della propria fortuna.

«Benvenuti!» Mi dirigo sul bordo del palco. «Grazie per essere presenti. Io mi chiamo Lottie Graveney e sono qui per cercare di convincervi a lavorare alla Blay Pharmaceuticals. Ci conoscerete soprattutto per la gamma di marchi internazionali che vendiamo in farmacia, dagli analgesici Placidus alla diffusissima crema per bambini Sincero. Ma lavorare da noi significa molto di più...»

«È una carriera *entusiasmante*.» Steve praticamente mi toglie di mezzo con una gomitata. «Sì, sarà una sfida per voi, ma anche una grande *emozione*. Siamo la punta di diamante della ricerca e vi invitiamo a fare questa vertiginosa esperienza con noi.»

Lo fulmino con gli occhi. È penoso. Prima di tutto, non sta seguendo il copione; secondo, da dove viene quella voce finta, "sensuale"? Terzo, adesso si sta arrotolando le maniche, come se fosse un robusto Indiana Jones della ricerca farmacologica. Dovrebbe evitare: ha gli avambracci pallidi e venosi.

«Se volete una vita avventurosa...» Fa una pausa a effetto e poi praticamente ringhia: «Allora è da qui che dovete cominciare!».

Si è fissato su una ragazza seduta in prima fila con la camicia bianca sbottonata su un décolleté profondo e abbronzato. Ha lunghi capelli biondi e un paio di occhioni azzurri, e sembra impegnata a trascrivere ogni parola che lui pronuncia.

«Facciamo partire il DVD, Steve» dico allegramente, trascinandolo via, prima che si metta letteralmente a sbavare su quella ragazza. Si abbassano le luci e sullo schermo dietro di noi cominciano a scorrere le immagini del primo video.

«Che ragazzi intelligenti» bisbiglia Steve, mentre si siede accanto a me. «Sono molto colpito.»

Da che cosa? Dalla taglia del reggiseno di quella in prima fila?

«Non puoi già sapere che sono intelligenti» osservo. «Non abbiamo ancora parlato con loro.»

«Si capisce dallo sguardo» dice Steve disinvolto. «Faccio questo lavoro da abbastanza tempo da individuare il potenziale dei giovani a prima vista. Quella bella ragazza in prima fila sembra molto promettente. Molto promettente. Dovremmo parlarle del programma di borse di studio. Accaparrarcela prima che lo faccia qualche altra azienda farmaceutica.»

Oddio, fra poco le offre un contratto a sei cifre.

«Informeremo tutti del programma di borse di studio» dico severa. «E forse è il caso che eviti di rivolgerti sempre e solo alle sue tette.»

Si accendono le luci e Steve raggiunge a lunghi passi il centro del palco, tirandosi su le maniche ancor di più, come se si accingesse a spaccare la legna e a costruire uno chalet con le sue mani.

«Ora consentitemi di parlarvi di alcuni nostri risultati recenti e di quelli che speriamo di ottenere in futuro, magari con il vostro aiuto.» Sorride ammiccante alla bionda e lei ricambia cortesemente.

Sullo schermo compare l'immagine di una molecola.

«Conoscerete tutti i fluoruri d'idrogeno.» Steve sposta il cursore sullo schermo, poi si interrompe. «Prima che continui, sarebbe utile sapere che cosa studiate.» Si guarda intorno. «Ovviamente ci saranno degli studenti di biochimica...»

«Non importa che cosa studiano!» lo interrompe bruscamente Deborah prima che qualcuno possa rispondere. Con mia grande sorpresa, è balzata su dalla sedia e si sta dirigendo verso il palco. «Non importa che cosa studiano, no?»

È tesa come una corda di violino. Che cosa sta succedendo?

«È solo per orientarmi» spiega Steve. «Se tutti gli studenti di biochimica potessero alzare la mano...»

«Ma accettate studenti di ogni indirizzo» lo interrompe lei di nuovo. «C'è scritto sul vostro materiale informativo. Quindi non importa, no?»

Pare nel panico. Lo sapevo che c'era qualcosa che non andava.

«Insomma, ci sono degli studenti di biochimica?» Steve scruta sconcertato la sala silenziosa. Di solito, almeno la metà del pubblico è costituita da studenti di biochimica.

Deborah è sbiancata. «Posso parlarvi un attimo?» dice alla fine e ci indica disperatamente di spostarci di lato. «Temo...» Le trema la voce. «Che ci sia stato un errore. Ho mandato la mail al gruppo di studenti sbagliato.»

Ah, ecco. Ha lasciato fuori quelli di biochimica. Che cretina. Ma sembra talmente turbata che decido di essere gentile.

«Siamo molto aperti» dico rassicurante. «Non ci interessano solo gli studenti di biochimica, reclutiamo anche laureati in fisica, biologia, economia... Qual è l'indirizzo di studio di questi ragazzi?»

Cala il silenzio. Deborah si morde le labbra freneticamente.

«Estetica» biascica alla fine. «In maggioranza stanno facendo un corso di trucco. E ci sono anche degli studenti di danza.»

Trucco e danza?

Non riesco neppure a rispondere, tanto sono sconcertata. Per forza che sono così belli e in forma. Incrocio lo sguardo di Steve: ha un'aria così abbattuta che d'un tratto mi scappa da ridere.

«Che peccato» dico in tono innocente. «A Steve erano sembrati molto promettenti. Voleva offrire a tutti borse di studio in materie scientifiche. Vero, Steve?»

Steve mi lancia un'occhiata torva e se la prende con Deborah.

«Ma che cazzo sta succedendo? Perché ci mettiamo a parlare di opportunità di carriera nella ricerca farmaceutica in una sala piena di studenti di trucco e danza?»

«Mi dispiace!» Deborah sembra sul punto di scoppiare a piangere. «Quando mi sono resa conto di quello che avevo fatto, ormai era troppo tardi. Mi hanno detto di chiamare più aziende di alto livello, e voi siete una società talmente prestigiosa che non me la sono sentita di annullare l'incontro.»

«C'è qualcuno qui dentro che vuole lavorare nella ricerca farmaceutica?» Steve indica la sala.

Nessuno alza la mano. Non so se ridere o piangere. Ho messo la sveglia alle sei per venire fin qui. Non che stessi dormendo, ma comunque. «Allora che cosa ci fate qui?» Steve sembra sul punto di esplodere.

«Dobbiamo partecipare a dieci seminari di orientamento per ottenere il credito per la "ricerca di lavoro"» dice una ragazza con una morbida coda di cavallo.

«Dio santo.» Steve prende la giacca dalla sedia. «Io non ho

tempo da perdere.» Esce dall'auditorium a passi pesanti e a me viene voglia di seguirlo. Non ho mai incontrato un'incompetente come Deborah in vita mia.

D'altro canto, però, c'è ancora una sala piena di studenti che mi guardano. Hanno ancora bisogno di trovare lavoro, anche se non nel campo della ricerca farmaceutica. E io sono venuta fin qui da Londra. Non ho intenzione di girare sui tacchi e tornare a casa.

«Okay.» Prendo il telecomando dalle mani di Deborah, spengo il DVD e mi piazzo al centro del palco. «Ricominciamo da capo. Non mi occupo di estetica né di danza, quindi non ha senso che vi dispensi consigli in questi campi. Però sono una che trova lavoro alla gente. Insomma, potrei darvi qualche consiglio generale, cosa ne dite? Avete domande da fare?»

Il silenzio è assoluto. Poi una ragazza con la giacca di pelle alza la mano esitante.

«Potrebbe dare un'occhiata al mio curriculum vitae e dirmi se va bene?»

«Certo. Buona idea. C'è qualcun altro che desidera mostrarmi il suo?»

Si alza una foresta di mani. Mai vista una selezione di mani così ben curate.

«Okay. Mettetevi in fila, allora.»

Due ore più tardi ho esaminato i curricula di circa trenta studenti. (Se è Deborah la loro consulente per i curricula, quella donna dovrebbe essere licenziata. Non dico altro.) Ho risposto a domande di tutti i tipi in materia di pensioni, sgravi fiscali e normative sul lavoro in proprio. Ho fornito tutte le informazioni che a mio parere potrebbero tornare utili a questi ragazzi. E in cambio ho imparato un mucchio di cose che ignoravo del tutto, per esempio: 1) Come far sembrare una persona ferita in un film. 2) Qual è l'attrice che al momento sta girando un film a Londra e sembra una ragazza dolcissima, ma in realtà è una stronza pazzesca con la sua truccatrice. 3) Come si fa un grand jeté (non ci sono riuscita).

Mi sono aperta al confronto su qualsiasi argomento ormai, e una ragazza pallida con i capelli striati di rosa sta parlando del costo dello smalto e di quanto sia difficile trovare i soldi per aprire un salone di bellezza. Sto ascoltando e cercando di fare osservazioni utili, ma sono distratta da un'altra ragazza, seduta in seconda fila. Ha gli occhi arrossati e non ha detto una sola parola, ma continua a trafficare con il telefonino, a soffiarsi il naso e a tamponarsi gli occhi.

C'è stato un momento, mentre rispondevo alle domande, in cui avrebbe fatto comodo anche a me un fazzolettino. Stavo parlando del diritto alle ferie, quando ho avuto un improvviso moto di angoscia. Anch'io avevo messo da parte dei giorni di ferie. Tre settimane. Avevo pensato che sarebbero serviti per la luna di miele. Avevo persino trovato questo posto stupendo sull'isola di Santa Lucia...

No, Lottie. Lascia perdere. Volta pagina. Volta pagina, volta pagina. Sbatto forte le palpebre e mi concentro di nuovo sulla ragazza con i capelli rosa.

«... secondo te, mi dovrei concentrare sulle sopracciglia?» mi domanda ansiosa.

Oddio, non l'ho ascoltata con attenzione. Come siamo arrivati a parlare di sopracciglia? Sto per chiederle di ricapitolare gli argomenti principali a beneficio di tutti gli altri (è sempre una buona scusa per cavarsi d'impaccio), quando alla ragazza seduta in seconda fila sfugge un singhiozzo fortissimo. Non posso più fare finta di niente.

«Ehi» le dico gentilmente, agitando la mano per attirare la sua attenzione. «Scusami, stai bene?»

«Cindy si è appena lasciata con il suo ragazzo.» La sua amica le cinge protettiva le spalle con un braccio. «La può scusare?»

«Sicuro!» dico. «Assolutamente!»

«Ma le darà lo stesso il credito?» interviene ansiosa un'altra amica. «Perché è già stata bocciata a un corso.»

«Sempre per colpa di quello là» aggiunge rabbiosa la prima amica e diverse altre ragazze annuiscono, mormorando cose tipo: "Eh, già", "Quel coglione" e "Non sa neppure fare un occhio sfumato".

«Siamo stati insieme per due anni.» La ragazza pallida fa un altro singhiozzo. «Ben due anni. Ho fatto metà del lavoro del corso al posto suo e adesso non sa dire altro che: "Devo concentrarmi sulla carriera". Credevo che volesse stare con meeeeeee.» Si scioglie in un lungo pianto e io la fisso con le lacrime agli occhi. Conosco il suo dolore. Lo conosco.

«Certo che avrai il credito» le dico rassicurante. «Anzi, aggiungerò un encomio speciale per esserti presentata in un momento di evidente stress psicologico.»

«Davvero?» Cindy mi fa un sorriso acquoso. «Davvero?»

«Però mi devi ascoltare, d'accordo? Mi devi ascoltare.»

Sento l'impulso sempre più forte di andare fuori tema, di trasmettere una verità universale, non sulle pensioni né sugli sgravi fiscali, bensì sull'amore. O sulla mancanza di amore. O sulla specie di limbo in cui ci troviamo entrambe. So che non spetta a me farlo, ma questa ragazza deve saperlo. Deve assolutamente saperlo. Mi batte forte il cuore. Mi sento nobile e d'esempio per tutte, come Helen Mirren o Michelle Obama.

«Lascia che ti dica una cosa» comincio. «Da donna a donna, da professionista a professionista, da essere umano a essere umano.» La fisso negli occhi. «Non lasciarti rovinare la vita dalla fine di una relazione.» Mi sento galvanizzata, sicurissima di me, infervorata dal mio discorso. «Sei forte.» Enumero le mie argomentazioni contando sulle dita. «Sei indipendente. Hai la tua vita e non *hai bisogno di lui*. D'accordo?»

Aspetto finché bisbiglia: «D'accordo».

«Tutte noi abbiamo fatto questa esperienza.» Alzo la voce per coinvolgere il resto della sala. «La soluzione non è piangere, e neppure mangiare cioccolato o meditare vendetta. Devi voltare pagina. Ogni volta che mi sono lasciata con un uomo, lo sai che cosa ho fatto? Ho dato una svolta alla mia vita. Ho intrapreso un nuovo progetto interessante. Ho cambiato look. Mi sono trovata una casa nuova. Perché sono *io* a decidere della mia vita.» Batto il pugno sul palmo di una mano. «Non un uomo che non è neppure capace di fare un occhio sfumato.»

Due o tre ragazze si mettono ad applaudire e l'amica di Cindy lancia un urlo di approvazione. «È quel che le ho detto io! Lui non vale niente!»

«Basta piangere!» esclamo, per aggiungere enfasi al discorso. «Basta fazzoletti di carta. Basta controllare il cellulare per vedere se ha chiamato. Basta riempirsi la bocca di cioccolato. Volta pagina. Volgi lo sguardo verso nuovi orizzonti. Se ce la posso fare io, ce la puoi fare anche tu.»

Cindy mi sta fissando imbambolata, come se fossi capace di leggerle nel pensiero.

«Ma tu sei forte» dice alla fine, deglutendo. «Sei una donna incredibile. Io non sono come te. Non lo sarò mai, neppure quando avrò la tua età.»

Mi guarda con una tale meraviglia che non posso fare a meno di commuovermi, anche se non deve per forza trattarmi come una specie di dinosauro. Insomma, ho solo trentatré anni, non cento.

«Sì che lo diventerai» dico sicura. «Sai, un tempo ero anch'io come te. Ero molto timida, non sapevo che cosa avrei fatto nella vita e neppure quali fossero le mie potenzialità. Insomma, ero una diciottenne in difficoltà.» Sento affiorare il "discorsone motivazionale". Ho il tempo di farlo? Guardo l'orologio. Appena appena. La versione abbreviata. «Mi sentivo persa, proprio come te adesso. Poi però sono andata a fare un anno sabbatico all'estero.»

Ho raccontato questa storia un sacco di volte, in occasione di incontri con studenti, di seminari di *team building* e di conferenze a beneficio di dipendenti in procinto di prendersi un periodo sabbatico. Non mi stanco mai di raccontarla e mi procura sempre una certa emozione.

«Sono partita» ricomincio «e tutta la mia vita è cambiata. Io sono cambiata come persona. È stata una notte molto speciale a trasformarmi.» Avanzo di qualche passo e mi rivolgo direttamente a Cindy. «Sai qual è la mia teoria sulla vita? Per tutti ci sono momenti decisivi che ci fanno prendere strade particolari. A me è accaduto durante l'anno sabbatico. Ognuno di noi ha bisogno del suo grande momento. E anche tu l'avrai.»

«Che cosa è successo?» È elettrizzata, come tutti gli altri ragazzi presenti nell'auditorium. Vedo persino qualcuno che spegne l'iPod.

«Vivevo in una pensione a Ikonos» spiego. «È un'isola greca. Era piena zeppa di giovani che trascorrevano il loro anno sabbatico viaggiando, e io ci rimasi tutta l'estate. Era un posto magico.»

Tutte le volte che racconto questa storia, mi rievoca gli stessi ricordi. Il risveglio mattutino con la luce abbagliante del sole greco. L'acqua del mare sulla mia pelle ustionata. Bikini appesi ad asciugare alle persiane di legno scrostato. La sabbia nelle mie espadrillas malandate. Sardine fresche cucinate alla griglia sulla spiaggia. Musica e danze tutte le sere.

«Be', comunque, una notte c'è stato un incendio.» Mi sforzo di tornare al presente. «È stato terribile. La pensione era piena zeppa di gente, era una trappola mortale. Tutti sono usciti sulla veranda del piano di sopra, ma non sapevano come scendere e urlavano disperatamente, non c'erano neppure gli estintori...»

Ogni volta che ricordo quella notte, ho lo stesso flashback: il momento in cui è crollato il tetto. Sento di nuovo il tonfo fragoroso e le urla. L'odore del fumo.

Mentre continuo la mia storia, nella sala non si sente volare una mosca.

«Io mi trovavo in un punto privilegiato, cioè in una casetta su un albero. Sapevo da che parte sarebbe dovuta andare tutta quella gente: avrebbe dovuto saltare da un'estremità della veranda e atterrare sul tetto di una stalla di capre, solo che non se ne era accorto nessuno, perché erano tutti nel panico. Così ho preso in mano la situazione e ho cominciato a indirizzare le persone nella direzione giusta. Ho dovuto urlare per farmi sentire, sbracciarmi, saltare su e giù come una matta, ma poi qualcuno mi ha notato e alla fine mi hanno ascoltato tutti. Seguendo le mie istruzioni, sono saltati a uno a uno sul tetto sotto la veranda e si sono salvati. È stata la prima volta in vita mia in cui mi sono resa conto di poter essere una leader. Di poter fare la differenza.»

Nella sala regna il silenzio assoluto.

«Oddio.» Alla fine Cindy sospira. «Quante persone c'erano?»

«Dieci?» Scrollo le spalle. «Dodici?»

«Hai salvato la vita a dodici persone?» Sembra sbalordita.

«Sono sicura che si sarebbero salvati comunque, ma il punto è che allora ho capito una cosa di me stessa.» Mi porto le mani al petto. «Da quel momento in poi sono stata abbastanza sicura di me da cercare di ottenere quel che volevo. Ho cambiato strada, modo di pensare. Posso dire in tutta onestà che la mia vita di oggi è cominciata allora. Quello è stato il mio momento decisivo, per cui sono diventata la persona che sono adesso. E anche voi avrete il vostro, lo so.»

Ogni volta che racconto questa storia, rivivo sempre quell'istante con un certo turbamento. Era stato terrificante. Questo è l'aspetto di cui non faccio mai parola: ero spaventatissima, in preda al panico assoluto, e strillavo come una matta per essere sentita, sapendo che dipendeva tutto da me. Mi soffio il naso e sorrido a tutti quei volti silenziosi. *Ho fatto la differenza*. In tutti questi anni ho continuato a ripetere lo stesso mantra. *Ho fatto la differenza*. Qualsiasi errore o stupidaggine commetta ora, quella volta *ho fatto la differenza*.

La sala è silenziosa, poi la ragazza bionda seduta davanti si alza.

«Sei la migliore consulente di orientamento che abbia mai incontrato. Vero?» Con mia grande sorpresa, inizia ad applaudire. Un paio di ragazze addirittura esultano.

«No, no di certo» mi affretto a dire.

«Sì, invece» insiste lei. «Sei fantastica. Possiamo ringraziarti come si deve?»

«Assolutamente sì» sorrido. «Per me è stato un piacere e tanti auguri per il lavoro...»

«No, non intendevo quello.» Si avvicina al palco, brandendo una custodia nera piena di pennelli e pennellini. «Mi chiamo Jo. Vuoi che ti rifacciamo il trucco?»

«Ah.» Esito e guardo l'orologio. «Non potrei. Cioè, è molto carino da parte tua...»

«Non offenderti, ma ne hai bisogno» dice Jo gentilmente. «Hai gli occhi gonfissimi. Non hai dormito bene stanotte?»

«Oh.» Mi irrigidisco. «Sì, sì che ho dormito, grazie. Ho dormito benissimo. E tanto.»

«Allora devi cambiare crema per il contorno occhi. Quella che usi non funziona.» Sta osservando da vicino la mia faccia. «E hai il naso rosso. Non è che hai pianto...?»

«Pianto???» Cerco di non apparire troppo sulla difensiva. «Figurarsi!»

Jo mi ha fatto sedere su una sedia di plastica e mi sta picchiettando delicatamente la pelle intorno agli occhi. Mi osserva come un muratore che valuta criticamente una parete intonacata da un altro.

«Mi spiace, ma la tua pelle è in condizioni tremende.» Fa un cenno a un paio di amiche, che alla vista dei miei occhi assumono espressioni ugualmente sbigottite.

«Oh, è terribile.»

«Hai gli occhi tutti rossi!»

«Be', non so proprio come mai.» Cerco di fare un sorriso rilassato. «Non ne ho proprio idea.»

«Devi essere allergica a qualcosa!» esclama Jo, con un lampo di genio improvviso.

«Eh, sì.» Colgo la palla al balzo. «Sarà proprio quello, un'allergia.»

«Che tipo di trucchi usi? Me li fai vedere?»

Afferro la borsa e cerco di aprire la cerniera, ma è bloccata.

«Lascia fare a me» dice Jo e, prima che possa fermarla, me la strappa di mano. Cavolo. Non mi piace per niente l'idea che qualcuno veda l'enorme tavoletta di cioccolato che mi sono comprata stamattina e ho consumato per metà mentre aspettavo Steve (un momento di debolezza).

«Ci penso io» dico, afferrando di nuovo la borsa, ma la sua mano sta già aprendo di scatto la cerniera. La borsa viene strattonata e, prima che me ne renda conto, la mezza tavoletta di cioccolato cade a terra insieme a una bottiglietta di vino bianco quasi finita (un altro momento di debolezza) e ai pezzi di una foto strappata di Richard (ulteriore momento di debolezza).

«Oh, scusa!» dice Jo, raccogliendo i frammenti inorridita. «Scusami tanto! Che cosa...» Guarda meglio. «È una foto? Che cosa le è successo?»

«Questo è il tuo cioccolato» dice un'altra volontaria, porgendomi la tavoletta.

«E mi sa che questo è un vecchio biglietto di San Valentino» dice l'amica, raccogliendo un frammento carbonizzato di un cartoncino luccicante. «Ma a quanto pare è stato... bruciato?»

L'ho incendiato con un fiammifero dentro una tazza di caffè, seduta a un tavolo di un bar, prima che mi dicessero di smetterla. (Estremo momento di debolezza.)

L'occhio di Richard mi fissa da un frammento della foto, e una fitta improvvisa di dolore mi attanaglia lo stomaco. Intravedo alcune ragazze scambiarsi sguardi eloquenti, ma ho perso il dono della parola: non riesco a trovare una scappatoia dignitosa ed esemplare da questa situazione. Jo si gira a osservare i miei occhi iniettati di sangue, poi riprende vita di colpo e comincia a rimettere le cose nella borsetta.

«Be', non importa» dice all'improvviso. «Ciò che conta è che tu abbia un aspetto favoloso. Così vedrà... chiunque egli sia.» Mi strizza l'occhio. «O, sì, insomma, quel che è. Forse ci metteremo un po' di tempo. Te la senti?»

La risposta è questa. Non so che cosa mi abbia chiesto di preciso, ma la risposta è questa. Sono seduta con gli occhi chiusi, in stato di semibeatitudine, mentre la mia nuova migliore amica Jo e altre studentesse sfiorano la mia faccia con pennelli e matite. Mi hanno spruzzato del fondotinta in faccia e messo dei bigodini in testa, e continuano a cambiare idea su come truccarmi gli occhi, ma io non le sento quasi. Sono in trance. Non mi importa se tornerò al lavoro in ritardo. Sono in catalessi. Continuo a passare dal sonno alla dormiveglia, la mia mente è un vortice di sogni, colori e pensieri.

Ogni volta che mi torna in mente Richard, mi riscuoto con violenza. Volta pagina. Volta pagina, volta pagina. Me la caverò, starò benone. Devo solo ascoltare il mio consiglio. Avere una nuova missione nella vita. Una nuova strada da seguire. Una cosa su cui concentrarmi.

Magari faccio ridipingere il mio appartamento. O magari mi iscrivo a un corso di arti marziali. Potrei cominciare un allenamento intensivo e ritrovarmi in forma smagliante. Rasarmi a zero e farmi venire dei bicipiti fantastici come quelli di Hilary Swank.

O farmi un piercing all'ombelico. Richard odia gli ombelichi con il piercing. Sì, buona idea.

O forse dovrei viaggiare. Perché non ho viaggiato di più?

I miei pensieri continuano a tornare a Ikonos. Era stata un'estate favolosa, finché non era scoppiato l'incendio, era arrivata la polizia ed era andato tutto a rotoli. Ero così giovane. Così *magra*. Vivevo con un paio di shorts sfrangiati e il reggiseno del bikini. Avevo le perline nei capelli. E naturalmente c'era Ben, il mio primo vero fidanzato, il ragazzo con cui ho avuto la mia prima vera storia d'amore. Capelli scuri, occhi azzurri screziati, odore di sudore, sale e Aramis. Dio mio, quanto sesso facevamo! Almeno tre volte al giorno. E se non lo stavamo facendo, ci stavamo pensando. Era una cosa folle. Come una droga. Prima di allora non avevo mai provato un'attrazione così...

Ma... un attimo.

Ben?

Apro gli occhi di scatto e Jo grida sconcertata: «Ferma!».

Non poteva essere lui. No, di certo.

«Scusate.» Sbatto le ciglia, cercando di non muovermi. «Veramente... non è che possiamo fare una piccola pausa? Devo chiamare una persona.»

Mi giro, frugo nella borsa in cerca del telefonino e chiamo Kayla. Continuo a ripetermi di non fare la cretina, non può essere lui. Non è lui.

Ovvio che non è lui.

«Ciao, Lottie» dice Kayla. «Tutto bene?»

Perché avrebbe dovuto chiamarmi dopo tutto questo tempo? Oddio, sono passati quindici anni. Non ci sentiamo da... Be', da allora.

«Ciao, Kayla. Volevo solo il numero di quel tizio di nome Ben.» Cerco di avere un tono rilassato. «Quello che ha chiamato ieri mentre ero via, ricordi?»

Perché sto stringendo i pugni?

«Ah, sì, aspetta... Ecco qui.» Mi detta un numero di cellulare. «Chi è?»

«Non lo so... di preciso. Sei sicura che non ti abbia detto anche il cognome?»

«No, Ben e basta.»

Chiudo la telefonata e fisso il numero. "Ben e basta."

È uno studente sfacciato che si vuole candidare, mi dico decisa. È un consulente di orientamento convinto che ci diamo già del tu. È Ben Jones, il mio vicino, che per qualche motivo mi chiama in orario lavorativo. Quante persone al mondo si chiamano Ben? Una marea. Appunto.

"Ben e basta."

Ma è questo il fatto. Ecco perché all'improvviso mi manca un po' il respiro e assumo istintivamente una posa più sensuale. Chi potrebbe presentarsi in quel modo se non il mio vecchio ragazzo?

Digito il numero, chiudo gli occhi e aspetto. Uno squillo. Un altro. Un altro ancora.

«Benedict Parr.» Una pausa. «Chi parla?»

Ho perso il dono della parola. Il mio stomaco fa un balletto.

È lui.

4

LOTTIE

Prima di tutto, devo dire che ho un aspetto strepitoso.

Secondo, non ho nessuna intenzione di andare a letto con lui.

No. Nossignore. Assolutamente no.

Anche se è tutto il giorno che ci penso. Anche se solo a ricordarlo sento un leggero fremito in tutto il corpo. Lui com'era allora, com'eravamo noi. Mi sembra di essere in un sogno, mi gira leggermente la testa. Non mi pare vero che sto per rivederlo. Dopo tutto questo tempo. Ben. Voglio dire, *Ben*.

Sentire la sua voce è stato come una specie di viaggio a ritroso nel tempo. All'improvviso, mi sono ritrovata seduta con lui a quel tavolino traballante che ci accaparravamo alla sera. Ulivi tutt'intorno. I miei piedi nudi sulle sue gambe. Una lattina di Sprite ghiacciata. Mi ero dimenticata quanto fossi fanatica della Sprite all'epoca.

Poi i ricordi e le immagini sono riaffiorati per tutto il giorno, alcuni vaghi, altri nitidissimi. I suoi occhi. Il suo odore. Era sempre così impetuoso. Ricordo soprattutto questo: la sua energia. Mi faceva sentire come se fossimo i protagonisti del nostro film personale, come se ci fossimo solo io, lui e il presente. Tutto era sensazione. La sensazione di lui. Sole e sudore. Mare e sabbia. Pelle contro pelle. Era tutto rovente, amplificato e... fantastico.

E l'idea di rivederlo adesso, quindici anni dopo, mi sembra, come dire... surreale. Guardo l'orologio e rabbrividisco leggermente per l'aspettativa. Ho già bighellonato abbastanza davanti alle vetrine dei negozi. È ora di andare.

Ci vediamo in un nuovo ristorante di pesce con buone recensioni, a Clerkenwell. Ben, a quanto pare, lavora nelle vicinanze; non so che cosa faccia di preciso, non gliel'ho chiesto, ed è stata una stupidaggine perché, una volta tornata in ufficio, non ho resistito e l'ho cercato su Google. Non l'ho trovato su Facebook, ma il suo nome compare sul sito di una ditta produttrice di carta di cui lui pare essere il direttore. Sono un po' sorpresa: quando stavamo insieme, voleva fare l'attore, ma non ci sarà riuscito, immagino. O forse avrà cambiato idea. All'epoca non parlavamo molto di lavoro e carriera. Eravamo più concentrati sul sesso e su come intendevamo cambiare il mondo.

Mi ricordo però lunghe discussioni notturne su Brecht, che stava leggendo lui, e Čechov, che stavo leggendo io. E sul riscaldamento globale. E parlavamo di impieghi nel sociale, di politica, di eutanasia. A ripensarci ci attenevamo un po' ai temi in voga nelle scuole più prestigiose. Eravamo un po' seri. Ma in fondo è normale. Avevamo appena finito il liceo.

Mi avvicino al ristorante, ondeggiando un poco sulle mie nuove scarpe con il tacco alto. I capelli mi ballonzolano sulle spalle e ammiro la mia perfetta manicure. Appena Jo e le sue amiche hanno saputo che stavo andando a un appuntamento con un ex fidanzato, i loro interventi hanno registrato un immediato salto di qualità. Mi hanno limato e smaltato le unghie, colorato le sopracciglia e persino proposto un'epilazione inguinale.

Naturalmente, non mi serviva. Ero stata dall'estetista tre giorni prima per prepararmi al sesso gioioso e incandescente post proposta di matrimonio di Richard. Una trovata davvero geniale, la mia: uno spreco colossale di soldi e basta.

Sento una fitta di dolore e umiliazione. Dovrei mandargli il conto dell'estetista. Glielo dovrei mandare a San Francisco, insieme a una lettera molto dignitosa in cui gli dico semplicemente: "Caro Richard, quando riceverai questa lettera...".

No, fermati, Lottie. Non pensare a Richard. Non scrivere una lettera dignitosa. Volta pagina. Volta pagina, volta pagina.

Stringo più forte la borsetta, cercando di infondermi coraggio da sola. Tutto ha un senso. Tutto segue uno schema. Un attimo prima sono a pezzi, poi, di botto, mi chiama Ben. È il kismet. Il destino.

Anche se non andrò a letto con lui.

No. Assolutamente no.

Mentre raggiungo l'entrata del ristorante, tiro fuori lo specchietto e mi do un'altra occhiata. Cavolo, continuo a scordarmi quanto sono bella. Ho la pelle radiosa e un paio di splendidi zigomi nuovi di zecca, che Jo ha chissà come creato dal nulla con il fard e l'highlighter. Le mie labbra sembrano fresche e voluttuose. Insomma: sono uno schianto.

È lo scenario opposto rispetto all'incubo di incontrare per caso un ex fidanzato in pigiama e con i postumi di una sbornia. È la situazione ideale. Non sono mai stata così in forma in vita mia e sono abbastanza sicura che non lo sarò mai più, a meno che non ingaggi dieci truccatrici personali. Sono all'apice del look.

Con un piccolo slancio improvviso di sicurezza in me stessa, apro la porta del ristorante e vengo investita da un caldo e invitante profumo di aglio e pesce. Ci sono divanetti di pelle, un lampadario enorme e un piacevole brusio di sottofondo. Nulla di ostentato e fastidioso, solo un chiacchiericcio civile e amichevole. Vedo un barman che agita un cocktail al bar e vengo assalita da un pavloviano bisogno di mojito.

Non mi ubriacherò, penso subito risoluta. Non andrò a letto con lui e non mi sbronzerò.

Il maître di sala mi sta venendo incontro. Eccoci.

«Ho un appuntamento con un... amico. Ha riservato un tavolo. Benedict Parr?»

«Ma certo.» Il maître mi fa seguire un percorso sinuoso fra i tavoli del ristorante, e io noto circa dieci uomini con la testa girata che potrebbero essere lui. Ogni volta sento una stretta allo stomaco per l'apprensione. È lui? È lui? Per piacere, non quello là...

Oddio! Per poco non mi metto a strillare. Eccolo lì che si alza dalla sedia. Stai calma. Sorridi. È una scena così incredibilmente surreale.

Lo scruto da cima a fondo, registrando i dettagli a velocità supersonica, come se stessi facendo la gara di "valutazione ex fidanzato" alle Olimpiadi. Camicia a motivi un po' strani, che cosa sono? È più alto di come lo ricordassi. Più magro. La faccia è decisamente più affilata e si è tagliato i lunghi capelli ondulati. Non diresti mai che un tempo avesse avuto i boccoli da dio greco. Al posto dell'orecchino è rimasto un buco nel lobo.

«Ehi, ciao» lo saluto.

Sono soddisfatta del tono rilassato che sono riuscita ad avere, soprattutto se penso che, dopo averlo osservato bene, sono sempre più esaltata. Ma guardalo! Che splendore d'uomo! Lo è sempre stato, solo che adesso è ancora meglio. Più adulto, meno impacciato.

Si china per darmi un bacio. Un doppio bacio civile da adulti. Poi arretra per osservarmi come si deve.

«Lottie. Ti trovo in forma... strepitosa.»

«Anche tu non stai affatto male.»

«Non sei per niente invecchiata!»

«Neppure tu.»

Ci sorridiamo pieni di gioioso stupore, come due vincitori di una lotteria che vanno a prendere il loro premio convinti di ricevere una scatola di cioccolatini scadenti e invece si ritrovano mille sterline in contanti. Non ci sembra vero di essere tanto fortunati.

Cioè, parliamoci chiaro, un uomo può cambiare moltissimo dai venti ai trent'anni. Ben avrebbe potuto trasformarsi in qualsiasi modo. Avrebbe potuto essere calvo, avere la pancetta e le spalle spioventi, o avere sviluppato un qualche tic irritante.

E lui probabilmente mi guarda pensando: "Grazie a Dio, non si è fatta il Botox alle labbra, e non si è neppure ingrigita e/o ingrassata di trenta chili".

«Eccoci qua.» Con un gesto elegante indica la mia sedia e io mi ci accomodo. «Come te la sei passata negli ultimi quindici anni?»

«Bene, grazie» rido. «E tu?»

«Non posso lamentarmi.» Mi guarda negli occhi con lo stesso sorrisino da monello di sempre. «Bene, adesso ci siamo rimessi al passo. Vuoi bere qualcosa? Non dirmi che sei diventata astemia!»

«Stai scherzando?» Apro il menu dei cocktail con un fremito. Sarà una serata fantastica. Lo so già. «Vediamo che cos'hanno.»

Due ore dopo sono su di giri. Euforica. Sono come un attaccante in zona gol. Come una che si è appena convertita a una religione nuova. Sì, sì, è così! Io e Ben stiamo *divinamente* insieme.

Okay, non ho rispettato i miei proposti sull'alcol, ma erano ridicoli, miopi e stupidi. Una cena con un ex è una situazione potenzialmente tesa e difficile; avrebbe potuto essere imbarazzante. Invece, con qualche cocktail in corpo, sto trascorrendo la serata più bella della mia vita.

La cosa incredibile è la sintonia che c'è fra noi. È come se avessimo ricominciato esattamente da dove ci eravamo interrotti, come se nel frattempo non fossero passati quindici anni. Abbiamo di nuovo diciotto anni. Siamo due ragazzi pieni di stupore, che si scambiano idee folli e battute demenziali e desiderano esplorare tutto quello che il mondo ha da offrire. Ben si è messo subito a parlare di uno spettacolo visto la settimana precedente, e io di una mostra d'arte visitata a Parigi (non ho specificato che mi ci aveva portato Richard) e da quel momento in poi la nostra conversazione ha preso il volo. Abbiamo così tanto da dirci. Abbiamo così tanti ricordi.

Ci siamo risparmiati il tedioso elenco del chi-cosa-quando. Non ci siamo dilungati in dettagli sul lavoro e sulle relazioni precedenti, insomma abbiamo tralasciato tutte quelle cose noiose. È un tale sollievo non sentirsi chiedere: "Allora, che cosa fai nella vita?" o "Abiti in un appartamento ristrutturato o costruito su un progetto commissionato da te?" o "Avrai la pensione?". È così liberatorio.

Io so che lui è single e lui sa che io sono single. Era l'unico aggiornamento necessario.

Ben ha bevuto molto più di me. Ricorda anche molte più cose di me della Grecia. Continua a tirare fuori vecchi episodi che io avevo rimosso. Mi ero dimenticata del torneo di poker, del peschereccio affondato e della notte in cui avevamo giocato a ping-pong con quei due ragazzi australiani. Ma appena lui rievoca i ricordi, mi torna tutto in mente nitidissimo.

«Guy e...» Arriccio il naso per cercare di ricordare. «Guy e... come si chiamava quell'altro... ah, sì, Bill!»

«Bill!» Ben ride e mi batte un cinque. «Ma certo, Big Bill. Mi pare assurdo di non aver mai ripensato una sola volta a Big Bill in tutti questi anni. Sembrava un orso. Si sedeva in un angolo del terrazzo a bere birra e a prendere il sole. In vita mia non avevo mai visto una persona con tutti quei piercing addosso. A quanto pareva, se li era fatti da solo con un ago. Aveva una ragazza molto in gamba di nome Pinky, e tutti eravamo rimasti a guardare e ad applaudire mentre lui le faceva il piercing all'ombelico.

«I calamari.» Chiudo gli occhi un attimo. «Mai assaggiati calamari come quelli.»

«E i tramonti» aggiunge Ben. «Ricordi i tramonti?»

«Non me li dimenticherò mai.»
«E Arthur.» Sorride nostalgico. «Che personaggio.»
Arthur era il proprietario della pensione. Tutti lo adoravamo e pendevamo dalle sue labbra. Era l'uomo più placido che avessi mai conosciuto, sulla cinquantina o forse più vecchio, e aveva fatto di tutto nella vita, da studiare a Harvard a fondare un'azienda poi fallita e a girare il mondo in barca a vela. Alla fine era approdato a Ikonos e si era sposato con una ragazza del luogo. Ogni sera si sedeva nel suo piccolo uliveto a stordirsi leggermente fumando canne e a raccontare della volta che aveva pranzato con Bill Clinton e rifiutato la sua offerta di lavoro. Aveva avuto una vita molto avventurosa. Era così saggio. Rammento che una sera mi ero ubriacata e avevo pianto sulla sua spalla, e lui mi aveva consolata dicendomi cose meravigliose. (Non ricordo quali di preciso, ma solo che erano meravigliose.)
«Ricordi i gradini?»
«I gradini!» gemo. «Come facevamo a salirli?»
La pensione era abbarbicata in cima a uno scoglio. Per scendere in spiaggia e poi risalire bisognava fare centotredici scalini scavati nella roccia. Noi correvamo su e giù diverse volte al giorno. Per forza che ero così magra.
«Ti ricordi di Sarah? Chissà che fine avrà fatto?»
«Sarah? Com'era fisicamente?»
«Stupenda. Fisico da urlo. Pelle vellutata.» Sembra respirarne il ricordo. «Era la figlia di Arthur. Devi ricordartela per forza.»
«Ah.» Non è che muoia esattamente dalla voglia di sentire descrivere la pelle vellutata di altre ragazze. «Mah, non ne sono sicura.»
«Forse è partita prima che tu arrivassi.» Alza le spalle, cambiando argomento. «Ricordi quelle vecchie cassette di "Dirk e Sally"? Quante volte le abbiamo riguardate?»
«"Dirk e Sally"!» esclamo. «Oddio!»
«"Uniti all'altare, uniti nel quartiere"» comincia Ben scimmiottando la voce melensa fuori campo.
«"Uniti nella morte!"» aggiungo, facendo il saluto militare di "Dirk e Sally".
Io e Ben avevamo guardato ogni puntata di "Dirk e Sally" circa cinquemila volte, più che altro perché era l'unica serie in cassetta disponibile nella pensione, e dovevamo pur guardare qualcosa

oltre ai notiziari greci mentre facevamo colazione la mattina. È una serie televisiva degli anni Settanta che parla di un uomo e di una donna che si conoscono alla scuola di polizia e decidono di tenere segreto il loro matrimonio mentre lavorano in coppia nella lotta contro il crimine. Nessuno sa che sono sposati, a parte un serial killer che continua a minacciare di smascherarli. Geniale.

D'un tratto rivedo noi due seduti su quel divano decrepito in sala da pranzo, le gambe abbronzate avvinghiate, le espadrillas ai piedi, a mangiare toast e a guardare "Dirk e Sally", mentre tutti gli altri erano in terrazza.

«La puntata in cui Sally viene rapita dal loro vicino di casa» dico. «Quella era la migliore in assoluto.»

«No, quella in cui il fratello di Dirk va a vivere da loro ed è diventato uno chef della mafia, e Dirk continua a chiedergli dove ha imparato a cucinare, dopo di che trovano la droga nel dolce alle pesche...»

«Oddio, sì!»

Per un attimo rimaniamo zitti, persi nei ricordi.

«Non ho mai conosciuto nessuno che abbia visto "Dirk e Sally"» aggiunge Ben. «O che li abbia anche solo sentiti nominare.»

«Neppure io» concordo, anche se a dire il vero mi ero praticamente dimenticata di quella serie televisiva finché non ne ha parlato lui.

«La caletta.» I suoi pensieri continuano a vagare irrequieti.

«La caletta. Oh, mio Dio.» Lo guardo negli occhi e mi torna tutto in mente. Vengo di nuovo travolta da un torrido desiderio adolescenziale. La caletta segreta è il luogo in cui ci siamo incontrati per la prima volta. E poi di nuovo. Ogni giorno. Era un pezzetto di spiaggia riparata dietro la baia. Ci si arrivava in barca e nessuno aveva voglia di andare fin là. La raggiungevamo con una barchetta a vela manovrata da Ben. Lui rimaneva in silenzio, ma ogni tanto mi lanciava occhiate eloquenti, e io rimanevo lì, i piedi appoggiati sul bordo della barca, quasi ansimante per l'attesa.

Ora lo guardo seduto dalla parte opposta del tavolo. Sta pensando alla stessa identica cosa, si vede. È tornato laggiù. Sembra inebriato quanto me.

«Il modo in cui mi avevi curato quando mi ero preso l'influenza» dice lentamente. «Non l'ho mai dimenticato.»

L'influenza? Non rammento di averlo curato. D'altra parte, i miei ricordi sono talmente nebulosi. Se lui dice che l'ho curato, l'avrò fatto di certo, e non voglio interromperlo o contraddirlo perché rovinerei il momento, quindi annuisco dolcemente.

«Mi tenevi la testa in grembo. Mi cantavi canzoni per farmi addormentare. Io deliravo, ma per tutta la notte ho sentito la tua voce che mi cullava.» Beve un altro sorso di vino. «Eri il mio angelo custode, Lottie. Forse la mia vita è deragliata perché non c'eri tu.»

Il suo angelo custode. È così romantico. Mi interessa abbastanza sapere come sia deragliata la sua vita, ma domandarglielo adesso guasterebbe l'atmosfera. E poi che cosa importa? Capita a tutti di deviare dal proprio cammino, poi lo si ritrova. Non importa che cosa si fa nel frattempo.

Ora mi guarda la mano sinistra. «A proposito, perché non ti ha ancora accalappiato nessuno?»

«Non ho incontrato l'uomo giusto» dico con nonchalance.

«Uno schianto di ragazza come te? Avrai mandato via orde di pretendenti.»

«Be', forse sì.» Rido, ma per la prima volta da tutta la sera perdo un po' del mio aplomb. E d'un tratto – è più forte di me – ricordo il primo incontro con Richard. Era stato all'opera, il che è strano perché di norma non ci vado mai, e neppure lui. Tutti e due ci eravamo andati per fare un favore a degli amici. Era un gala di beneficenza della *Tosca* e lui indossava lo smoking; appena l'avevo visto, così alto e distinto, a braccetto con una bionda, avevo sentito una fitta di gelosia. Anche se non lo conoscevo neppure, avevo pensato: "Beata lei". Rideva e versava champagne a tutti, poi si era rivolto a me e mi aveva detto: "Mi scusi, non ci hanno ancora presentati", e io per poco non mi ero persa nei suoi splendidi occhi scuri.

Tutto qui, ma era stato magico. Alla fine si era scoperto che non stava insieme alla bionda e dopo l'intervallo aveva cambiato posto per mettersi vicino a me. Il giorno del nostro primo anniversario siamo tornati all'opera, e io ho pensato che l'avremmo fatto ogni anno per tutta la vita.

Figurarsi. E io che immaginavo di raccontare questa storia al ricevimento di nozze, con tutti che dicevano: "Aah...".

«Oddio.» Ben mi sta guardando. «Scusa, ho detto qualcosa... che cosa succede?»

«Niente!» Mi affretto a sorridere e a sbattere le ciglia. «Sai com'è... tutto l'insieme, la vita.»

«Esatto.» Annuisce con forza, come se avessi risolto un enigma enorme su cui si stava arrovellando. «Lotts... Anche tu ti senti fregata dalla vita come me?»

«Sì.» Bevo un lungo sorso di vino. «Sì, infatti. Forse anche di più.»

«A diciott'anni, quando eravamo laggiù, sapevo il fatto mio.» Ben ha lo sguardo cupo, fisso nel vuoto. «Avevo le idee chiare. Ma poi comincia la vita vera e tutto, chissà come, si corrode, si corrompe. Le porte si chiudono, hai presente? Non c'è via di scampo. Non puoi più dire: "Aspetta un attimo, cazzo. Dammi il tempo di capire quello che voglio *io*".»

«Proprio così» concordo seria.

«Per me è stata l'apoteosi della mia vita. La Grecia. Tu. Tutta la situazione.» Sembra commosso dal ricordo. «Noi due, insieme. Era tutto semplice. Non c'erano stronzate di mezzo. Anche per te è lo stesso? Qual è stato il periodo più bello della tua vita?»

La mia mente vaga fra i ricordi nebulosi degli ultimi quindici anni. Okay, ci sono stati alcuni momenti felici qua e là, ma in generale non posso non essere d'accordo con lui. Avevamo diciotto anni, eravamo sexy, potevamo bere tutta la notte senza risentirne il giorno dopo. Quando mai la mia vita è stata tanto bella?

Annuisco lentamente. «Il periodo più bello di tutti.»

«Perché non siamo rimasti insieme, Lottie? Perché non siamo rimasti in contatto?»

«Edimburgo-Bath» dico scrollando le spalle. «Bath-Edimburgo. C'erano impedimenti geografici.»

«Lo so. Ma era un motivo del cazzo.» Sembra arrabbiato. «Siamo stati degli idioti.»

Avevamo fatto questo discorso sugli "impedimenti geografici" un sacco di volte sull'isola. Lui sarebbe andato all'Università di Edimburgo, io a Bath. La storia era destinata a finire, era solo una questione di tempo. Non aveva senso cercare di prolungarla oltre l'estate.

In ogni caso, i giorni dopo l'incendio erano stati strani. Tutto aveva cominciato ad andare a catafascio. Eravamo stati smistati in pensioni diverse, sparse in tutta Ikonos. Madri e padri avevano cominciato a piombare sull'isola, alcuni addirittura con il traghetto del giorno dopo, muniti di vestiti, denaro e passaporti per rimpiazzare ciò che era bruciato. Ricordo Pinky seduta alla taverna con aria sconsolata, in compagnia di due genitori molto eleganti. La festa sembrava proprio finita.

«Non volevamo rivederci una volta a Londra?» Il ricordo mi torna in mente come un lampo. «Poi però tu eri dovuto andare in Normandia con la tua famiglia.»

«Esatto.» Sospira rabbiosamente. «Avrei dovuto lasciarli perdere e venire a Bath.» All'improvviso i suoi occhi si fissano su di me. «Non ho mai conosciuto una persona come te, Lottie. A volte penso a quanto sono stato idiota a lasciarti andare. Un vero coglione.»

Il mio stomaco fa una capovolta portentosa e per poco non mi va di traverso il vino. Sotto sotto speravo che dicesse cose del genere, ma non così presto. I suoi occhi azzurri mi trafiggono impazienti.

«Anch'io» dico alla fine e prendo un boccone di halibut.

«Non dirmi che ti è capitato di stare meglio con qualcun altro, perché a me di sicuro non è mai successo.» Sbatte il pugno sul tavolo. «Forse non avevamo ben chiare le nostre priorità. Forse avremmo dovuto dire: "Vaffanculo all'università, noi rimaniamo insieme". Chissà che cosa sarebbe potuto succedere? Stavamo bene insieme, Lottie. Forse abbiamo sprecato gli ultimi quindici anni delle nostre vite rimanendo lontani l'uno dall'altra. Non ci pensi mai?»

La sua velocità mi toglie il respiro. Non so bene come reagire, perciò ingoio un altro boccone di halibut.

«A quest'ora forse saremmo sposati. Avremmo dei bambini. La mia vita potrebbe avere un senso.» Sta parlando quasi da solo, in balia di qualche emozione repressa che non so decifrare.

«Desideri avere dei figli?» gli domando, senza riuscire a trattenermi.

Non posso credere di aver appena chiesto a un uomo al primo appuntamento se desidera avere dei figli. Merito l'eliminazione immediata. Solo che... non è il primo appuntamento. Il milionesimo, semmai. Ed è stato lui a parlarne per primo. E comunque non è un vero e proprio appuntamento. Quindi...

«Sì, desidero avere dei figli.» Il suo sguardo intenso torna a posarsi su di me. «Sono pronto a mettere su famiglia: carrozzine, passeggiate al parco, tutte quelle cose lì.»

«Anch'io.» Mi vengono le lacrime agli occhi. «Anch'io sono pronta a mettere su famiglia.»

Oddio, mi è tornato in mente Richard. Non avrei voluto, ma lui è arrivato lo stesso. Ricordo che fantasticavo di costruire una casetta su un albero per i nostri gemelli di nome Arthur e Edie. Apro nervosamente la pochette e tiro fuori un fazzoletto di carta. Piangere non era nei miei piani. E neppure pensare a Richard.

Per fortuna, Ben non sembra averci fatto caso. Mi riempie di nuovo il bicchiere e poi si serve da solo. Abbiamo già finito la bottiglia, noto leggermente scioccata. Come abbiamo fatto?

«Ricordi il nostro patto?» La sua voce mi coglie alla sprovvista.

Non è possibile.

Avverto una violenta scarica di adrenalina, ho i polmoni talmente contratti da non riuscire a respirare. Non avrei mai pensato che si sarebbe ricordato del patto, e io non avevo nessuna intenzione di parlarne. Era una piccolissima, microscopica promessa che ci eravamo scambiati scherzosamente una volta. Non era niente, solo una stupidaggine.

«Vogliamo rispettarlo?» Mi fissa con un'espressione sincera. Mi sa che forse sta parlando quasi sul serio, anzi sul serio. No, non può essere...

«È un po' tardi» dico con la gola strozzata. «Avevamo stabilito che se non fossimo stati ancora sposati a trent'anni... e io ne ho trentatré.»

«Meglio tardi che mai.» All'improvviso sobbalzo. Il suo piede ha trovato il mio sotto il tavolo. «Io abito qui vicino» mormora. Ora mi sta afferrando la mano. Ho i brividi ovunque. È una specie di memoria muscolare, sessuale. So come andrà a finire.

Ma... ma... è proprio quello che voglio? Che cosa sta succedendo? *Ragiona*, Lottie.

«Desiderate il menu dei dessert?» La voce del cameriere mi riscuote dalla trance. Alzo la testa di scatto e ne approfitto per staccare la mano da quella di Ben.

«Ehm... sì, grazie.»

Do un'occhiata al menu dei dessert con le guance arrossate e un vortice di pensieri in testa. E adesso che cosa faccio? Che cosa?

Una vocina mi dice di trattenermi. Me la sto giocando male. Sto facendo un errore. Ho un'orribile sensazione di déjà vu; mi sembra che le cose stiano seguendo lo stesso vecchio schema.

Tutte le mie relazioni a lungo termine sono cominciate così. Mani intrecciate sopra un tavolo. Pulsazioni accelerate e fremiti in tutto il corpo. Bella biancheria intima, sesso rovente, inebriante, creativo, favoloso. (O terrificante, come quella volta con quel medico. Che schifo. Una si immaginerebbe che un dottore sia un filino più pratico del funzionamento del corpo umano. Ma l'ho scaricato abbastanza in fretta.)

Il punto è: il problema non è mai l'inizio, ma il dopo.

Provo una strana e inedita determinazione. Devo cambiare tutto quello che faccio. Rompere lo schema. Ma come? Che cosa?

Ben mi ha preso di nuovo la mano e mi sta baciando l'interno del polso, ma io lo ignoro. Voglio controllare i miei pensieri.

«Che cosa c'è che non va?» Lui alza gli occhi, le labbra ancora attaccate alla mia pelle. «Sei tesa. Lottie. Non opporre resistenza, doveva succedere fra noi e lo sai.»

I suoi occhi hanno la stessa espressione languida, ebbra e sexy che ricordavo. Sono già eccitata. Potrei arrendermi e trascorrere una favolosa notte di fuoco per tirarmi un po' su di morale. In fin dei conti, me lo merito.

Ma forse potrei ottenere qualcosa di più di una notte memorabile? Come mi dovrei comportare? Che cosa faccio?

Se solo non mi girasse così tanto la testa...

«Ben, devi capire.» Ritraggo il braccio. «Non è più come quando avevamo diciotto anni, okay? A me non basta una scopata. Io voglio... altre cose. Voglio matrimonio, impegno, progetti di vita, bambini, insomma tutte quelle cose lì.»

«Ma anch'io!» dice impaziente. «Non mi hai ascoltato? Sarei dovuto rimanere con te per sempre.» I suoi occhi bruciano nei miei. «Lottie. Non ho mai smesso di amarti.»

Oddio, mi ama. Mi vengono di nuovo le lacrime agli occhi. E mentre lo guardo, penso che in fondo neppure io ho mai smesso di amarlo. Forse non me ne rendevo conto, perché era un amore continuo, a bassa frequenza, tipo un brusio di sottofondo. E ora sta esplodendo di nuovo in tutta la sua intensità.

«Neppure io» dico con la voce fremente di improvvisa convinzione. «Sono quindici anni che ti amo.»

«Quindici anni.» Mi stringe la mano. «Separarci è stata una follia.»

Tutto questo romanticismo comincia a inebriarmi. Che storia da raccontare a un ricevimento di nozze. Immagina quanti "oooh" e "aaah"... "Siamo rimasti separati per quindici anni, ma poi ci siamo ritrovati."

«Dobbiamo recuperare tutto il tempo perduto.» Mi prende le dita e se le preme sulla bocca. «Lottie cara, amore mio.» Le sue parole sono come un balsamo. Sentire le sue labbra sulla pelle fa un effetto delizioso, quasi insopportabile. Per un attimo chiudo gli occhi. All'improvviso, però, sento un campanello d'allarme. No, non posso sopportare che anche questa storia vada a rotoli come tutte le altre.

«Fermati!» Ritiro la mano di scatto. «Non farlo! Ben, so già come andrà a finire e non lo tollero. Basta.»

«Di che cosa stai parlando?» Mi guarda sconcertato. «Ti ho solo baciato le dita.»

Ha una parlata un po' strascicata. "Basciato le dita." Probabilmente anche la mia non è da meno.

Aspetto che il cameriere abbia ripulito la tavola dalle briciole, poi riprendo il discorso con voce bassa e tremula.

«Ci sono già passata. So che cosa succede. Mi baci le dita. Io ti bacio le dita, facciamo l'amore. È fantastico. Facciamo di nuovo l'amore e comincia l'infatuazione. Andiamo a fare un viaggetto nei Cotswolds. Magari compriamo un divano o una libreria all'Ikea. Poi, all'improvviso, sono passati due anni e dovremmo sposarci... ma chissà come non lo facciamo. La passione si spegne. Litighiamo e ci lasciamo. Ed è orribile.»

Pensare al nostro destino mi procura un nodo alla gola. È così triste e inevitabile.

Ben sembra sconcertato dal quadro che ho appena dipinto.

«Okay» dice alla fine, lanciandomi un'occhiata cauta. «Be'... e se invece la passione rimane?»

«No, passa! È la regola! Succede sempre così!» Lo guardo con gli occhi pieni di lacrime. «Mi è successo con troppi uomini. Lo so.»

«Anche se non compriamo una libreria all'Ikea?»

So che sta cercando di fare lo spiritoso, ma io parlo sul serio. D'un tratto mi rendo conto che negli ultimi quindici anni della mia vita non ho fatto altro che andare ad appuntamenti romantici che non risolvono nulla. Così è cominciata la storia con Richard. Sono proprio loro il problema: gli appuntamenti romantici.

«La passione per quegli altri uomini è diminuita per un semplice motivo» riprova Ben. «Non erano quelli giusti. Ma io sì!»
«Chi mi dice che tu sia quello giusto?»
«Perché... perché... Oddio! Che cosa devo fare?» Si passa le dita fra i capelli con aria esasperata. «Okay, hai vinto tu. Facciamolo in maniera tradizionale. Lottie, vuoi sposarmi?»
«Dài, smettila.» Lo guardo imbronciata. «Non è che devi per forza prendermi in giro.»
«Parlo sul serio. Vuoi sposarmi?»
«Ah-ah, che ridere.» Bevo un sorso di vino.
«Sul serio, vuoi sposarmi?»
«Smettila.»
«Vuoi sposarmi?» Ha alzato la voce. Una coppia seduta al tavolo vicino ci guarda e sorride.
«Ssh!» dico irritata. «Non mi sto divertendo.»
Con mio sommo stupore, si alza dalla sedia, si inginocchia e congiunge le mani. Vedo altri commensali girarsi a guardare.
Mi batte forte il cuore. No, non è possibile.
«Charlotte Graveney» comincia, barcollando leggermente. «Negli ultimi quindici anni non ho fatto altro che inseguire scialbe imitazioni di te e ora sono tornato all'originale, che non avrei mai dovuto lasciarmi sfuggire. La vita senza di te è buia, Lottie, e ora desidero accendere la luce. Vuoi farmi l'onore di sposarmi? Per piacere?»
Una strana sensazione prende lentamente piede dentro di me. Mi sembra di trasformarmi in cotone idrofilo. Mi sta chiedendo di sposarlo. Sul serio.
«Sei ubriaco» ribatto.
«Non così tanto. Vuoi sposarmi?» ripete.
«Ma non ti conosco più!» Faccio una risatina. «Non so come ti guadagni da vivere. Non so dove abiti, non so che cosa vuoi dalla vita.»
«Forniture di carta. Shoreditch. Essere felice come sono stato quand'ero con te. Alzarmi ogni mattina e scopare come un riccio con te. Fare dei bambini con gli occhi uguali ai tuoi. Lottie, lo so che sono passati diversi anni, ma sono ancora io, sono ancora Ben.» Stringe leggermente gli occhi come faceva allora. «Vuoi sposarmi?»
Lo fisso. Ho il fiato corto e mi fischiano le orecchie, anche

se non so bene se sia per colpa delle campane a festa o delle sirene d'allarme.

Cioè, mi era balenato il dubbio che potesse essere ancora interessato a me, ma questo va ben al di là di qualsiasi mia fantasia. Mi ha pensato per tutti questi anni! Vuole sposarsi! Vuole avere dei figli! Qualcosa mi risuona nella testa. Potrebbero essere violini. Forse è lui. FORSE È LUI! Non Richard, ma Ben!

Bevo un sorso d'acqua e cerco di riportare un po' di ordine fra i miei pensieri impazziti. Cerchiamo di essere razionali. Riflettiamo bene. Abbiamo mai litigato? No. Era di compagnia? Sì. Mi piace? Cavolo se mi piace. C'è qualcos'altro che dovrei sapere su un potenziale marito?

«Hai un piercing al capezzolo?» domando, colta da un brutto presentimento. I capezzoli con il piercing non fanno per me.

«Neanche uno.» All'improvviso si apre platealmente la camicia e io non riesco a staccargli gli occhi di dosso. Mmh. Abbronzato. Sodo. È più succulento che mai.

«Devi solo dire "sì".» Ben allarga le braccia con un impeto dovuto all'eccesso di alcol. «Devi solo dire "sì", Lottie. Nella vita ci lasciamo sfuggire la maggior parte delle cose solo perché pensiamo troppo. Stavolta non stiamo tanto a riflettere. 'Fanculo, abbiamo già perso abbastanza tempo. Ci amiamo. Buttiamoci!»

Ha ragione. È vero che ci amiamo. E lui vuole avere dei figli con gli occhi uguali ai miei. Nessuno mi ha mai detto una cosa così bella. Neppure Richard.

Mi gira la testa. Cerco di essere razionale, ma mi sento mancare la terra sotto i piedi. Sta succedendo davvero? O vuole solo portarmi a letto? È il momento più romantico della mia vita o sono solo un'idiota?

«Io... credo di sì» dico alla fine.

«Credi di sì?»

«Dammi solo un... attimo.»

Prendo la borsa e vado in bagno. Devo pensare lucidamente. O almeno il più lucidamente possibile, considerato che vedo girare la stanza intorno a me e che la mia faccia nello specchio sembra avere tre occhi.

Potrebbe funzionare. Sono sicura di sì. Ma come posso fare in modo che funzioni davvero? Come faccio a non cadere in qualche schema prevedibile come in tutte le altre storie a senso unico che si sono spente lentamente?

Mentre mi sistemo i capelli, ripenso ad altri appuntamenti romantici. Ad altri inizi. Mi sono chiusa in così tanti bagni nel corso degli anni a pensare mentre mi riapplicavo il rossetto: "Sarà lui quello giusto?". Ogni volta ho provato la stessa speranza, la stessa trepidazione. Allora dov'è che ho sbagliato? Che cosa posso cambiare? Che cosa posso *non* fare che di solito invece faccio?

All'improvviso mi torna in mente il libro che stavo sfogliando stamattina. *Il principio di inversione*. Correggi il tiro. Cambia direzione. Sembra una buona idea. Sì, ma come faccio a cambiare direzione? E ora mi tornano in mente le parole di quella vecchia pazza nel bagno di ieri. Che cosa aveva detto? "Gli uomini sono come animali della giungla. Appena trovano la preda, la mangiano e poi si addormentano." Forse alla fine non era poi così pazza. Forse un po' di ragione ce l'aveva anche lei.

All'improvviso, smetto di pettinarmi. Ho avuto un lampo di genio. Ho capito. Ho trovato la soluzione controcorrente. Io, Lottie Graveney, invertirò lo schema. Farò il contrario di quel che ho sempre fatto con i fidanzati precedenti.

Fisso i miei occhi nello specchio. Sono leggermente spiritati, ma che cosa c'è di strano? Se prima ero entusiasta, adesso sono euforica. Mi sento come una scienziata che ha appena scoperto una nuova particella subatomica che cambia tutte le regole del gioco. Ho ragione. Lo so. Ho ragione!

Vacillando un po' sui tacchi, torno spedita nel ristorante e mi avvicino al tavolo.

«Niente sesso» dico decisa.

«Eh?»

«Finché non saremo sposati, non faremo sesso.» Mi siedo. «Prendere o lasciare.»

«Eh?» Ben mi guarda sbalordito, ma io sorrido serena. Sono un genio. Se mi ama davvero, aspetterà, e la passione non si spegnerà mai. Mai. E soprattutto faremo una luna di miele superincandescente. Saremo unitissimi, in armonia e in estasi. Proprio come dovrebbero essere tutti i novelli sposi in luna di miele.

Ha ancora la camicia aperta. Me lo immagino nudo in una splendida stanza d'hotel, circondato da petali di rosa. Fremo solo al pensiero...

«Stai scherzando.» Sembra che gli sia crollata la faccia. «Perché?»

«Perché voglio che le cose vadano diversamente. Voglio rompere il solito schema. Ti amo, giusto? Tu mi ami? Vogliamo costruire una famiglia insieme?»

«Ti amo da quindici anni.» Scuote la testa. «Quindici anni sprecati, Lottie...»

Vedo che sta per lanciarsi in un altro discorso da ubriaco.

«Ecco» lo interrompo. «Aspettiamo ancora un po', poi avremo la nostra prima notte di nozze. Una vera prima notte di nozze. Immagina. A quel punto, avremo tutti e due la bava alla bocca. La bava... alla bocca.» Allungo il piede nudo sotto il tavolo e lo faccio scivolare lentamente sulla sua gamba. Il suo viso è pietrificato. Una mossa infallibile.

Per un attimo rimaniamo in silenzio. Diciamo che stiamo comunicando in modo diverso.

«In effetti» dice alla fine con la voce impastata «potrebbe essere divertente.»

«Molto divertente.» Mi slaccio con nonchalance un paio di bottoni della camicetta e mi piego in avanti per mostrargli tutto quel che posso del mio reggiseno push-up. L'altro piede sta arrivando all'inguine, ormai. Ben sembra aver perso il dono della parola. «Ricordi la notte del tuo compleanno?» dico con voce roca. «Sulla spiaggia? Potremmo fare una replica.»

Se succederà davvero, mi metterò un paio di ginocchiere. Mi erano rimaste le croste per una settimana. Come se mi stesse leggendo nel pensiero, Ben chiude gli occhi e geme leggermente.

«Mi stai ammazzando.» Ho un flashback di noi due adolescenti, avvinghiati sul letto della mia camera della pensione, alla tremula luce delle candele profumate.

«Ti rendi conto di quanto sei sexy? Ti rendi conto di quanta voglia ho di scivolare sotto il tavolo in questo preciso istante?» Mi prende la mano e comincia a mordicchiarmi la punta del pollice, ma stavolta non la ritraggo. Tutto il mio corpo sembra connesso alle sue labbra e ai suoi denti che mi lambiscono la pelle. Voglio sentirli ovunque. Ora ricordo, ricordo com'era lui. Come ho potuto dimenticare?

«La prima notte di nozze, eh?» dice alla fine. Le dita dei miei piedi stanno ancora lavorando e ci sono solide prove del suo apprezzamento. Dunque, funziona ancora tutto bene.

«Prima notte di nozze» annuisco.

«Ti rendi conto che nel frattempo morirò di frustrazione?»

«Anch'io. E poi esploderò.» Mi prende il pollice in bocca: un brivido si irradia fulmineo nel mio corpo e io trattengo un sospiro. Dobbiamo andarcene al più presto, sennò va a finire che il cameriere ci dice di prenderci una stanza.

E appena lo viene a sapere Richard...

No, lasciamo perdere Richard, lui non c'entra niente. È il destino. Fa parte di un disegno più grande. È un'immensa e travolgente storia d'amore di cui io e Ben siamo i protagonisti, mentre Richard compare solo a un certo punto come figura marginale.

So di essere ubriaca. So che è un passo avventato. Eppure mi sembra giusto così. E anche se sento ancora un po' di dolore in fondo al cuore, questa è una magica lozione curativa. Era destino che lasciassi Richard. Era destino che fossi triste. La legge del karma dice che, dopo tanta sofferenza, porterò la fede al dito e trascorrerò le vacanze più roventi della mia vita.

Non mi sembra di aver vinto solo mille sterline alla lotteria, ma un milione.

Ben ha gli occhi vitrei, io il respiro sempre più pesante. Non so se riuscirò a sopportarlo.

«Quando ci sposiamo?» mormoro.

«Presto.» Ha una voce disperata. «Molto, molto presto.»

5

FLISS

Spero che Lottie stia bene, lo spero con tutto il cuore. Sono stata via per due settimane e non si è fatta sentire neppure una volta. Non ha mai risposto ai miei SMS amichevoli, dopo che al telefono mi ha raccontato di voler andare a fare una sorpresa a Richard a San Francisco. Fra le scelte infelici, quella le batteva davvero tutte. Grazie a Dio, sono riuscita a dirottarla.

Da allora, però, non ho saputo più niente. Le ho lasciato anche dei messaggi in segreteria, ma non ho ricevuto risposta. Sono riuscita a parlare con la sua stagista, che mi ha assicurato che andava al lavoro ogni giorno... Insomma, almeno so che è viva e in buona salute, però non è da lei interrompere le comunicazioni. La cosa mi preoccupa. Vado a trovarla stasera per accertarmi che stia bene.

Prendo il cellulare e le mando l'ennesimo SMS, "Ciao, come va???", poi lo metto via e do un'occhiata al campo giochi. È pieno zeppo di genitori, ragazzini, baby-sitter, cani e bambini piccoli in monopattino. È il giorno di rientro a scuola dopo le vacanze di Pasqua e si vedono parecchi visi abbronzati, scarpe lucide e nuovi tagli di capelli. Quelle sono le madri.

«Fliss!» sento chiamare mentre scendiamo dall'auto. È Anna, una delle mamme. Con una mano regge un contenitore Tupperware, mentre con l'altra stringe il guinzaglio del suo Labrador, che la sta tirando nella direzione opposta. «Come stai? Ciao, Noah! Una volta mi piacerebbe andare a prendere quel famoso caffè...»

«Sarebbe bello» dico.

Sono due anni ormai che io e Anna parliamo di andare a

prendere un caffè insieme ogni volta che ci vediamo, eppure non l'abbiamo ancora fatto. Pazienza.

«Accidenti al compito sui viaggi» sta dicendo Anna mentre ci avviamo verso l'entrata della scuola. «Mi sono svegliata alle cinque per finirlo. Ah, i viaggi! Tu sarai un'esperta, immagino...» Scoppia a ridere allegramente.

«Quale compito sui viaggi?»

«Hai presente, il progetto di educazione artistica?» Indica la sua scatola. «Noi abbiamo fatto un aereo. Davvero scarso. Abbiamo foderato un giocattolo di carta stagnola. Non si può certo dire che sia artigianale, ma ho detto a Charlie: "Non ti preoccupare, tesoro, tanto la signora Hocking non si accorgerà che sotto c'è un giocattolo".»

«Quale compito sui viaggi?» ripeto.

«Quello in cui bisognava realizzare un veicolo o qualcosa di simile. Li esporranno all'assemblea di classe. Charlie, sbrigati! È suonata la campanella!»

Che cavolo di compito sui viaggi?

Mi avvicino alla signora Hocking e davanti a lei vedo Jane Langridge, un'altra madre, con un modellino di nave da crociera. È fatto di balsa e carta. Ha tre camini, alcune file di oblò perfettamente intagliati e minuscole figurine umane modellate con la creta e sistemate intorno alla piscina dipinta di blu. Lo fisso con timore reverenziale.

«Mi scusi tanto, signora Hocking» sta dicendo Jane. «La pittura non è perfettamente asciutta. Ci siamo divertiti moltissimo a costruirla, vero, Joshua?»

«Salve, signora Phipps!» esclama vivace la signora Hocking. «Sono andate bene le vacanze?»

"Signora Phipps": tutte le volte che mi si rivolge in quel modo, mi fa saltare i nervi. A scuola non sono riuscita a diventare la signora Graveney. La verità è che non so bene come comportarmi. Non voglio turbare Noah, non voglio rifiutare apertamente il suo cognome. Mi piace chiamarmi come mio figlio, mi sembra intimo e giusto.

Avrei dovuto scegliere un cognome nuovo di zecca alla sua nascita. Solo per noi. A prova di divorzio.

«Mamma, hai portato la mongolfiera?» Noah mi sta guardando ansioso. «Ce l'abbiamo la mongolfiera?»

Lo fisso inespressiva. Non so proprio di che cosa stia parlando.

«Noah ci ha detto che avrebbe fatto una mongolfiera. Un'idea strepitosa.»

La signora Hocking ci sorride. È una donna sulla sessantina che indossa sempre pantaloni a sigaretta. Vicino a lei, così serena e pacata, è inevitabile che mi senta una pazza furiosa. Ora fissa le mie mani vuote. «Ce l'ha?»

Sembro una che nasconde una mongolfiera da qualche parte?

«Non ce l'ho con me» mi ritrovo a dire. «Non qui con me.»

«Ah.» Il suo sorriso svanisce. «Be', se *per caso* riesce a portarcela entro stamattina, li stiamo raccogliendo per esporli durante l'assemblea di classe, signora Phipps.»

«Ma sì, certo!» Sfodero un sorriso sicuro. «Devo solo... un dettaglio da niente... Mi scusi un attimo, devo dire una cosa a Noah.» Lo tiro da una parte e mi chino su di lui. «Quale mongolfiera, tesoro?»

«La mongolfiera per il compito di educazione artistica» dice Noah, come se fosse ovvio. «Dobbiamo portarla oggi.»

«Ah.» Rimanere allegra e brillante mi costa uno sforzo quasi letale. «Non sapevo che dovessi fare un compito. Non mi hai detto niente.»

«Mi sono dimenticato. Ma ti ricordi che avevamo una lettera?»

«Che cosa è successo alla lettera?»

«Papà l'ha messa nella ciotola della frutta.»

Ho un accesso di rabbia vulcanica. Lo sapevo, lo sapevo, accidenti a lui.

«Bene, ho capito.» Stringo i pugni conficcando le unghie nei palmi delle mani. «Papà non mi ha detto che bisognava fare un compito. Che peccato.»

«Abbiamo pensato a che cosa potevamo fare e papà ha detto: "Ti va bene una mongolfiera?".» Gli brillano gli occhi. «Papà ha detto che comprava un palloncino e lo coprivamo di cartapesta e costruivamo un cesto e ci mettevamo delle persone. E le corde. E poi coloravamo tutto. Le persone potevano essere Batman.» Ha le guance arrossate per l'eccitazione. «L'ha fatta?» Mi guarda speranzoso. «Ce l'hai?»

«Vado a... controllare.» Ho il sorriso stampato in faccia. «Vai un attimo a giocare con gli altri.»

Mi allontano e chiamo subito Daniel.

«Daniel Phi...»

«Sono Fliss» lo interrompo pacatamente. «Per caso, ti stai fiondando a scuola con una mongolfiera di cartapesta con Batman nel cesto?»

Segue una pausa piuttosto lunga.

«Ah» dice Daniel alla fine. «Merda, mi spiace.»

Non sembra minimamente preoccupato. Vorrei ammazzarlo.

«No! Non dire: "Merda, mi spiace". Non puoi farlo, Daniel! Non è giusto nei confronti di Noah e neppure nei miei e...»

«Fliss, rilassati. È solo un compito per la scuola.»

«Non è solo un compito! Per Noah è importantissimo! È... sei...» Mi blocco, respirando affannosamente. Non ci arriverà mai. È inutile sprecare il fiato. Sono da sola. «D'accordo, Daniel. Ci penso io.»

Spengo il cellulare per non dargli neppure il tempo di replicare. Mi sento piena di determinazione: non deluderò Noah. Avrà la sua mongolfiera. Ce la posso fare. Coraggio.

Apro l'auto con il telecomando e guardo nella mia valigetta. Dentro c'è una minuscola scatolina di cartone che mi hanno regalato a un pranzo di rappresentanza. Quella potrà fare da cesto. Per le corde userò le stringhe delle mie scarpe da ginnastica. Prendo carta e penna dalla ventiquattrore e faccio segno a Noah di avvicinarsi.

«Io costruisco la mongolfiera» dico allegramente. «Tu invece potresti disegnare un Batman da mettere nel cesto, ti va?»

Noah comincia a disegnare appoggiato al sedile della macchina e io mi sfilo velocemente le stringhe delle scarpe. Sono marroni e piene di macchie, andranno benissimo come corde. Ho dello scotch nel cruscotto. Per quanto riguarda il pallone aerostatico...

Accidenti, che cosa cavolo posso usare? Non è che me ne vada in giro con una confezione di palloncini così, per ogni evenienza...

Mi viene un'idea assurda e indicibile. Potrei usare... No, assolutamente no. Non posso...

Cinque minuti dopo mi avvicino alla signora Hocking tenendo fra le mani con nonchalance il lavoretto di Noah per il compito. Le madri raccolte lì intorno ammutoliscono gradualmente. Anzi, sembra calato il silenzio nell'intero campo giochi.

«Quello è Batman!» Noah indica orgoglioso il cesto. «L'ho disegnato io.»

Tutti i bambini stanno guardando Batman. Tutte le madri stanno guardando il pallone. È un Durex Fetherlite Ultra. Si è gonfiato in modo considerevole e quella specie di capezzolo in cima ondeggia al vento.

Sento una risatina proveniente da Anna e mi giro di scatto, ma vedo solo espressioni candide.

«Mamma mia, Noah» dice la signora Hocking con un filo di voce. «Che pallone... grande!»

«Che oscenità» ribatte Jane, stringendosi al petto la sua nave con fare protettivo. «Casomai te lo fossi dimenticato, ti ricordo che questa è una *scuola,* e ci sono i *bambini.*»

«Per quanto li riguarda, è un'innocentissima mongolfiera» replico. «Mio marito mi ha lasciato nei pasticci.» Mi giro verso la signora Hocking con aria di scuse. «Non ho avuto molto tempo.»

«Va benissimo, signora Phipps!» La maestra si ricompone. «Che utilizzo creativo di...»

«E se scoppia?» butta là Jane.

«Ne ho ancora» rispondo trionfante e sfodero gli altri esemplari del mio pacco di profilattici misti Durex, aprendoli come un mazzo di carte.

Un attimo dopo, quando è ormai troppo tardi, mi rendo conto della figuraccia. Con le guance in fiamme, sposto furtivamente le dita per coprire le scritte "Nervature per aumentare la sensazione di piacere", "Lubrificante" e "Stimolante". Nel tentativo di censurare il pacchetto di profilattici, la mia mano sembra una stella marina.

«Credo che in classe riusciremo a trovare un palloncino per Noah, signora Phipps» dice alla fine la maestra. «Quelli è meglio che li tenga lei, per...» Esita un attimo, sforzandosi visibilmente di finire la frase.

«Ah, sì, certo» mi affretto a dire. «Buona idea. Li userò per... sì, esatto, proprio per... quello. Cioè, no.» Faccio una risata stridula. «Veramente, è probabile che non li userò proprio. O almeno... Ovviamente, sono una persona responsabile.»

Lascio la frase in sospeso e poi taccio. Ho appena rivelato dei particolari sul mio uso dei profilattici alla maestra di mio figlio. Non so bene come sia successo.

«Be', comunque!» aggiungo con allegra disperazione. «Insomma, adesso me li porto a casa e li uso... per una cosa o per l'altra.»

Mentre infilo in fretta i profilattici in borsetta, mi cade un Pleasuremax e mi tuffo subito a recuperarlo prima che possa finire in mano a un bambino di sette anni. Tutte le altre madri mi stanno guardando a bocca aperta, come se avessero appena assistito a un incidente stradale.

«Spero che l'assemblea di classe vada bene. Buona giornata, Noah.» Gli consegno la mongolfiera, gli do un bacio, mi volto e filo via respirando affannosamente. Aspetto di raggiungere l'auto, poi chiamo Barnaby.

«Barnaby» attacco subito. «Daniel ha appena fatto una cosa inaudita. Noah doveva preparare un compito per la scuola e suo padre non mi ha detto niente, neanche una parola...»

«Fliss» dice Barnaby paziente. «Calmati.»

«Ho dovuto dare alla maestra di Noah un preservativo gonfiato! Avrebbe dovuto rappresentare una mongolfiera!» Sento Barnaby scoppiare a ridere all'altro capo della linea.

«Non è stato divertente! Quell'uomo è una merda! Fa finta di voler bene a suo figlio, ma è solo un emerito egoista, non fa altro che deludere Noah...»

«Fliss.» La voce di Barnaby diventa d'un tratto più dura e mi blocco. «Devi smetterla.»

«In che senso?» Fisso il telefono.

«Con i tuoi sfoghi giornalieri. Adesso ti dico una cosa da vecchio amico. Se continui ad andare avanti così, farai impazzire tutti quanti, compresa te stessa. Sono cose che succedono, capito?»

«Ma...»

«Succedono, Fliss.» Si interrompe. «E non serve a niente arrabbiarsi in continuazione. Devi voltare pagina, darti una svegliata. Vedere altri uomini senza parlare delle mutande del tuo ex marito.»

«Che cosa stai dicendo?» dico evasiva.

«Era un appuntamento *romantico*, Fliss.» La frustrazione di Barnaby mi si riversa addosso. «Avresti dovuto *flirtare* con Nathan. Non aprire il portatile e leggere tutto il fascicolo del divorzio.»

«Non gliel'ho letto tutto!» dico sulla difensiva, giocherellando con la chiavetta USB. «Stavamo chiacchierando e io ho tirato fuori quel particolare per caso, e lui sembrava interessato...»

«Non era per niente interessato! Solo beneducato. A quanto pare, hai fatto una tirata di cinque minuti buoni sulle mutande di Daniel.»

«Che esagerazione!» ribatto decisa.

Però sono rossa come un peperone. Forse è durata davvero cinque minuti. A quel punto avevo già bevuto qualche bicchiere... C'è tanto da dire sulle mutande di Daniel, e niente di buono.

«Ricordi il nostro primo colloquio, Fliss?» Barnaby continua inesorabile. «Hai promesso che, qualsiasi cosa fosse successa, non saresti diventata acida.»

L'ultima parola mi lascia di stucco. «Io non sono acida. Semmai sono... arrabbiata. Piena di rimpianti.» Frugo nella mente in cerca di altre emozioni accettabili.

«Sono avvilita, triste, rassegnata.»

«Nathan ha detto "acida".»

«Non sono acida!» gli urlo quasi. «Se lo fossi, lo saprei, no?»

Tutto tace. Ho il fiatone, stringo il volante con le mani sudate. Ripenso all'appuntamento con Nathan. Ero convinta di aver parlato di Daniel in modo spiritoso, distaccato, ironico. Nathan non ha mai dato segno di non divertirsi. Ma allora fanno proprio tutti così? Mi prendono tutti in giro?

«Okay» dico alla fine. «Bene, adesso lo so. Grazie per la dritta.»

«Sempre a disposizione» dice Barnaby allegramente. «Prima che tu aggiunga altro, ti ricordo che sono tuo amico e ti sono molto affezionato. Ma tu hai bisogno proprio di questo, Fliss: di essere maltrattata a fin di bene. Ci sentiamo presto.»

Lui riaggancia e io metto la freccia a sinistra, mordendomi il labbro e fissando torva la strada. Sì, okay, va bene... Ma...

Quando torno al lavoro, vedo che ho la casella di posta elettronica piena, eppure mi siedo alla scrivania a fissare imbambolata il computer. Le parole di Barnaby mi hanno colpito più di quello che vorrei ammettere. Mi sto trasformando in una strega acida e perversa. Diventerò una vecchia secca e bitorzoluta che se ne va in giro con un cappuccio nero in testa a maledire il mondo intero, si fa largo fra la gente a suon di bastonate e non sorride mai ai bambini del vicinato, che scappano terrorizzati appena la vedono.

Questo è lo scenario più pessimistico.

Dopo un po', prendo il telefono e digito il numero dell'ufficio di Lottie. Magari riusciamo a tirarci su a vicenda.

Mi risponde Dolly, la sua assistente.

«Ah, ciao, Dolly» dico. «C'è Lottie?»

«È fuori a fare shopping. Non so quando torna.»

A fare shopping? Guardo il telefono sbattendo le palpebre per la sorpresa. So che a volte il lavoro la esaspera, ma con i tempi che corrono non è proprio il caso di andare a fare shopping e di dirlo sfacciatamente alla propria assistente.

«Hai idea di quando potrebbe tornare?»

«Non lo so. Sta comprando della roba per la luna di miele.»

Mi irrigidisco. Ho sentito bene? Luna di miele? Nel senso di... luna di miele?

«Mi hai appena detto...» Deglutisco rumorosamente. «Dolly, Lottie *si sposa*?»

«Non lo sapevi?»

«Sono stata via! Questa... sono...» Faccio fatica a parlare. «Oh, mio Dio! Per piacere, dille che ho chiamato e falle tanti auguri!»

Poso il ricevitore e sorrido felice, guardandomi intorno nell'ufficio vuoto. Il cattivo umore è sparito. Mi viene voglia di ballare. Lottie sta per sposarsi! Ciò dimostra che alla fine a questo mondo c'è qualcosa che va per il verso giusto.

Ma com'è possibile?

Come, come, come, come?

Che cosa è successo? Alla fine è andata a San Francisco? O è tornato lui? O forse si sono parlati al telefono? Le mando un SMS:

Sei fidanzata?????

Mi aspetto di nuovo il silenzio stampa, ma un attimo dopo lei mi risponde.

Sì!!! Aspettavo di raccontarti tutto di persona!

Oddio! Che cosa è successo???

Tutto molto in fretta. Non ci credo ancora. Di punto in bianco, è tornato nella mia vita, mi ha invitato a cena, non me lo sarei mai aspettato, è stato come un tornado!!!

Devo parlarle. La chiamo sul cellulare ma è occupato. Accidenti. Vado a prendere un caffè, poi riprovo. Mentre mi dirigo verso il distributore automatico, non posso fare a meno di sorridere. Sono così felice che mi viene voglia di piangere, ma i dipendenti della Pincher International non piangono al lavoro, perciò mi limito a stringermi le braccia al petto per la contentezza.

Richard è perfetto. Non avrei potuto sperare di meglio per Lottie. Sembra una frase da madre, ma è vero che provo sentimenti materni nei suoi confronti. È sempre stato così. I nostri genitori, fra divorzio e alcolismo, avventure amorose con uomini d'affari pieni di soldi e miss sudafricane, praticamente ci avevano abbandonate a noi stesse... Insomma, rimanevamo spesso da sole. Lottie ha cinque anni in meno di me e, ancora prima che nostra madre morisse, aveva cominciato a rivolgersi a me tutte le volte che le andava storto qualcosa.

Come figura materna/sorella/possibile damigella d'onore principale, sono felicissima che Richard entri nella nostra strana famiglia. Innanzitutto è un bell'uomo, ma non in modo esagerato. Secondo me, è importante. Desideri che tua sorella trovi un dio del sesso ai suoi occhi, ma non è il caso che gli sbavi dietro anche tu. Cioè, come mi sentirei se Lottie mi portasse a casa Johnny Depp?

Cerco di immaginare la situazione con sincerità, nell'intimità della mia testa. Sì, non sarei capace di mantenere il mio ruolo di sorella. Probabilmente cercherei di rubarglielo. Mi metterei in competizione.

Richard però non è Johnny Depp. È un bell'uomo, sia ben chiaro, ma non troppo. Non è bello come un gay, come lo era quell'orribile Jamie, sempre lì a pavoneggiarsi e a fare a gara a chi mangiava meno carboidrati. Richard è un uomo. Secondo me, a volte sembra un Pierce Brosnan da giovane e a volte un Gordon Brown di qualche anno fa. (In realtà, credo di essere l'unica a vedere la somiglianza con Gordon Brown. Una volta l'ho detto a Lottie e lei si è offesa a morte.)

So che è bravo nel suo lavoro. (Naturalmente, quando ha cominciato a vedersi con Lottie, ho chiesto a tutti i miei contatti nella City di fornirmi informazioni riservate sul suo conto.) So anche che gli capita di perdere le staffe con le persone e che una volta ha fatto una scenata tale al suo team che poi ha dovuto invitarli tutti a pranzo per scusarsi. Ma è anche una brava persona. La prima volta che l'ho visto, stava trasportando una poltrona che Lottie desiderava spostare in salotto. Lei continuava a girare per la stanza dicendo: "Là... anzi, no, là! Oh, no, magari là!", mentre lui la seguiva paziente. Ho incrociato il suo sguardo, lui mi ha sorriso e io ho pensato subito: "Questo è proprio l'uomo giusto per Lottie".

Sono talmente felice che salterei dalla gioia. Dopo tutta la robaccia del mio divorzio, avevo un gran bisogno di buone notizie. Allora, chissà come è successo? Che cosa avrà detto? Voglio sapere tutto. Mentre torno alla mia scrivania, digito impaziente il suo numero e stavolta lei risponde.

«Ciao, Fliss.»

«Lottie!» sbotto entusiasta. «Congratulazioni! Che splendida notizia! Non ci posso credere!»

«Sì, infatti!» Sembra ancora più euforica di quello che mi sarei aspettata. Richard deve averla fatta impazzire d'amore.

«Allora... quando è successo?» Mi siedo alla scrivania a sorseggiare il caffè.

«Due settimane fa. Non riesco ancora a rendermene conto!»

«Voglio i particolari!»

«Be', mi ha contattato di punto in bianco.» Lottie fa una risatina eccitata. «Non ci potevo credere. Pensavo che non ci saremmo rivisti mai più. Figurarsi se mi aspettavo questo!»

Se le ha fatto la proposta due settimane fa, significa che io ero via da un giorno al massimo. Subito dopo essere arrivato a San Francisco, deve aver preso il primo volo per tornare indietro. Bravo, Richard!

«E che cosa ha detto? Si è inginocchiato?»

«Sì! Ha detto che mi ha sempre amato e che desidera stare con me, poi mi ha chiesto di sposarlo circa dieci volte e alla fine ho detto... sì!» Scoppia di gioia. «Ti rendi conto???»

Sospiro felice e bevo un altro sorso di caffè. È così romantico. Come un sogno. Mi chiedo se riuscirò a saltare la conferenza stampa con la British Airways e a invitare Lottie a pranzo per festeggiare.

«E poi?» Cerco di ottenere altri dettagli. «Gli hai dato l'anello?»

«Be', no.» Lottie sembra irrigidirsi. «Certo che no.»

Grazie a Dio. Non mi è mai piaciuta l'idea dell'anello.

«Alla fine hai deciso di lasciar perdere?»

«Non mi è venuto neppure in mente!» Strano, ha un tono sofferente. «Cioè, l'anello era per Richard.»

«In che senso?» Guardo il telefono sbattendo le palpebre: non la seguo più.

«Be', l'anello l'avevo comprato per Richard.» Sembra alquanto irritata. «Sarebbe stato un po' strano darlo a un altro, non credi?»

Cerco di rispondere, ma i miei pensieri si sono inceppati, come se una matita fosse finita in un ingranaggio che prima funzionava perfettamente. Come sarebbe a dire "un altro"? Apro la bocca per rispondere, poi la chiudo di nuovo. Ho sentito male? Sta forse parlando per metafore?

«Allora» procedo con cautela: mi sembra di esprimermi in una lingua straniera. «Hai comprato l'anello per Richard... ma non gliel'hai dato?»

Sto solo cercando di capire che cosa intendesse dire. Non mi aspettavo che sclerasse subito, come se la mia domanda le avesse rovinato la giornata.

«Fliss, ovvio che non gliel'ho dato! Maledizione, non ce la fai proprio a essere un po' più *sensibile*?» La sua voce diventa stridula. «Sto cercando di cominciare tutto da capo! Sto cercando di iniziare una vita completamente nuova con Ben! Non mi sembra il caso di tirare in ballo Richard!»

Ben?

Sono nel pallone totale. Mi sembra di impazzire. Chi è Ben, e che cosa c'entra in questa storia?

«Lottie, non ti agitare, ma davvero non capisco...»

«Te l'ho appena scritto nell'SMS! Non sai leggere?»

«Hai detto che eri fidanzata!» D'un tratto ho una sensazione orribile. È stato solo un equivoco colossale? «Allora non sei fidanzata?»

«Ma sì! Certo che sono fidanzata ufficialmente. Con Ben!»

«Chi cavolo è Ben?» grido più forte di quello che avrei voluto. Elise si affaccia incuriosita alla porta e io le sorrido come per scusarmi, mimando con le labbra: "Non è niente".

All'altro capo della linea cala il silenzio.

«Oh» dice Lottie alla fine. «Scusa, ho appena riletto l'SMS. Credevo di avertelo detto. Non sposerò Richard, ma Ben. Te lo ricordi Ben?»

«No, che non me lo ricordo Ben!» dico, sempre più nervosa.

«Ah, sì, non l'hai mai visto. Be', era il mio ragazzo durante l'anno sabbatico in Grecia. Ora è tornato nella mia vita e ci sposiamo.»

Mi sento come se fosse crollato il soffitto. Doveva sposare

Richard ed era una cosa perfettamente sensata. Ora invece sta per fuggire con un tipo di nome Ben? Non so neppure da dove cominciare.

«Lotts... Ma, Lotts, cioè... Come puoi sposarti con lui?» Un pensiero mi attraversa la mente all'improvviso. «È per fargli avere il visto di soggiorno?»

«No, non per quello!» Sembra indignata. «È per amore!»

«Ami questo Ben abbastanza da sposarlo?» Mi sembra un dialogo assurdo.

«Sì.»

«Quand'è che è tornato nella tua vita, di preciso?»

«Due settimane fa.»

«Due settimane fa» ripeto con calma, anche se vorrei scoppiare a ridere istericamente. «E da quanto non vi vedevate?»

«Quindici anni.» Ha un tono di sfida. «E prima che tu me lo chieda, ti dico subito che, sì, ho riflettuto molto bene.»

«Ah, bene, tanti auguri, Ben sarà sicuramente fantastico.»

«È uno schianto, ti piacerà moltissimo. È bello e spiritoso e siamo in perfetta sintonia...»

«Meraviglioso! Senti, ci vediamo a pranzo, okay? Così ne parliamo.»

Sto avendo una reazione eccessiva, mi dico. Mi devo solo adattare alla nuova situazione. Forse questo tizio è perfetto per Lottie e tutto funzionerà alla grande. Purché il fidanzamento duri un bel po' e non prendano decisioni avventate.

«Ci vediamo da Selfridges?» propone Lottie. «Veramente, sono già qui. Sto comprando biancheria intima per la luna di miele!»

«Sì, me l'avevano detto. Allora, quando pensate di sposarvi?»

«Domani» risponde felice. «Volevamo farlo al più presto. Puoi prenderti un giorno di permesso?»

Domani?

È impazzita.

«Lotts, ferma lì.» Non riesco quasi a parlare. «Vengo lì da te. Mi sa che dobbiamo fare due chiacchiere.»

Non avrei mai dovuto rilassarmi. Non sarei mai dovuta andare in vacanza. Avrei dovuto capire che Lottie non si sarebbe data pace finché non avesse trovato qualcosa in cui incanalare il proprio dolore. Un matrimonio.

Quando arrivo da Selfridges mi batte forte il cuore e ho la testa piena di domande. Lottie, invece, ha il cestino pieno di biancheria intima. No, non si tratta di biancheria intima, ma di accessori erotici. È lì che guarda un bustino trasparente, quando le corro incontro rovesciando quasi un appendiabiti carico di sottovesti Princesse Tam Tam. Appena mi vede, me lo mostra.

«Che cosa ne pensi?»

Do un'occhiata alla roba nel cestino. È chiaro che è appena stata nel reparto di Agent Provocateur. Vedo un mucchio di pizzi neri semitrasparenti. Che cos'è questa, una maschera per gli occhi?

«Che cosa ne pensi?» dice impaziente, agitandomi il bustino davanti alla faccia. «Costa parecchio. Che faccio, lo provo?»

"Non dovremmo discutere di una questione un filino più importante, tipo chi è questo Ben e perché lo sposi?" vorrei urlarle. Ma, se c'è una cosa che so di Lottie, è che devo andarci cauta con lei. Devo ammansirla con le parole.

«Allora!» dico più allegramente che posso. «Allora ti sposi... con un uomo che non ho mai visto.»

«Lo vedrai al matrimonio. Ti piacerà moltissimo, Fliss.» Le brillano gli occhi mentre getta il bustino trasparente nel cestino e aggiunge un perizoma minuscolo. «Non mi sembra vero che sia andato tutto in modo tanto perfetto. Sono così felice.»

«Bene. Fantastico! Anch'io!» Faccio una piccola pausa e poi aggiungo: «Anche se, mi viene da domandarmi, devi proprio sposarti così presto? Non potreste rimanere fidanzati per un po' di tempo e progettare tutto come si deve?».

«Non c'è niente da progettare! Sarà tutto semplicissimo. L'ufficio di stato civile di Chelsea. Il pranzo in un ristorante incantevole. Semplice e romantico. Tu mi farai da damigella d'onore, spero.» Mi stringe il braccio, poi allunga la mano verso un altro bustino.

In lei c'è qualcosa di particolarmente strano. La osservo attentamente, nel tentativo di capire che cos'ha di diverso. Ha l'aria frenetica che le viene sempre dopo la fine di una relazione, ma più del normale. Gli occhi sono troppo luminosi. È sovreccitata. Ben è uno spacciatore? È sotto l'effetto di qualcosa?

«Insomma, Ben ti ha contattato così, di punto in bianco?»

«Lui mi ha contattato e siamo usciti a cena. Ed è stato come se non ci fossimo mai separati. Eravamo così in sintonia.» Sospira beata. «È rimasto innamorato di me per quindici anni. *Quindici anni.* E io di lui. Ecco perché vogliamo sposarci subito. Abbiamo già perso abbastanza tempo, Fliss.» Parla in tono drammatico, come se fosse in un reality. «Vogliamo stare insieme per il resto dei nostri giorni.»

Che cosa?

Okay, sono tutte balle. Negli ultimi quindici anni Lottie non è stata innamorata di un tizio di nome Ben. Se così fosse, credo che lo saprei.

«Lo hai amato per quindici anni?» non posso fare a meno di provocarla. «Strano che tu non abbia mai detto neanche una parola in proposito.»

«Lo amavo *dentro*.» Si porta una mano sul petto. «Qui. Forse non te ne ho mai parlato, ma non è detto che ti dica proprio tutto.» Con aria di sfida, infila un paio di reggicalze nel cestino.

«Hai una sua foto?»

«No, non qui con me. Ma è bellissimo. A proposito, voglio che sia tu a tenere il discorso al matrimonio» aggiunge felice. «Sei la damigella d'onore nonché testimone. E il testimone di Ben è il suo amico Lorcan. Alla cerimonia ci saremo solo noi quattro.»

La fisso esasperata. Avevo in mente di essere diplomatica e delicata, ma non ce la faccio, è una follia assurda.

«Lottie.» Sbatto la mano sul pacco di calze che stava per prendere. «Fermati. E ascoltami un attimo. Lo so che non vuoi ascoltarmi, ma devi farlo.» Aspetto che giri controvoglia lo sguardo verso di me. «Hai lasciato Richard circa cinque minuti fa. Stavi per sposarti con lui. Gli avevi comprato l'anello di fidanzamento. Dicevi di amarlo. Adesso fuggi con un tizio che conosci appena? Ti pare sensato?»

«Be', meno male che ho lasciato Richard! Questo sì che è positivo!» Lottie d'un tratto si gonfia di rabbia come un gatto. «Ho riflettuto molto, Fliss, e mi sono resa conto che Richard non andava affatto bene per me. Era tutto sbagliato! Ho bisogno di un uomo romantico, di un uomo capace di *sentire*, di esporsi per me, capisci? Richard è gentile, e pensavo di amarlo, ma adesso vedo le cose come stanno in realtà: è limitato.»

Pronuncia la parola "limitato" come se fosse l'insulto peggiore che potesse immaginare.

«In che senso "limitato"?» Non posso fare a meno di prendere un po' le difese di Richard.

«È meschino, non ha stile, non ha mai fatto un gesto esagerato, temerario, meraviglioso. Non cercherebbe mai una ragazza dopo quindici anni per dirle che senza di lei la sua vita è stata buia e che ora desidera riaccendere la luce.» Alza il mento con aria di sfida e io inorridisco. Cos'è che ha detto Ben? Che voleva accendere la luce?

Cioè, non è che non la capisca. Anch'io, dopo la separazione da Daniel, ho avuto un paio di storielle di contraccolpo assolutamente fuori luogo. Ma io non ho sposato nessuno.

«Senti, Lottie.» Provo una tattica diversa. «Ti capisco. So che cosa provi, sei ferita e confusa. Una vecchia fiamma si presenta all'improvviso, ed è normale che tu ci vada a letto. È naturale. Ma perché sposarsi?»

«Ti sbagli» replica con espressione trionfante. «Ti sbagli di grosso, Fliss. Non sono andata a letto con lui e non ho intenzione di farlo. Voglio rimanere casta fino alla luna di miele.»

Lei...

Che cosa?

Questa proprio non me la aspettavo. La guardo inespressiva, non so proprio che cosa replicare. Dov'è mia sorella, e che cosa le ha fatto quest'uomo?

«Rimanere casta?» ripeto alla fine. «Ma... perché? Lui è Amish?» D'un tratto temo il peggio. «Appartiene a una setta? Ti ha promesso l'illuminazione?»

No, per piacere, non dirmi che ha regalato tutti i suoi soldi. No, questa volta no.

«Certo che no!»

«Allora... perché?»

«Così avremo la prima notte di nozze più rovente che ci si possa immaginare.» Prende le calze. «Sappiamo che c'è un'ottima intesa fra noi, allora perché non rimandare il momento? È la prima notte di matrimonio, dovrebbe essere speciale, il massimo.» All'improvviso si dimena tutta, come se non riuscisse a controllarsi. «E credimi, lo sarà. Dio mio, Fliss, lui è così figo. Facciamo fatica a tenere le mani a posto. È come se avessimo di nuovo diciotto anni.»

La fisso e d'un tratto i conti tornano: gli occhi luccicanti, il cestino pieno di biancheria intima. Non sta nella pelle. Il fidanzamento ufficiale è un gioco prolungato di preliminari. Perché non l'ho capito subito? È drogata... di lussuria. E non semplice lussuria, bensì lussuria adolescenziale. Ha la stessa espressione dei ragazzi che amoreggiano alla fermata dell'autobus, come se il mondo esterno non esistesse. Per un attimo provo una punta di invidia. Francamente, non mi dispiacerebbe chiudermi in una bolla di lussuria adolescenziale. Ma devo mantenere la lucidità, devo incarnare la voce della ragione.

«Lottie, ascoltami.» Sto cercando di parlare in modo lento e chiaro, per fare breccia nel suo stato di trance. «Non è necessario che ti sposi, potreste prendervi una suite d'hotel da qualche parte.»

«Ma io voglio sposarmi!» Canticchiando fra sé e sé, getta un altro costoso négligé nel cestino e io trattengo un urlo. Va bene, ma se solo smettesse un attimo di vedere il mondo con gli occhi della lussuria, forse capirebbe quanto potrebbe costarle questa scappatella. Una fortuna in biancheria intima, un matrimonio, una luna di miele, un divorzio. Tutto per un'epica notte di sesso selvaggio? Che potrebbe avere gratis?

«So a che cosa stai pensando.» Mi guarda piena di risentimento. «Magari potresti essere felice per me.»

«Ci sto provando, davvero.» Mi gratto la testa. «Ma non ha senso. Stai facendo le cose alla rovescia.»

«Ah, sì?» Si gira verso di me. «Chi l'ha detto? Non è forse la maniera tradizionale?»

«Lottie, ti stai rendendo ridicola.» Sento montare la rabbia. «Non è il modo di affrontare un matrimonio, okay? Il matrimonio è una cosa seria, legale...»

«Lo so!» taglia corto. «E voglio farlo funzionare, e questo è il modo giusto. Non sono una stupida, Fliss.» Incrocia le braccia sul petto. «Ci ho pensato, sai. La mia vita sentimentale è un disastro. Con tutti gli uomini ho sempre seguito lo stesso vecchio schema: sesso, amore, niente matrimonio. Sempre la stessa cosa. Be', adesso ho la possibilità di cambiare tattica! Inverto i fattori! Amore. Matrimonio. Sesso!»

«Ma è una follia!» non posso fare a meno di sbottare. «Tutta questa storia è una follia! Non puoi non rendertene conto!»

«Invece no!» ribatte accalorandosi. «A me sembra solo una

soluzione brillante al problema. Faccio all'antica! È un metodo collaudato! La regina Vittoria ha fatto sesso prima di sposare Alberto? E il loro matrimonio non ha forse funzionato alla grande? Non l'ha amato appassionatamente e non ha fatto costruire una grande statua in suo onore a Hyde Park? Certo che sì. Romeo e Giulietta hanno fatto sesso prima di sposarsi?»

«Ma...»

«Elizabeth Bennet e Fitzwilliam Darcy hanno fatto l'amore prima del matrimonio?» Mi guarda con occhi dardeggianti, come se questo bastasse a dimostrare ogni cosa.

Oddio, se adesso tira in ballo Fitzwilliam Darcy a sostegno delle sue argomentazioni, io getto la spugna.

«Bene» dico alla fine. «Mi hai convinto. Fitzwilliam Darcy.»

Per il momento devo fare un passo indietro e adottare un approccio diverso.

«Allora, chi è questo Lorcan?» Mi è venuta un'altra idea. «Chi è questo testimone di Ben di cui parlavi prima?»

Probabilmente il migliore amico di Ben non sarà più entusiasta di me di questo matrimonio improvviso. Forse potremmo unire le forze.

«Non lo so.» Agita il braccio con aria vaga. «Un vecchio amico, lavora con lui.»

«Dove?»

«La ditta ha un nome tipo... Decree.»

«E che cosa fa Ben di preciso?»

«Non lo so.» Solleva un paio di mutandine che si slacciano di dietro. «Qualcosa.»

Devo trattenere l'impulso di urlare: "Ti stai sposando con lui e non sai neppure che lavoro fa?".

Tiro fuori il mio BlackBerry e scrivo "Ben – Lorcan – Decree".

«Come si chiama Ben di cognome?»

«Parr. Io sarò la signora Lottie Parr. Vero che è stupendo?»

Ben Parr.

Digito sul BlackBerry, do un'occhiata allo schermo e fingo che mi sia venuto in mente qualcosa all'improvviso. «Oh, mamma mia, me ne ero dimenticata... Non sono sicura di avere tempo per pranzare, mi sa che è meglio che vada. Buon shopping!» L'abbraccio. «Ci sentiamo dopo. E... tanti auguri!»

Il sorriso smagliante dura fino alla fine del reparto biancheria intima. Prima di aver raggiunto le scale mobili sono su Google e sto digitando "Ben Parr". Ben Parr, il mio nuovo cognato potenziale. Chi cavolo è?

Quando arrivo in ufficio, ho già cercato "Ben Parr" su Google in tutti i modi possibili e immaginabili dal cellulare, ma non ho trovato ditte chiamate Decree, solo qualche riferimento a un comico di nome Ben Parr. Scarso, secondo le critiche. Sarà lui?

Fantastico, un comico fallito. Il mio cognato ideale.

Alla fine trovo un certo Ben Parr in un articolo su un'azienda produttrice di carta chiamata Dupree Sanders. Ha una carica di fantasia tipo "consulente strategico generale". Digito "Ben Parr Dupree Sanders" e compaiono mille occorrenze. La Dupree Sanders è chiaramente un'azienda di rilievo. E grande. Ecco la home page e, come volevasi dimostrare, compare una pagina con la sua foto e una biografia, a cui do una scorsa. "Dopo aver lavorato con suo padre da ragazzo, Ben Parr è stato felice di tornare alla Dupree Sanders nel 2011, assumendo un ruolo strategico... passione autentica per il settore... Dal giorno della scomparsa di suo padre, gli sta ancora più a cuore il futuro dell'azienda."

Mi piego sullo schermo e fisso la foto intensamente, cercando di capire cosa si nasconde dietro quest'uomo che si appresta a entrare a velocità supersonica nella mia famiglia. È bello, questo è vero. Ha un'aria un po' da ragazzo: magro, affabile. La bocca però non mi convince, mi pare poco decisa.

A forza di fissarlo, lo schermo mi balla davanti agli occhi, perciò mi lascio andare contro lo schienale e digito "Lorcan Dupree Sanders".

Un attimo dopo compare un'altra pagina con la foto di un uomo diversissimo. Capelli scuri e ritti in testa, sopracciglia nere e sguardo corrucciato. Sotto la foto si legge: "Lorcan Adamson. Interno telefonico 310. Prima di entrare alla Dupree Sanders nel 2008, Lorcan Adamson ha esercitato la professione di avvocato a Londra... promotore di numerose iniziative... ha ideato il marchio di cartoleria di lusso Papermaker... ha lavorato con il National Trust per ampliare il centro visitatori... promotore di un'industria sostenibile e responsabile".

Un avvocato. Speriamo che sia di quelli razionali e ragionevoli, non il classico stronzo arrogante. Digito il numero, aprendo contemporaneamente la posta elettronica.

«Lorcan Adamson.» La voce che risponde è così profonda e severa che lascio cadere il mouse per la sorpresa. Non può essere vera, sembra finta.

«Pronto?» dice, e io soffoco un risolino. Questo tizio parla come lo speaker di un trailer cinematografico. È la classica voce tonante e amplificata che senti mentre trangugi popcorn in attesa che cominci il film.

Pensavamo di vivere in un mondo sicuro. Pensavamo che l'universo fosse nostro. Finché non sono arrivati LORO.

«Pronto?» ripete la voce severa.

In una lotta disperata contro il tempo, una giovane donna deve decrittare il codice...

«Pronto. Ehm... Salve.» Cerco di raccogliere i pensieri. «Lei è Lorcan Adamson?»

«Sì, sono io.»

Del regista vincitore del premio Oscar...

No, smettila, Fliss, concentrati.

«Bene, bene, sì.» Mi ricompongo in fretta. «Be', mi sa che dobbiamo parlare. Mi chiamo Felicity Graveney. Mia sorella si chiama Lottie.»

«*Ah.*» Colgo un'animazione improvvisa nella sua voce. «Mi perdoni il turpiloquio, ma che cazzo sta succedendo? Ben mi ha appena telefonato. A quanto pare, lui e sua sorella si stanno per sposare?»

Capisco subito due cose. Primo: ha un leggero accento scozzese. Secondo: neppure lui è entusiasta di questa idea del matrimonio. Grazie a Dio. Un'altra voce della ragione.

«Esatto!» dico io. «E lei è il testimone? Non so proprio come sia successo, ma ho pensato che forse noi due potremmo unire le forze e...»

«E cosa? Progettare le decorazioni per i tavoli?» Mi interrompe. «Non so proprio come sua sorella abbia convinto Ben a fare una stupidaggine del genere, ma farò tutto il possibile per fermarlo, che vi piaccia o no, a lei e a sua sorella.»

Fisso il telefono. Che cosa ha detto?

«Lavoro con Ben, e questo è un momento cruciale per lui» insiste Lorcan. «Non può sparire nel nulla per andare a fare una ridicola luna di miele sull'onda di un impulso momentaneo. Ha delle responsabilità, ha preso degli impegni. Non so bene quali siano le mire di sua sorella...»

«*Che cosa?*» Sono talmente indignata che non so neppure da dove cominciare.

«Come, prego?» Sembra sconcertato dal fatto che io abbia osato interromperlo. Ah, è uno di quelli lì.

«Bene, *signore*.» Mi sento subito stupida per aver detto "signore", ma ormai è troppo tardi, meglio insistere. «Innanzitutto, mia sorella non ha convinto nessuno a fare un bel niente. Prima o poi verrà a sapere che il suo amico è comparso all'improvviso nella vita di mia sorella e l'ha raggirata per convincerla a sposarlo. Secondo, se crede che le abbia telefonato per "progettare le decorazioni dei tavoli", si sbaglia di grosso. Anch'io intendo fermare questo matrimonio. Con o senza il suo aiuto.»

«Ah, okay.» Sembra scettico.

«Per caso, Ben le ha detto che Lottie l'ha convinto?» chiedo. «Perché in tal caso sta mentendo.»

«Non proprio» dice Lorcan, dopo un momento di pausa. «Ma Ben è, come dire, una persona facilmente influenzabile.»

«Facilmente influenzabile?» ribatto furiosamente. «Se c'è qualcuno che ha cercato di influenzare qualcun altro, quello è lui. Mia sorella sta attraversando un brutto momento, è molto vulnerabile e l'ultima cosa di cui ha bisogno è di uno che si approfitti di lei.» Continuo quasi ad aspettarmi che questo Ben appartenga a qualche strana setta o a qualche società truffaldina di vendite piramidali o in multiproprietà. «Cioè, che cosa fa di mestiere? Non so niente di lui.»

«Non conosce la sua storia.» Sembra di nuovo scettico. Maledizione, questo tizio mi sta facendo incazzare.

«Non so niente, a parte il fatto che ha conosciuto mia sorella durante l'anno sabbatico, che hanno scopato come ricci, che ora dice che l'ha sempre amata e che intendono sposarsi domani per ricominciare a darci dentro come allora. Ah, e che lavora per la Dupree Sanders.»

«Lui è il *proprietario* della Dupree Sanders» mi corregge Lorcan.

«Come?» dico stupidamente.

Non so neppure che cosa sia di preciso questa Dupree Sanders. Non mi sono preoccupata di informarmi.

«Dalla morte di suo padre, avvenuta un anno fa, Ben è l'azionista di maggioranza della Dupree Sanders, una cartiera da trenta milioni di sterline. E se proprio vuole saperlo, anche lui ha avuto una vita complicata ed è abbastanza vulnerabile.»

Mentre metabolizzo le sue parole, mi sento montare dentro una rabbia terribile.

«Lei pensa che mia sorella sia una cacciatrice di dote?» sbotto. «È questo che pensa?»

Non mi sono mai sentita tanto insultata in vita mia. Brutto stronzo presuntuoso. Fisso minacciosa la foto sullo schermo con il respiro sempre più accelerato.

«Non ho detto questo» ribatte con calma.

«Mi ascolti, signor Adamson» dico in tono glaciale. «Riepiloghiamo i fatti, le dispiace? È stato il suo caro amico a convincere mia sorella a impelagarsi in un matrimonio ridicolo e affrettato, e non viceversa. Per quello che ne sa lei, mia sorella potrebbe essere un'ereditiera ancora più ricca di lui. Come fa a sapere che non siamo imparentate con i Getty?»

«*Touché*» dice Lorcan, dopo un attimo di pausa. «Siete imparentate con i Getty?»

«Ovvio che no» replico impaziente. «Il punto è che lei ha tratto conclusioni arbitrarie. Strano, per un avvocato.»

Un altro silenzio. Ho l'impressione di averlo punto sul vivo. Bene.

«D'accordo» mi dice alla fine. «Chiedo scusa. Non intendevo insinuare nulla su sua sorella. Forse loro due sono una coppia perfetta. Questo però non toglie che qui in azienda stiano succedendo cose molto importanti. Al momento Ben deve rimanere in Gran Bretagna, a disposizione. La luna di miele potrà farla dopo, se vuole.»

«O mai» butto là.

«O mai, appunto.» Lorcan sembra divertito. «Insomma, lei non è una grande fan di Ben?»

«Non l'ho mai visto in vita mia, ma parlare con lei è stato utile. Ho raccolto informazioni importanti. Lasci fare a me, ci penso io.»

«No, ci penso *io*» ribatte. «Parlerò con Ben.»

Oddio, come mi fa innervosire questo qua. Chi ha detto che tocchi a lui prendere in mano la situazione?

«Io parlerò con Lottie» replico in tono il più possibile autorevole. «Sistemo tutto io.»

«Sono sicuro che non sarà necessario.» Non mi dà neppure il tempo di finire la frase. «Parlerò con Ben, e tutta questa storia sarà dimenticata.»

«Io parlerò con Lottie» ripeto, ignorandolo. «La informerò quando sarà tutto risolto.»

Cala il silenzio. Nessuno di noi ha intenzione di cedere, è evidente.

«Bene» dice Lorcan alla fine. «A risentirci.»

«A risentirci.»

Poso il ricevitore, prendo il cellulare e chiamo Lottie. Non è più il momento di fare la sorella gentile. Fermerò questo matrimonio. Immediatamente.

6

FLISS

Non posso credere che mi abbia ignorato per ben ventiquattro ore. Ha carattere, la ragazza.

È il pomeriggio del giorno dopo, il matrimonio dovrebbe essere celebrato fra un'ora e io non sono ancora riuscita a parlare con Lottie. Ha ignorato tutte le mie chiamate (circa cento), ma allo stesso tempo è riuscita a lasciare una serie di SMS sul mio cellulare, con dettagli sull'ufficio di stato civile, sul ristorante e sull'aperitivo prematrimoniale al Bluebird. All'ora di pranzo è arrivato un fattorino in bicicletta con un vestito di satin viola da damigella d'onore. Nella posta elettronica ho trovato una poesia, insieme alla richiesta di leggerla ad alta voce durante la cerimonia: "Renderà il nostro giorno così speciale!".

Chi crede di prendere in giro? Se non risponde al telefono, c'è un motivo: è sulla difensiva. Il che significa che ho qualche chance di successo. So di poterla dissuadere da questa follia. Devo solo capire dov'è il suo punto debole e far leva su quello.

Appena arrivo al Bluebird, la vedo seduta al bar con un vestitino corto di pizzo color crema, rose nei capelli e un delizioso paio di scarpe stile rétro con cinturini e bottoni. È uno splendore, e per un attimo mi sento in colpa per essere venuta a farle cambiare idea.

Ma no, qualcuno deve pur mantenere la lucidità. Non sarà così radiosa quando la convocheranno per una sentenza interlocutoria di divorzio.

Non ho portato Noah con me. È andato a dormire dal suo amico Sebastian. Ho detto a Lottie che era un'occasione molto speciale per lui e che era dispiaciutissimo di "perdersi la festa". Il vero motivo è che intendo mandare a monte il matrimonio.

Lottie mi ha visto e agita il braccio per attirare la mia attenzione. Le faccio un cenno di saluto e mi avvicino con un sorriso innocente. Mi infilo silenziosamente nel recinto dei cavalli con un'aria tranquilla e il lazo nascosto dietro la schiena: sono la "donna che sussurra alla sposa".

«Sei stupenda!» Appena la raggiungo, l'abbraccio fortissimo. «Che emozione. Che giorno felice!»

Lottie mi scruta in viso senza rispondere, dimostrandomi che ho ragione: è sulla difensiva. Io però continuo a sorridere come se nulla fosse.

«Credevo che non fossi per niente entusiasta all'idea» dice.

«Che cosa?» mi fingo scioccata. «Ovvio che sono entusiasta! Ero solo sorpresa, ma sono certa che Ben è un uomo meraviglioso e che tu vivrai felice e contenta per tantissimi anni.»

Trattengo il fiato. Si rilassa visibilmente. Sta abbassando la guardia.

«Sì» dice. «Sì, saremo felici. Su, siediti, prenditi un bicchiere di champagne! Ecco il tuo bouquet.» Mi consegna un mazzolino di rose.

«Wow! Favoloso.»

Mi riempie la flûte e io la sollevo per un brindisi, poi do un'occhiata all'orologio. Mancano cinquantacinque minuti. Devo tentare di nuovo la strategia di dissuasione.

«Allora, qualche progetto per la luna di miele?» dico con nonchalance. «Probabilmente, con così poco tempo di anticipo, non avete fatto in tempo a prenotare da nessuna parte. Che peccato. La luna di miele è un momento unico e tutti desiderano che vada alla perfezione. Se avessi aspettato qualche settimana, avrei potuto aiutarti a organizzare un viaggio spettacolare. Anzi... Lo facciamo?» Poso il bicchiere, come se mi fosse appena venuta un'idea brillante. «Lottie, rimandiamo il matrimonio di un pochino e divertiamoci a organizzare una luna di miele perfetta!»

«Non ti preoccupare» dice Lottie allegramente. «Abbiamo già organizzato la nostra luna di miele perfetta! Una notte al Savoy e domani si parte!»

«Davvero?» Mi preparo a stroncare la destinazione prescelta. «Allora dove andate?»

«Torniamo a Ikonos, nel luogo dove ci siamo conosciuti. Non è perfetto?»

«In una pensione per ragazzi con lo zaino in spalla?» La fisso.

«Ma no, scema! In un albergo stupendo! L'Amba. Quello con la cascata. Non l'hai già recensito?»

Accidenti. L'Amba è praticamente impossibile da stroncare. Hanno aperto tre anni fa e l'abbiamo recensito due volte, assegnando in entrambi i casi cinque stelle. È il posto più spettacolare delle Cicladi ed è stato eletto "Miglior destinazione per lune di miele" per due anni di fila.

Negli ultimi tempi è diventato un po' pacchiano, a dire il vero. È stato invaso da celebrità e fotografato da riviste come "Hello!" e, per quel che mi riguarda, gioca un po' troppo sul mercato delle lune di miele. Eppure, rimane un hotel favoloso, di prim'ordine, insomma. Farò molta fatica a convincerla a non andarci.

«L'unico problema dell'Amba è che dovete trovarvi sul lato migliore.» Scuoto la testa con un'espressione cupa. «Con un preavviso così breve, vi avranno messo nell'orribile ala laterale. Lì non batte mai il sole, e puzza. Non vi troverete bene.» D'un tratto mi illumino. «Ecco! Se aspettate qualche settimana e mi date il tempo di chiedere un favore, posso procurarvi la Oyster Suite, poco ma sicuro. Sinceramente, Lotts, solo il letto merita un po' di attesa. È enorme, con una cupola di vetro in alto per vedere le stelle. Dovete avere proprio quella.» Le porgo il cellulare. «Dài, telefona a Ben e digli che vuoi rimandare solo di poche settimane...»

«Ma ce l'abbiamo già la Oyster Suite!» mi interrompe Lottie entusiasta. «È tutto prenotato! Avremo una luna di miele su misura per noi con il nostro maggiordomo personale, trattamenti vari e una giornata a bordo dello yacht dell'hotel!»

«Cosa?» La guardo fissa, con il telefono che mi penzola dalla mano. «Come avete fatto?»

«C'è stata una disdetta!» Sorride. «Ben si avvale di un servizio di prenotazioni dedicato, e hanno fatto tutto loro. È fantastico, vero?»

«Meraviglioso» dico, dopo un attimo di esitazione. «Superlativo.»

«Ikonos è un posto così speciale per noi.» È euforica. «Voglio dire, l'avranno di sicuro devastata. Ai tempi in cui eravamo andati noi non avevano nemmeno l'aeroporto, figurarsi se c'erano grandi alberghi. Bisognava arrivarci in traghetto. Eppure sarà come tornare indietro nel tempo. Non sto più nella pelle.»

Non ha senso insistere su questa linea. Sorseggio lo champagne, spremendomi le meningi.

«Oggi avete una Rolls-Royce d'epoca per il matrimonio?»

«No.» Scrolla le spalle. «Posso andare a piedi.»

«Ma che peccato!» Sfoggio una faccia avvilita. «Era il tuo sogno andare a sposarti su una Rolls-Royce d'epoca. Se solo aspettassi un pochino, potresti averla.»

«Fliss.» Lottie mi sorride con un'espressione di blando rimprovero. «Non ti pare di essere un po' superficiale? Quel che conta è l'amore, trovare un compagno per la vita, non un'automobile. Non credi?»

«Sì, certo.» Faccio un sorrisino teso. Okay, lasciamo perdere la macchina. Tentiamo un approccio diverso.

Vestito? No. Indossa già un vestito stupendo.

Lista nozze? No, non è così materialista.

«Allora... sentiremo cantare degli inni alle nozze?» domando alla fine.

Silenzio. Un silenzio piuttosto lungo. Fisso Lottie con improvvisa speranza. Si è irrigidita.

«Non sono permessi» dice alla fine, e guarda dentro il suo bicchiere. «Ai matrimoni in comune non si possono cantare gli inni.»

Tombola!

«Niente inni?» Mi copro la bocca inorridita, come se lo venissi a sapere solo ora. «Ma che matrimonio è senza gli inni? E la canzone patriottica *I Vow to Thee, My Country*? Hai sempre desiderato che fosse cantata al tuo matrimonio.»

Lottie cantava nel coro del nostro collegio. Era solista. Per lei la musica contava molto. Avrei dovuto adottare subito questa tattica.

«Be', non è importante.» Mi sorride sbrigativa, ma l'atteggiamento è cambiato.

«Che cosa ne pensa Ben?»

«Ben non è un grande appassionato di inni» dice dopo un po'.

"Ben non è un grande appassionato di inni."

Mi viene voglia di esultare. Fatto. Il suo tallone di Achille. La posso manipolare come la creta.

«"I vow to thee, my country"» comincio a cantare sottovoce «"all earthly things above."»

«Basta» mi fa, scattando quasi come una molla.

«Scusa. Stavo solo... pensando ad alta voce. Per me la musica è fondamentale in un matrimonio. Musica bellissima, meravigliosa.»

Non è vero. Non potrebbe fregarmene di meno della musica, e se Lottie fosse un po' più scaltra capirebbe all'istante che sto cercando di provocarla. Lei invece distoglie lo sguardo, persa nel suo mondo. Ha lo sguardo un po' assente?

«Ti ho sempre immaginata mentre ti inginocchiavi all'altare in una chiesetta di campagna con l'organo che suonava...» continuo in tono assorto, affondando il coltello nella piaga. «Non in un ufficio comunale. Strano.»

«Sì.» Non gira neppure la testa.

«Da-da-daah-da-da-da-da-ah-da...» Sto ancora canticchiando *I Vow to Thee, My Country*. Naturalmente, non conosco tutte le parole, ma basta la melodia. La musica le farà effetto.

Sì, ha lo sguardo assente: è giunto il momento di avventarmi sulla preda.

«Be', fa niente!» esclamo smettendo di cantare. «Quello che conta è che questo è il giorno più speciale della tua vita. E sarà perfetto. Bello e rapido. Inutile perdersi in inutili manfrine tipo musica, cori di fanciulli o campane di chiesette di campagna. Vi sbrigherete in un attimo. Firmerete un foglio, direte due parole e sarà fatta. Per tutta la vita» aggiungo. «Fine.»

Mi sento quasi crudele. Vedo che le trema leggermente il labbro inferiore.

«Ricordi la scena delle nozze in *Tutti insieme appassionatamente*?» aggiungo con noncuranza. «Quando Maria va all'altare accompagnata dal coro delle suore, con il lungo velo che ondeggia morbidamente...»

Non calcare la mano, Fliss.

Rimango zitta e sorseggio lo champagne in attesa. Le vedo luccicare gli occhi, come se stesse riflettendo. Sento il suo conflitto interiore: non sa se far prevalere il romanticismo o la lussuria. Credo però che il primo stia avendo il sopravvento. Credo che i violini stiano suonando più forte dei tamburi della giungla. Sembra sul punto di prendere una decisione. Ti prego, fai la scelta giusta, su, coraggio...

«Fliss.» Alza lo sguardo. «Fliss...»

Chiamatemi campionessa mondiale di "sussurro alle spose".

Non c'è stato alcun litigio, nessuna discussione. Lottie pensa che l'idea di rimandare sia stata sua. Sono stata io a dire: "Sei sicura, Lottie? Sei proprio certa di voler rimandare? Davvero?".

L'ho convinta prospettandole un matrimonio in una chiesetta di campagna, con la musica, il coro e le campane. Ha già cercato il nome del cappellano della nostra vecchia scuola. Si è buttata in un altro sogno fatto di satin, mazzolini di fiori e *I Vow to Thee, My Country*.

Ed è una bella cosa. Il giorno delle nozze è un momento meraviglioso. Il matrimonio è una cosa meravigliosa. Forse Ben è destinato a essere il suo compagno di vita e quando lei avrà il decimo nipotino mi darò della scema pensando: "Che problema avevo?". Ma almeno così ha un po' di respiro. Almeno ha il tempo di guardare Ben e pensare: "Mmh, altri sessant'anni con te... sarà una buona idea?".

Lottie è andata in comune a parlare a Ben della sua decisione. Il mio lavoro è finito. L'unica cosa che mi rimane da fare è comprarle la rivista per spose "Brides". Domani andremo a prenderci un caffè insieme e faremo una bella chiacchierata sui veli, poi, la sera, potrò finalmente conoscere Ben.

Sto per attraversare King's Road, congratulandomi con me stessa per essere stata così abile, quando vedo un volto noto. Naso aquilino, capelli scuri scompigliati dal vento, una rosa all'occhiello. Sarà alto due metri e cammina spedito sul marciapiede opposto al mio con l'espressione cupa che hai quando una perfida arrampicatrice sociale sta cercando di portarti via il tuo migliore amico ricco e ti tocca pure fare da testimone. Mentre cammina, all'improvviso gli cade la rosa e si china a raccoglierla. La guarda con un'espressione così assassina che mi scappa quasi da ridere.

Mmh, aspettate che gli dia la notizia. Com'è che si chiama? Ah, sì, Lorcan.

«Ehi!» Appena riparte, agito freneticamente la mano. «Lorcan, fermati!»

Ha una falcata così veloce che non ce la farò mai a raggiungerlo. Si ferma e si gira di scatto con aria sospettosa, e io agito di nuovo le braccia per attirare la sua attenzione.

«Da questa parte! Sono io! Devo parlarti!» Aspetto che attraversi la strada, poi gli vado incontro brandendo il bouquet. «Sono Fliss Graveney. Abbiamo parlato ieri... La sorella di Lottie, hai presente?»

«Ah.» Il suo viso si rasserena un attimo, poi riappare l'allegro cipiglio da festa di matrimonio. «Stai andando là, immagino...»

Mi ero dimenticata la sua ridicola voce da trailer cinematografico. Anche se, chissà come, adesso che non è più un suono disincarnato proveniente dal telefono, non è più tanto ridicola. Si addice alla sua faccia. Grave e, in un certo senso, intensa.

«Be', veramente no.» Non riesco a nascondere il mio compiacimento. «Non ci sto andando, perché non si fa.»

Mi guarda scioccato. «In che senso?»

«Nel senso che non si fa. Per il momento» aggiungo. «Lottie è andata a rimandare il matrimonio.»

«Perché?» mi chiede lui. Accidenti com'è sospettoso.

«Prima vuole accertarsi che il patrimonio di Ben venga investito in modo tale da poterlo dilapidare con facilità» rispondo, alzando le spalle. «Ovvio.»

Sul volto di Lorcan balena una scintilla di divertimento. «Okay. Me lo sono meritato. Insomma, che cosa succede? Perché vuole rimandare?»

«L'ho convinta io» dico orgogliosa. «Conosco mia sorella e il potere della suggestione. Dopo una chiacchieratina, desidera un matrimonio romantico in una bucolica chiesetta di pietra. Per questo vuole rimandare. Ho pensato: se ritardano un po', almeno hanno il tempo di capire se sono fatti l'uno per l'altra.»

«Be', meno male.» Lorcan sbuffa e si passa una mano fra i capelli. Finalmente l'irritazione l'abbandona, la fronte comincia a rilassarsi. «Ben al momento non è nelle condizioni di sposarsi. È stata un'idea assurda.»

«Una scemenza» concordo.

«Una follia.»

«L'idea più stupida del mondo. Anzi no, ritiro quel che ho detto.» Mi guardo il vestito. «La più stupida è stata indossare l'abito viola da damigella d'onore.»

«Secondo me ti sta molto bene.» Sembra di nuovo divertito, poi guarda l'orologio. «Allora che cosa faccio? A quest'ora dovrei essere nell'ufficio di stato civile con Ben.»

«Mi sa che è meglio rimanere alla larga.»

«Concordo.»

C'è un momento di stallo. È strano ritrovarsi vestiti di tutto punto all'angolo di una strada senza dovere andare a nessun matrimonio. Giocherello imbarazzata con i fiori del bouquet e mi chiedo se sia il caso di buttarli nella spazzatura. Chissà come, mi pare sbagliato.

«Ti va di prendere qualcosa da bere?» propone all'improvviso Lorcan. «A me sì.»

«Io mi berrei anche sei bicchieri» ribatto. «È molto stancante convincere una persona a non sposarsi.»

«Okay, andiamo.»

Un uomo che decide in fretta. Mi piace. Mi sta già guidando in una via laterale verso un bar con una tenda a strisce e sedie e tavolini in stile francese.

«Ehi, io do per scontato che tua sorella abbia davvero rimandato il matrimonio.» Lorcan si ferma sulla porta. «Non è che adesso ci arriva un SMS furente, con su scritto: "Dove cavolo siete?".»

«Da Lottie non ho ricevuto niente.» Controllo l'orologio. «Era abbastanza determinata a rimandare. Sono certa che l'abbia fatto.»

«Nessun messaggio neppure da Ben.» Lorcan sta guardando il suo telefono. «Mi sa che siamo salvi.» Mi indica un tavolo d'angolo e apre il menu delle bevande. «Vuoi un bicchiere di vino?»

«Voglio un grosso gin tonic.»

«Te lo sei meritato.» Fa di nuovo quella specie di sorrisetto. «Anch'io prendo lo stesso.»

Ordina i drink, spegne il telefono e se lo infila in tasca. Un uomo che mette via il cellulare. Mi piace anche questo.

«Allora, come mai per Ben è un brutto momento per sposarsi?» domando. «Anzi, chi è questo Ben? Dammi un po' di informazioni.»

«Ben.» Lorcan fa una smorfia ironica, come se non sapesse da dove cominciare. «Ben, Ben, Ben.» Fa una lunga pausa. Si è dimenticato com'è il suo migliore amico? «È un uomo... brillante, creativo... Ha tante qualità.»

Lo dice in modo molto forzato, per nulla convincente. Lo guardo in faccia. «Ti rendi conto che dal tono che avevi sembrava che stessi dicendo: "È un killer armato di ascia?".»

«Non è vero.» Lorcan ha l'aria di essere stato preso in castagna.

«Sì, invece. Non ho mai visto una persona assumere un'espressione così negativa mentre cerca di elogiare un proprio amico.» Faccio una voce da funerale. «"È brillante, creativo. Ammazza la gente nel sonno. Con molta creatività."»

«Oddio! Sei sempre così...» Lorcan si blocca e sospira. «Okay. Sto cercando di proteggerlo, immagino. È un momento difficile per lui. Suo padre è morto, il futuro dell'azienda è incerto e lui deve decidere quale direzione farle prendere. Ha l'indole del giocatore d'azzardo, ma non è dotato di molto buon senso. Non è facile per lui. Suppongo che stia attraversando una specie di crisi precoce di mezza età.»

Una "crisi precoce di mezza età"? Ah, perfetto. Proprio quello che ci voleva per Lottie.

«Allora non è adatto a fare il marito?» chiedo, e Lorcan sbuffa.

«Forse un giorno, quando avrà deciso che cosa vuole dalla vita. Il mese scorso si stava comprando una baita nel Montana. Poi voleva acquistare una barca e fare gare di vela. Prima, invece, era tutto preso dall'idea di investire in motociclette d'epoca. La prossima settimana tirerà fuori qualche altra trovata. Secondo me, il matrimonio non durerà più di cinque minuti. Temo che sarà tua sorella a farne le spese.»

Ho una stretta tremenda al cuore. «Be', grazie a Dio, per ora è tutto rimandato.»

«Hai fatto una buona cosa» annuisce. «Se non altro perché al momento abbiamo bisogno che Ben stia qui. Non può sparire di nuovo nel nulla.»

Sbarro gli occhi. «Cosa intendi con "sparire di nuovo nel nulla"?»

Lorcan sospira. «Non sarebbe la prima volta. Quando si è ammalato suo padre, è scomparso per dieci giorni. È scoppiato un casino pazzesco, abbiamo coinvolto anche la polizia eccetera. Poi è ricomparso, senza chiedere scusa o dare spiegazioni. Ancora oggi non so proprio dove si fosse cacciato.»

Arrivano i drink e Lorcan alza il bicchiere. «Salute. Ai matrimoni saltati.»

«Ai matrimoni saltati.» Prendo anch'io il bicchiere, bevo una deliziosa sorsata di gin tonic e poi torno all'argomento Ben. «Allora, perché sta avendo una crisi di mezza età?»

Lorcan esita, come se non volesse tradire la fiducia del suo amico.

«Dài» insisto. «In fondo, sono quasi imparentata con lui.»

«Mah, immagino di sì.» Si stringe nelle spalle. «Lo conosco da quando avevo tredici anni. Eravamo compagni di scuola. I miei genitori sono andati a vivere a Singapore e io non ho altri parenti. Ho trascorso due volte le vacanze da Ben e mi sono affezionato a tutta la sua famiglia. Io e suo padre abbiamo la passione delle passeggiate nella natura. Anzi, avevamo.» Fa una pausa e le sue dita stringono delicatamente il bicchiere. «Ben non veniva mai con noi, non era interessato, e non voleva sapere niente neppure dell'azienda di famiglia. Per lui era solo un peso enorme. Tutti si aspettavano che una volta terminati gli studi andasse a lavorare con il padre, ma era l'ultima cosa che desiderava fare.»

«Allora com'è che tu lavori per loro?»

«Sono entrato in azienda qualche anno fa.» Lorcan abbozza uno strano sorriso. «Avevo dei problemi... personali. Volevo andarmene da Londra, perciò raggiunsi il padre di Ben nello Staffordshire. All'inizio intendevo solo trascorrere lì qualche giorno, fare delle passeggiate, svuotarmi la mente, poi però ho cominciato a interessarmi all'azienda. Non me ne sono più andato.»

«Nello Staffordshire?» dico sorpresa. «Ma non vivi a Londra?»

«Abbiamo degli uffici a Londra, naturalmente. Faccio avanti e indietro, ma preferisco stare nello Staffordshire. È un posto stupendo. La cartiera è in mezzo alla campagna, mentre gli uffici sono nella villa principale, la residenza di famiglia. È stata inserita fra gli edifici di maggior pregio storico della Gran Bretagna. Hai visto quella serie della BBC, "Highton Hall"?» aggiunge. «Be', siamo lì. Hanno girato da noi per otto settimane. Abbiamo tirato su un po' di soldi.»

«"Highton Hall"?» Lo guardo fisso. «Wow, è un posto stupendo. Ed è enorme!»

Lorcan annuisce. «Molti dipendenti vivono nei cottage della proprietà. Organizziamo giri guidati della casa, delle fabbriche, dei boschi, e portiamo avanti iniziative di tutela del territorio» spiega con entusiasmo.

«Ah, okay.» Sto metabolizzando tutte le informazioni. «Insomma, tu hai cominciato a lavorare per l'azienda, mentre a Ben non interessava?»

«Almeno fino a quando non si è ammalato suo padre e lui ha dovuto per forza prendere atto di essere l'erede» risponde lui con franchezza. «Prima faceva di tutto per evitarlo. Ha studiato recitazione, ha provato a fare il comico...»

«Allora era lui!» Poso bruscamente il gin tonic facendolo sbattere sul tavolo. «L'ho cercato su Google e non ho trovato altro che recensioni terrificanti di spettacoli comici. Era davvero così scarso?»

Lorcan agita il bicchiere, fissando i cubetti di ghiaccio rimasti.

«Puoi dirmelo» abbasso la voce. «Rimarrà fra noi: era imbarazzante?»

Lorcan non risponde. Be', è ovvio che non voglia parlare male del suo migliore amico, e io lo rispetto per questo.

«E va bene» dico, dopo un attimo di riflessione. «Dimmi solo una cosa: appena lo conoscerò, si metterà a fare battute e io dovrò ridere per forza?»

«Sta' attenta a quando si mette a parlare di jeans.» Finalmente Lorcan alza lo sguardo, trattenendosi a fatica dal ridere «E ridi, sennò ci rimane malissimo.»

«Jeans» prendo nota mentalmente. «Okay, grazie per la dritta. C'è almeno una cosa positiva da dire su quest'uomo?»

«Oh.» Lorcan sembra turbato. «Ma certo! Quando Ben è in forma, credimi, è di ottima compagnia. È un uomo affascinante, simpatico. Posso capire perché tua sorella si sia presa una cotta per lui. Quando lo vedrai, te ne accorgerai tu stessa.»

Bevo un altro sorso di gin tonic. Lentamente, comincio a rilassarmi. «Be', forse un giorno diventerà mio cognato, ma almeno non succederà oggi. Missione compiuta.»

«Dopo gli parlo» dice Lorcan. «Per assicurarmi che non gli vengano altre idee balzane.»

D'un tratto sento una punta di irritazione. Ho appena detto "missione compiuta" o no?

«Non c'è bisogno di parlare con Ben» replico in tono cortese. «Ho già risolto tutto io. Lottie non vorrà più sposarsi in fretta e furia. Se fossi in te, lascerei perdere.»

«Male non fa.» Sembra imperturbabile. «Tanto per ribadire il concetto.»

«Sì, invece!» Poso di nuovo il bicchiere. «Non ribadire un bel niente! Ci ho messo mezz'ora a persuadere Lottie che l'idea di rimandare il matrimonio fosse sua. In modo sottile, delicato. Non sono andata giù pesante come... un martello pneumatico.»

Il suo volto non si muove di un millimetro. È chiaramente un maniaco del controllo. Ma io non sono da meno, e qui si tratta di mia sorella.

«Non parlare con Ben» gli ordino. «Lascia perdere. Meno si fa, meglio è.»

Dopo un attimo di pausa, Lorcan scrolla le spalle e finisce il drink senza rispondere. Immagino che sappia che ho ragione, ma non voglia ammetterlo. Finisco il gin tonic anch'io, poi aspetto un momento, trattenendo quasi il fiato. All'improvviso mi rendo conto che sto sperando che mi proponga un altro drink. Mi aspetta solo una casa vuota. Niente lavoro. Niente progetti. La verità è che mi piace stare qui a battibeccare con quest'uomo un po' troppo irruento e scorbutico.

«Un altro?» Alza lo sguardo, mi fissa negli occhi, e io sento che le cose stanno cambiando leggermente fra noi. Il primo drink serviva a concludere tutta la faccenda, era una semplice cortesia. Stavolta è qualcosa di più della cortesia.

«Sì, dài.»

«Lo stesso?»

Annuisco e lo osservo mentre chiama il cameriere e ordina i drink. Belle mani, bella mandibola forte, pacato e laconico. È molto più attraente di quel che si direbbe guardando la sua foto sul sito della cartiera.

«La tua foto su Internet è terrificante» dico all'improvviso, appena il cameriere si allontana. «Veramente brutta. Lo sapevi?»

«Accidenti.» Lorcan alza le sopracciglia; sembro averlo preso alla sprovvista. «Sei una ragazza schietta. Meno male che non sono vanitoso.»

«Non è questione di vanità.» Scuoto la testa. «Non è che tu sia più bello in carne e ossa, è la tua personalità a essere migliore. Se ti guardo vedo un uomo che dedica del tempo alla gente, un uomo che mette via il cellulare, che ascolta. Sei un uomo affascinante, in un certo senso.»

«In un certo senso?» Fa una risata incredula.

«La tua foto però dice tutt'altro.» Lo ignoro. «Lì sei imbronciato e trasmetti il messaggio: "Chi cavolo sei? Che cavolo guardi? Non ho tempo da perdere".»

«Hai estrapolato tutto questo dalla foto sul sito?»

«Immagino che tu abbia dato al fotografo circa cinque minuti di tempo, continuando a brontolare e a controllare il cellulare fra uno scatto e l'altro. Non è stato saggio da parte tua.»

Lorcan sembra vagamente basito e mi viene il dubbio di avere esagerato un po'.

Be', certo che ho esagerato. Non lo conosco neppure e mi metto a criticare la sua foto.

«Scusami.» Faccio marcia indietro. «A volte sono un po'... brusca.»

«Puoi giurarci...»

«Hai tutto il diritto di esserlo altrettanto con me.» Lo guardo negli occhi. «Non mi offendo.»

«Bene» dice Lorcan, senza perdere un colpo. «Quel vestito da damigella ti sta malissimo.»

Mio malgrado, mi sento un po' offesa. Non credevo che mi stesse poi così male.

«Prima mi hai detto che mi stava molto bene» ribatto.

«Ho mentito. Sembri una gelatina alla frutta.»

Me la sono voluta, immagino.

«Okay, va bene, sembrerò anche una gelatina alla frutta.» Non posso resistere alla tentazione di dargli un'altra stoccata. «Almeno però sulla mia pagina web non ho messo una foto in cui sembro una gelatina alla frutta.»

Il cameriere porta altri due gin tonic e io prendo il mio, un po' accalorata per lo scambio di battute. Mi chiedo anche come abbiamo fatto ad andare così fuori tema. Forse è il caso di tornare all'argomento principale.

«A proposito, hai saputo della politica di astinenza sessuale di Lottie e Ben?» gli chiedo. «Non ti pare ridicola?»

«Ben mi ha detto qualcosa. Pensavo che stesse scherzando.»

«Non è uno scherzo. Stanno aspettando la prima notte di nozze.» Scuoto la testa. «Se vuoi sapere come la penso io, è da irresponsabili sposarsi con una persona prima di andarci a letto. È come andare in cerca di guai!»

«Un'idea interessante.» Lorcan scrolla le spalle. «All'antica.»

Bevo un lungo sorso di gin tonic. Sento la necessità di sviscerare l'argomento, cosa che non potrei certo fare con Noah.

«A mio modesto parere» mi sporgo in avanti «hanno la mente obnubilata. È tutta una storia di sesso. Lottie è persa in un turbine di lussuria. Più aspetta, meno ragiona. Cioè, la capisco. Ben sarà di certo molto attraente e lei non vedrà l'ora di rotolarsi fra le lenzuola con lui. Ma deve per forza sposarlo?»

«È assurdo» concorda Lorcan.

«Esatto, come ho detto io! Dovrebbero andare a letto e basta. Passare una settimana a letto. Un mese, se vogliono! Divertirsi. E *poi* vedere se vogliono ancora sposarsi.» Bevo un'altra enorme sorsata di gin tonic. «Cioè, non è che devi impegnare tutta la tua vita solo per fare sesso...» Mi blocco, in preda a un dubbio atroce. «Sei sposato?»

«Divorziato.»

«Anch'io. Be', allora, noi due ne sappiamo qualcosa.»

«Di cosa?»

«Di sesso.» Mi è uscita la parola sbagliata e correggo il tiro: «Di matrimonio».

Lorcan riflette un attimo, sorseggiando il suo drink. «Più penso agli ultimi anni» dice lentamente «meno mi sembra di sapere qualcosa sul matrimonio. Per quanto riguarda il sesso, invece, spero di essermi fatto un'idea abbastanza chiara.»

Il gin mi è salito al cervello. Lo sento circolare in testa, sciogliere la mia lingua.

«Non ne dubito» mi ritrovo a dire.

Cala il silenzio e l'aria diventa pesante. Ormai è troppo tardi, mi rendo conto. Ho appena detto a un perfetto sconosciuto che non dubito del fatto che sia bravo a letto. Che faccio? Marcia indietro? Provo a riaggiustare il tiro?

No, meglio cambiare discorso. Cerco qualcosa di tranquillizzante da dire, ma Lorcan mi precede.

«Visto che stiamo parlando con franchezza: com'è stato il tuo? Di divorzio, intendo? Un incubo terribile?»

Mi chiede se il mio divorzio è stato un incubo terribile?

Apro la bocca e prendo un respiro profondo, tastando automaticamente la chiavetta USB appesa al collo. Poi smetto.

Non diventare acida, Fliss. No, rimani dolce. Devo pensare

allo zucchero filato, alle caramelle, a morbidi agnellini, a Julie Andrews...

«Mah, sai.» Gli faccio un sorriso iperzuccheroso. «Sono cose che succedono.»

«A te quando?»

«È ancora in corso.» Sorrido ancora di più. «Dovrebbe finire tutto fra poco.»

«E tu sorridi?» Sembra incredulo.

«Mi piace avere un approccio zen.» Annuisco ripetutamente. «Devo rimanere calma, voltare pagina, vedere il lato positivo della cosa. Evitare di rimuginare troppo.»

«Però...» Lorcan ha gli occhi spalancati per lo stupore. «Sono molto colpito. Io ho divorziato quattro anni fa, e mi fa ancora male.»

«È un vero peccato» riesco a dire. «Mi dispiace per te.»

Il sorrisone finto sta per uccidermi. Vorrei chiedergli in che senso gli fa male e che cosa è successo, e se non sarebbe il caso di scambiarci un po' di aneddoti sulla bassezza morale dei nostri ex. Sento l'urgenza impellente di sciorinare tutti i dettagli e di parlare senza sosta, finché lui non mi dice quello che ho bisogno di sentirmi dire, e cioè che io ho ragione su tutta la linea e Daniel torto.

Ed è proprio per questo, probabilmente, che Barnaby mi ha fatto quel discorso.

Ha sempre ragione lui. Bastardo.

«Allora, ehm, facciamo che stavolta offro io?» Infilo la mano in borsa ed estraggo in fretta il portafoglio.

Oddio. No!

Appena l'ho tirato fuori si è aperto, rovesciando il contenuto del pacco misto Durex. Quello con le "venature per aumentare la sensazione di piacere" cade sul tavolo e un "Pleasuremax" finisce nel bicchiere di Lorcan, spruzzandogli il cocktail in faccia. Un "Fetherlite" è finito nella ciotola di noccioline.

«Oh.» Mi affretto a raccoglierli. «Non sono... Erano per un compito scolastico di mio figlio.»

«Ah.» Lorcan annuisce, togliendo con cortesia il Pleasuremax dal suo bicchiere e consegnandomelo. «Quanti anni ha tuo figlio?»

«Sette.»

«Sette?» Ha l'aria scandalizzata.

«È... una lunga storia.» Faccio una smorfia contrita mentre mi porge il profilattico gocciolante. «Adesso ti faccio portare un altro drink. Scusami tanto.» Ho preso automaticamente un fazzoletto di carta e mi sono messa ad asciugare il Pleasuremax.

«Se fossi in te, lo butterei via» dice Lorcan. «A meno che tu non sia proprio disperata.»

Gli lancio un'occhiata aggressiva. Lui rimane impassibile, ma c'è qualcosa nella sua voce che mi fa venire da ridere.

«È ancora buono» replico. «Bando agli sprechi.» Lo infilo in borsa. «Un altro gin? Senza l'accessorio contraccettivo?»

«Ci penso io.» Inclina la sedia indietro per fare un cenno al cameriere, e io mi ritrovo a osservare il suo corpo alto e asciutto. Non so se sia stato il gin o il brivido di avergli detto che è bravo a letto o tutta questa situazione assurda, ma comincio ad avere un'idea fissa. Sto facendo una mappa mentale di me e lui, passo dopo passo. Chissà che effetto faranno quelle mani sulla mia pelle? E i suoi capelli fra le mie dita? Ha la mandibola non perfettamente rasata, e mi piace. Adoro la frizione, le scintille. È questo che sento fra noi: la scintilla giusta.

Prevedo che a letto sia lento e determinato. Concentrato. Che prenda sul serio il sesso quanto il tentativo di aggiustare la vita sentimentale del suo amico.

Ho appena detto "prevedo"? Che cosa cavolo mi sto mettendo in testa?

Quando Lorcan si riabbassa con la sedia, mi guarda e le sue palpebre fremono leggermente. Anche lui sta pensando a qualcosa. I suoi occhi continuano a deviare verso le mie gambe e io mi sposto con nonchalance sulla sedia in modo da far sollevare leggermente il vestito.

Scommetto che lascia il segno dei denti. Non so perché. Me lo sento.

Non so che cosa dire. Nella mia testa non ci sono ameni argomenti di conversazione. Voglio bere altri due gin tonic, decido. Dovrebbero bastare. E poi...

«Eccoci qua» rompo il silenzio.

«Eccoci qua» annuisce lui, e aggiunge con noncuranza: «Devi tornare a prendere tuo figlio?».

«Stasera no. Dorme da un amichetto.»

«Ah.»

Adesso mi fissa dritto negli occhi e, d'un tratto, il desiderio mi stringe la gola. È passato un bel po' di tempo. Troppo tempo, anche se non lo ammetterei mai. Se me lo chiede, gli dico distrattamente: "Oh, di recente ho avuto una storiella breve finita nel nulla". Facile. Normale. Non: "Sono rimasta sola, stressatissima, ho una voglia pazzesca non solo di fare sesso, ma del contatto, dell'intimità, di avere un altro essere umano accanto a me che mi abbracci, anche solo per una notte, o metà o un pezzetto di notte".

È questo che non dirò mai.

Una cameriera arriva con i nostri gin tonic. Li posa sul tavolo e poi dà un'occhiata al mio bouquet e alla rosa all'occhiello. «Oh, state per sposarvi?»

Non posso fare a meno di scoppiare a ridere. Che domanda...

«No. No. Assolutamente.»

«Decisamente no» conferma Lorcan.

«È solo che per le feste di matrimonio abbiamo un'offerta speciale di champagne» insiste. «Ne facciamo molte, dato che il comune è così vicino. Verranno anche la sposa e lo sposo?»

«Veramente, noi siamo contrari al matrimonio» dico. «Il nostro motto è: "Fate l'amore, non le promesse di matrimonio".»

«Propongo un brindisi!» Lorcan alza il bicchiere con gli occhi scintillanti.

La cameriera guarda prima Lorcan poi me, ride incerta e si allontana. Mi sono bevuta circa metà gin tonic. Mi gira leggermente la testa e sento un'altra ondata di desiderio. Sto immaginando le sue labbra sulle mie, le sue mani che mi strappano il vestito...

Oddio, datti una calmata, Fliss. Lui probabilmente sta immaginando l'autobus per tornare a casa.

Distolgo di nuovo lo sguardo e rimescolo il cocktail, guadagnando tempo. Non sopporto mai questa fase incerta con un uomo, quando non hai idea di come stiano andando le cose. Hai intrapreso la lenta e vertiginosa scalata di un incontro a due. Sai a che punto sei tu, ma non dov'è lui, o se sia addirittura venuto con te. Forse sta andando nella direzione opposta. Io sono qui, nel bel mezzo della fantasia sessuale numero cinquantatré, mentre lui potrebbe essere sul punto di alzarsi educatamente dal tavolo e tornarsene a casa.

«Ti va di andare da qualche parte?» propone d'un tratto Lorcan, provocandomi un rimescolio allo stomaco. "Da qualche parte." Dove?

«Sì, ottima idea.» Mi sforzo di tenere un atteggiamento tranquillo e distaccato. «Dove?»

Lui si acciglia e aggredisce i cubetti di ghiaccio con la bacchetta del cocktail, come se non sapesse come rispondere a una domanda tanto complessa e profonda.

«Potremmo andare a mangiare» dice alla fine, senza entusiasmo. «Magari del sushi, o...»

«O non mangiare.»

Alza gli occhi, abbassando finalmente la guardia, e io sento un brivido delizioso. È come l'immagine riflessa di me. Ha gli occhi affamati. Una voglia disperata. Desidera divorare qualcosa, e non credo sia il sushi.

«Sì, infatti» dice, lanciando un'altra occhiata alle mie gambe. Il classico tipo da gambe, evidentemente.

«Allora... dov'è che abiti?» gli chiedo con leggerezza, come se fosse una domanda del tutto decontestualizzata.

«Non troppo lontano.»

Ora mi sta fissando dritto negli occhi. Okay, siamo arrivati in cima. Insieme. Vedo il panorama stendersi davanti a noi. Non riesco a trattenere un sorrisino euforico. Mi sa che ci divertiremo.

7

FLISS

Sono mezza sveglia, credo. Oddio, che mal di testa.

Troppi pensieri. Da dove comincio? Le sensazioni si affollano e si confondono nella memoria. Lampi improvvisi: ricordi intensi, scioccanti, come spruzzate di limone. Lui. Io. Sotto. Sopra... D'un tratto mi rendo conto di ripetere mentalmente le parole di un vecchio libro illustrato di Noah sui contrari, *Opposites Are Fun!* Dentro. Fuori. Di qua. Di là.

Adesso però la festa è finita. Deve essere giorno ormai, sempre che il sole che risplende sulle palpebre sia un indizio attendibile. Ho una gamba sopra le coperte, mi manca il coraggio di aprire gli occhi. Tu. Io. Prima. Adesso. Oddio, *adesso*.

Apro un occhio di un millimetro e vedo un pezzetto di piumone beige. Ah, sì, mi ricordo il piumone beige di ieri sera. Evidentemente la ex moglie si era accaparrata tutto il cotone egiziano del corredo, mentre lui era andato al negozio più vicino di "biancheria per uomini divorziati". Sento un dolore pulsante alla testa e poco dopo il beige comincia a lampeggiarmi davanti agli occhi, perciò li richiudo e mi giro su un fianco. Era da un bel po' che non avevo un'avventura di una notte. Da mooooolto tempo. Ho dimenticato come ci si comporta. Un bacio impacciato? Ci scambiamo i numeri? Un caffè?

Caffè. In effetti, non mi dispiacerebbe un caffè.

«Buongiorno.» La sua voce tonante mi riporta finalmente alla realtà. È qui nella stanza.

«Ah, ehm.» Mi alzo su un gomito per guadagnare tempo e mi strofino subito gli occhi per liberarmi dal torpore. «Buongiorno.»

Buongiorno. Addio.

Mi avvolgo nel piumone e mi alzo a sedere, cercando di sorridere, anche se mi sento scricchiolare la faccia. Lorcan, già in giacca e cravatta, mi porge una tazza. Lo guardo un attimo, cercando di conciliare la sua immagine diurna con quella notturna. Mi sono sognata un po' di cose?

«Un tè?» Mi sta porgendo una dozzinale tazza a righe, acquistata da "Casalinghi per uomini divorziati", immagino.

«Ah.» Faccio una smorfia. «Scusa, ma non bevo il tè. Va bene un po' d'acqua.»

«Caffè?»

«Oh, sì, un caffè molto volentieri.» E i documenti che ho lasciato a casa, insieme alla confezione di prodotti di Molton Brown per il compleanno di Elise... Il mio cervello comincia a rimettersi lentamente in moto. Devo fiondarmi a casa, rimandare l'intervista telefonica delle nove. Sto già cercando il mio telefono. Devo anche chiamare a casa di Sebastian per dare il buongiorno a Noah.

Mi casca l'occhio sul vestito viola da damigella d'onore. Oh, merda.

«Il bagno è di là.» Lorcan indica fuori dalla porta.

«Grazie.» Raccolgo il piumone e cerco di avvolgermelo intorno al corpo in modo elegante, come farebbe l'attrice di una soap opera in una scena in camera da letto, ma è talmente pesante che è come cercare di indossare un orso polare. Con uno sforzo immane cerco di tirarlo via dal letto, faccio un passo e inciampo immediatamente, sbattendo il gomito contro un cassettone.

«Ahi!»

«Una vestaglia?» Mi porge un capo piuttosto elegante. La moglie non sarà riuscita ad accaparrarsi anche quella.

Esito un attimo. Indossare la vestaglia sembra un gesto un po' lezioso, del tipo: "Adesso mi metto la tua grossa camicia da maschio e lascio penzolare graziosamente le maniche sopra le mani". Ma non ho scelta.

«Grazie.»

Distoglie lo sguardo per cortesia, come un massaggiatore in un centro benessere – anche se non ha senso, dato che ha già visto tutto –, e io mi ci infilo dentro.

«Ho la vaga sensazione che tu sia una snob del caffè.» Solleva le sopracciglia. «Ho ragione?»

Apro la bocca per dire: "Oh, no, per me va bene tutto!", poi mi blocco: io sono davvero una snob del caffè. E ho un leggero mal di testa post sbornia. La verità è che piuttosto che sorbirmi una deprimente tazza di acqua sporca, preferisco rinunciare al caffè.

«In un certo senso, ma non ti preoccupare. Faccio una doccia di due secondi e poi tolgo il disturbo...»

«Vado a preparartelo.»

«No!»

«Ci metto due secondi anch'io, come te a fare la doccia.»

Se ne va e io comincio a guardarmi intorno in cerca della borsetta. Dentro ci sono una spazzola per capelli e una lozione per le mani che posso utilizzare come crema idratante. Mentre setaccio la stanza con lo sguardo, mi sorprendo a chiedermi se lui mi piaccia, se sia il caso di rivederlo ancora, se questa avventura possa addirittura trasformarsi in... qualcosa.

Niente di serio, sia chiaro. Non ho ancora finito di divorziare, sarebbe una follia buttarsi in una relazione. Ma stanotte è stato bello. Anche se ricordo bene solo la metà di quello che è successo, quella metà basta a farmi desiderare una replica. Forse potremmo darci un appuntamento regolare, penso, tipo una volta al mese, come un club del libro.

Dov'è la mia borsa? Giro ancora un po' nella stanza e vedo una maschera appesa a un gancio. C'è anche una spada, o come cavolo si chiama. Mi è sempre piaciuta l'idea di fare scherma. No, non ce la faccio a resistere. Con cautela, stacco la maschera e me la infilo. Al muro è appeso uno specchio e io mi ci avvicino, brandendo la spada.

«In guardia, signor Pincopallino» dico al mio riflesso. «Aahaaah!» Faccio una mossa in stile kung fu e la morbida vestaglia mi ondeggia intorno alle caviglie.

Adesso mi viene la ridarella. D'un tratto, sento l'impulso di raccontare a Lottie in che buffa situazione mi trovo. Tiro fuori il cellulare e la chiamo.

«Ciao, Fliss!» risponde subito. «Sono sul sito di "Brides". Velo o non velo? Secondo me, velo. E che ne dici dello strascico?»

Guardo il telefono sbattendo le palpebre e mi scappa da ridere. Si è trasformata subito in una sposa ossessiva. Ovvio. L'aspetto più incredibile di Lottie è che, anche quando la sua vita va a rotoli, non tiene mai il muso e non si crogiola nel dolore. Cambia direzione e riparte in quarta, gli occhi fissi all'orizzonte.

«Velo.»

«Cosa?»

«Velo.» Mi rendo conto di avere la voce attutita dalla maschera e me la sollevo sulla testa. «Velo. Allora hai rimandato il matrimonio? Ben ci è rimasto male?»

«Ci ho messo un po' a convincerlo, ma alla fine ha ceduto. Ha detto che ogni mio desiderio è anche il suo.»

«Allora avete trascorso comunque la vostra luna di miele al Savoy?»

«No!» Sembra scioccata. «Te l'ho detto, aspettiamo di essere sposati.»

Accidenti. Ha ancora in mente quel piano folle. Speravo che l'obnubilamento da lussuria si fosse attenuato un po'.

«E Ben è contento?» Mio malgrado, lascio trapelare il mio scetticismo.

«Ben vuole solo che io sia felice.» La voce di Lottie assume un tono sciropposo che conosco bene. «Sai, Fliss, sono felicissima che abbiamo parlato. Così il matrimonio sarà molto più bello. Per giunta, tu e Ben potrete conoscervi prima!»

«Cavolo, pensi davvero di presentarlo alla tua famiglia *prima* di andare all'altare e impegnarti con lui per tutta la vita? Ne sei proprio sicura?»

Non credo abbia colto il tono. Mi sa che l'offuscamento da sposa felice crei un alone protettivo intorno a lei. Il sarcasmo si disintegra prima ancora di raggiungere le sue orecchie.

«Sai, ieri ho conosciuto il suo amico Lorcan» aggiungo. «Mi ha dato un po' di informazioni.»

«Davvero?» Sembra entusiasta. «Hai conosciuto Lorcan? Wow! Che cosa ha detto di Ben?»

Che cosa ha detto di Ben? Allora, ricapitoliamo: "Ben al momento non è nelle condizioni di sposarsi. Sta attraversando una specie di crisi precoce di mezza età. Temo che sarà tua sorella a farne le spese".

«Niente di che» svicolo. «In ogni caso, non vedo l'ora di conoscerlo. Organizziamo al più presto. Stasera?»

«Sì! Andiamo a bere qualcosa tutti insieme. Fliss, ti piacerà moltissimo. È così spiritoso. Faceva il comico!»

«Il comico?» Assumo un tono stupito e allegro. «Wow, non vedo l'ora di incontrarlo. Be', comunque... Indovina un po' dove sono adesso? A casa di Lorcan.»

«Eh?»

«Siamo stati... insieme. Ci siamo incontrati per caso vicino al comune, abbiamo bevuto qualche drink, poi da cosa nasce cosa...»

Lo verrebbe a sapere comunque, quindi tanto vale che glielo dica io.

«Nooo!» esplode Lottie. «Ma è perfetto! Possiamo fare un matrimonio doppio!»

Solo Lottie. Solo lei potrebbe dire certe cose.

«Ma pensa!» le dico. «Anche a me era venuta in mente la stessa cosa. Potremmo andare all'altare in sella a due pony identici?»

Stavolta il sarcasmo raggiunge le sue orecchie.

«Non fare così» mi dice con aria di rimprovero. «Non si può mai sapere. Sii aperta, non precluderti nulla. Io ho incontrato Ben senza alcuna aspettativa e guarda dove siamo arrivati!»

Sì! Appunto: una ragazza che cerca di riprendersi da una delusione amorosa e un uomo nel pieno di una crisi di mezza età che convolano a nozze avventate. Ci sarà di certo una canzone della Disney sull'argomento che fa rima con "bacio" e "aspra battaglia legale".

«È stato solo sesso» dico paziente. «Punto e basta.»

«Magari ci sarà qualcosa di più» ribatte Lottie. «Magari scoprirai che è l'uomo della tua vita. Vi siete divertiti? Ti piace? È sexy?»

«Sì, sì e sì.»

«Be', e allora? Non scartarlo in partenza. Ehi, sto guardando questo sito sui matrimoni. Facciamo fare una torta ai profiterole? O una piramide di cupcake?»

Chiudo gli occhi. È un martello pneumatico.

«Come quel dolce che c'era al matrimonio di zia Diana, ricordi?» sta dicendo Lottie. «Quanto era grosso?»

«Piccolo.»

«Sei sicura? Ricordo che era stato un ricevimento abbastanza importante.»

All'epoca aveva cinque anni. Ovvio che adesso se lo ricordi grosso.

«Piccolissimo, te l'assicuro. Tutta la serata è stata una noia unica, ho dovuto fare finta di divertirmi e per tutto il tempo...» faccio una smorfia disgustata. Ricordo ancora il vestito da damigella troppo stretto che mi avevano fatto indossare, e le danze con gli amici adulti di zia Diana che puzzavano di birra.

«Davvero?» sembra sconcertata. «La cerimonia però era stata carina, vero?»

«No, orribile, e dopo non è stato molto meglio.»

«Ooh! Possiamo farla con i profiterole rivestiti di glassa.» Non mi sta nemmeno ascoltando. «Ti mando il link.»

«Mi viene male solo a pensarci» dico decisa. «Anzi, sto per vomitare. E poi Lorcan non mi amerà mai e non faremo mai un matrimonio doppio in sella a due pony identici...»

Sento un rumore e mi giro. Mi sale il sangue alla testa. Merda. *Merda.*

Lorcan è qui, sulla porta. Sembra alto tre metri. Da quanto è arrivato? Che cosa avrà sentito?

«Devo andare, Lotts.» Chiudo in fretta la comunicazione. «Stavo parlando con mia sorella» aggiungo con tutta la leggerezza di cui sono capace. «Stavamo solo... scherzando... Su certe cose, hai presente...?»

All'improvviso ricordo di avere ancora addosso la sua maschera. Avverto una stretta allo stomaco per l'imbarazzo. Vediamola dal suo punto di vista. Sono qui a casa sua, con la sua vestaglia e la sua maschera da scherma, a parlare di un matrimonio doppio. Afferro subito la maschera e me la sfilo dalla testa.

«Ah, molto gentile...» dico impassibile.

«Non sapevo se lo prendi nero o con il latte» dice, dopo un tempo che mi pare interminabile.

«Ah, il caffè.»

Avverto che l'atmosfera è cambiata. D'un tratto mi torna in mente la frase riguardo al matrimonio di zia Diana: "Ho dovuto fare finta di divertirmi...". Non avrà mica sentito questo, vero? Non avrà mica pensato che stessi parlando di...

"Piccolissimo, te l'assicuro. Tutta la serata è stata una noia unica."

Non può aver pensato che mi riferissi...

In preda a un'altra fitta allo stomaco, mi copro la bocca con la mano per soffocare una risatina atterrita. No. NO.

Dovrei dire qualcosa... Dovrei scusarmi?
No.
Ma non dovrei almeno spiegare?
Alzo con cautela gli occhi verso di lui. Ha il viso inespressivo. Forse non ha sentito niente. O forse sì.
Semplicemente non esiste modo di affrontare l'argomento senza provocare reazioni orrendamente controproducenti e senza morire di vergogna. Me ne devo andare e basta. Su, alza i tacchi e va', pronti, via.
«Allora... grazie per... ehm...» Riappendo la maschera al gancio. Esci immediatamente da quella porta, Fliss.

Per tutta la mattina mi sento assalire da ondate di vergogna.
Perlomeno sono riuscita a scendere come una scheggia dal taxi e a raggiungere la porta di casa senza essere vista dai vicini. Mi sono strappata di dosso il vestito viola, mi sono fatta la doccia a una velocità disumana, poi ho chiamato Noah in vivavoce mentre cercavo di truccarmi più in fretta che potevo. (Non ha senso mettersi il mascara a razzo, lo so, allora perché cado sempre nello stesso tranello e poi mi ritrovo a ripulire macchie sulle guance, sulla fronte e sullo specchio?) A quanto pare, il pigiama party di Noah è stato un successo, un trionfo clamoroso. Vorrei poter dire la stessa cosa della mia notte fuori casa.
Non ho avuto il coraggio di chiamare di nuovo Lottie, e comunque non ne avevo il tempo, però le ho mandato un SMS, proponendole un aperitivo alle sette.
Ora sono in ufficio e sto dando una rapida scorsa a una recensione di un nuovo safari lodge di lusso in Kenya che mi è appena arrivata e supera di circa duemila parole il limite massimo consentito. Evidentemente questo tizio si è messo in testa di scrivere il seguito di *La mia Africa*. Non ha fatto parola della piscina, del servizio in camera e del centro benessere, soffermandosi solo sulla luce fosca che si stende sulla savana, sul portamento nobile delle zebre che si abbeverano all'alba e sulle scintillanti praterie che riecheggiano storie antiche al ritmo del tamburo dei Masai.
Scarabocchio "servizio in camera???!" a margine della pagina e mi ripropongo di scrivergli una mail. Poi guardo il telefono. Strano che Lottie non abbia confermato. Credevo che morisse

dalla voglia di dirmi quante riviste per novelle spose avesse divorato oggi.

Do un'occhiata al telefono. Ho ancora un po' di tempo. Posso fare una telefonatina a mia sorella. Mi lascio andare contro lo schienale della sedia e chiamo, facendo cenno a Elise attraverso la parete di vetro dell'ufficio di portarmi una tazza di caffè. Io ed Elise abbiamo sviluppato un linguaggio mimico abbastanza efficace. Posso comunicare "caffè", "Digli che non ci sono!!!" e "Va' a casa, è tardi!". Lei può dire: "Caffè?", "Mi sa che stavolta è importante" e "Vado a prendermi un panino".

«Fliss?»

«Ciao, Lottie.» Mi libero delle scarpe con un calcio e bevo un sorso dalla bottiglietta d'acqua. «Allora ci vediamo dopo al bar? Potrò conoscere Ben?»

Silenzio. Perché? Lottie non è il tipo da rimanere zitta.

«Lottie? Sei lì?»

«Indovina un po'!» La sua voce ha un timbro solenne. «Indovina un po'!»

Ha un tono così soddisfatto che sarà sicuramente accaduto qualcosa di speciale.

«Ti sposerai nella cappella della scuola e il coro canterà *I Vow to Thee, My Country*, mentre il suono delle campane echeggerà per la campagna circostante?»

«No!» ride.

«Hai trovato una torta di profiterole e cupcake tutta ricoperta di glassa scintillante?»

«No, scema! Siamo sposati!»

«Che cosa?» Fisso il telefono inespressiva.

«Sì! L'abbiamo fatto! Io e Ben ci siamo sposati! Proprio adesso! All'ufficio di stato civile di Chelsea.»

Stringo la bottiglietta così forte da provocare uno zampillo che poi ricade sulla mia scrivania.

«Non mi dici "Congratulazioni"?» aggiunge, un po' lamentosa.

«Wow» riesco a dire alla fine, cercando di mantenere la calma. «È... come mai? Avevate deciso di rimandare, credevo che avreste posticipato. Eravamo d'accordo così.»

Avresti dovuto RIMANDARE.

Quando Elise entra per portarmi una tazza di caffè, mi guarda allarmata e fa il segno che significa "Tutto bene?". Io però non so come comunicare a gesti "Quella scema di mia sorella ha deciso di mandare a rotoli la sua vita", perciò mi limito ad annuire con un sorriso rigido e a prendere la tazza di caffè.

«L'attesa era insopportabile» sta dicendo Lottie allegramente. «Soprattutto per Ben!»

«Ma credevo fossi riuscita a persuaderlo...» Chiudo gli occhi e mi massaggio la fronte, cercando di escogitare una via d'uscita. «E la rivista "Brides"? E la chiesetta di campagna?»

Dov'è finita la sposa ossessiva? Mi viene voglia di gemere debolmente. Ridatemela.

«Ben era entusiasta della chiesa e tutto il resto» dice Lottie. «In effetti, in lui c'è un lato tenero e tradizionalista...»

«Che cosa è successo?» Cerco di tenere a bada l'impazienza. «Come mai ha cambiato idea?»

«È stato Lorcan.»

«Cosa?» Apro gli occhi di scatto. «Come è stato Lorcan?»

«Lorcan è andato a trovarlo stamattina. Ha detto a Ben che non doveva sposarmi e che era un errore madornale. Insomma, Ben si è inferocito! Ha fatto irruzione nel mio ufficio e mi ha detto che voleva sposarmi subito e che tutti gli altri potevano andare a farsi fottere, compreso Lorcan.» Lottie sospira beata. «È stato veramente romantico. In ufficio erano tutti lì che ci guardavano. Poi mi ha preso in braccio e mi ha portato fuori, proprio come in *Ufficiale e gentiluomo*, e tutti ci hanno applaudito. È stato fantastico, Fliss.»

Ho il fiato corto, sto cercando di dominarmi. Quell'idiota. Quell'idiota presuntuoso di merda. Avevo risolto il problema. Era tutto sistemato. Avevo giocato la carta diplomatica alla perfezione. E che cavolo mi combina Lorcan? Ci mette lo zampino. Istiga Ben a fare un gesto ridicolo e plateale. Ovvio che Lottie ne sia entusiasta.

«Fortunatamente c'era stata una disdetta all'ufficio di stato civile, così ci hanno trovato un posto. Poi, a un certo punto, potremo farci dare la benedizione in chiesa» sta dicendo felice. «Insomma, così ottengo il massimo da tutti e due i mondi!»

Mi viene voglia di scagliare la tazza in fondo alla stanza, o di rovesciarmela in testa. Ho un fastidioso senso di oppressione. È anche colpa mia. Avrei potuto evitarlo, se solo le avessi raccontato tutto quel che mi aveva detto Lorcan.

"Sta attraversando una specie di crisi precoce di mezza età. Temo che sarà tua sorella a farne le spese."

«Dove sei adesso?»

«Sto facendo le valigie! Andiamo a Ikonos! Che emozione!»

«Non ne dubito» dico debolmente.

Che cosa faccio? Non posso farci proprio niente. Sono sposati. È finita.

«Magari concepiamo un figlio in luna di miele» aggiunge timidamente. «Che effetto ti fa diventare zia?»

«Cosa?» Drizzo la schiena. «Lottie...»

«Fliss, devo andare, è arrivato il taxi, ti voglio tanto bene...»

Riaggancia. La richiamo freneticamente, ma scatta subito la segreteria telefonica.

Un bambino? *Un bambino?*

Mi viene voglia di piangere. È fuori di testa? Ha una vaga idea di quanto stress aggiungerebbe un bambino?

La mia vita amorosa è stata un disastro. Non sopporto che succeda la stessa cosa anche a Lottie. Avrei voluto che il suo sogno si avverasse come una storia a lieto fine: "e vissero felici e contenti", una bella staccionata di legno, una felicità solida e duratura... Non che concepisse un figlio in luna di miele con uno squilibrato che, prima di andare fuori di testa per le moto d'epoca ha un momentaneo trip di domesticità. Non voglio vederla seduta nell'ufficio di Barnaby Rees con gli occhi arrossati, i capelli unti e un bambino piccolo che cerca di mangiarsi tutti i libri di giurisprudenza.

Mi viene l'impulso di cercare l'Amba Hotel su Google, e subito mi scorre davanti agli occhi una serie di immagini pornovacanziere. Cieli azzurri e tramonti. La famosa piscina a forma di grotta, con la cascata alta dieci metri. Splendide coppie che passeggiano in riva al mare. Letti enormi cosparsi di petali di rose. Inutile illudersi, prima ancora che finisca la prima notte di nozze concepiranno un figlio in luna di miele. Le ovaie di Lottie si metteranno subito in funzione e lei vomiterà per tutto il viaggio di ritorno.

E se poi lui si rivelerà davvero una persona inaffidabile, se la pianterà in asso... Chiudo gli occhi e mi nascondo il viso fra le mani. Non lo sopporto. Devo parlare con Lottie, a tu per tu, come si deve, e voglio che sia lucida e presente, non con la testa fra le nuvole. Mi devo almeno accertare che abbia riflettuto bene su tutte le conseguenze di quello che fa.

Sono immobile sulla sedia. La mia mente invece continua a schizzare di qua e di là, come un topolino in un labirinto. Sto cercando una soluzione, sto cercando una via d'uscita, continuo a finire in vicoli ciechi...

Finché all'improvviso alzo la testa e respiro profondamente. Ho preso una decisione. È enorme ed estrema, ma non ho altra scelta. Mi imbucherò nella sua luna di miele.

Pazienza se è una cosa spregevole da fare. Pazienza se lei non mi perdonerà mai: io non potrò mai perdonare me stessa se non lo farò. Un conto è il matrimonio, un conto è il sesso non protetto. Devo andare laggiù. Devo salvare mia sorella da se stessa.

Prendo bruscamente il telefono e chiamo Clarissa, la nostra addetta alle prenotazioni dei viaggi.

«Ciao, Clarissa» dico, appena risponde. «Ho una piccola emergenza. Devo andare a Ikonos il più presto possibile. Hai presente, l'isola greca? Trovami il primo volo disponibile. E devo soggiornare all'Amba. Lì mi conoscono.»

«Bene.» La sento digitare sul computer. «Sai, c'è solo un volo al giorno per Ikonos, sennò bisogna fare scalo ad Atene e ci si mette un secolo.»

«Lo so. Trovami il prossimo volo diretto, grazie, Clarissa.»

«Non hai appena recensito l'Amba?» Sembra sorpresa. «Alcuni mesi fa?»

«Voglio fare un seguito» mento impassibile. «Una decisione improvvisa, una nuova idea di presentazione» aggiungo, tanto per rafforzare la tesi. «Visite a sorpresa agli hotel.»

Questo è il bello di fare la direttrice della rivista. Nessuno mette in dubbio le mie decisioni. Inoltre è veramente una buona idea. Prendo il BlackBerry e scrivo "Visite a sorpresa?".

«Okay! Bene, ti farò sapere. Spero di poterti trovare un volo per domani.»

«Grazie.»

Chiudo la conversazione e tamburello sulla scrivania, ancora in tensione. Neppure nella migliore delle ipotesi riuscirei ad arrivare lì in meno di ventiquattro ore. Lottie sta già andando all'aeroporto, prenderà il volo del pomeriggio ed entro stasera arriverà all'albergo. Là ad attenderla ci sarà l'Oyster

Suite, con il suo letto imperiale, la sua minipiscina Jacuzzi e lo champagne.

Quante coppie concepiscono un figlio durante la prima notte di nozze? Potrei trovare la risposta su Google? Digito "concepire bambino nella prima notte di luna di miele", poi cancello nervosamente. Qui non si parla di Google, ma di Lottie. Se solo potessi fermarli... Se solo potessi arrivare lì prima che – com'è che si dice? – consumino il matrimonio...

"Consumare": la parola mi rammenta vagamente qualcosa. Che cosa? Sbatto le palpebre per lo sforzo di ricordare. Ah, sì, Barnaby mi aveva parlato di annullamenti. La sua voce mi risuona ancora nelle orecchie: "Significa che il contratto è completamente nullo e inefficace. Il matrimonio non c'è mai stato".

Il matrimonio non c'è mai stato!

Eccola qui la risposta: annullamento! La parola più bella del vocabolario. La soluzione a qualsiasi problema. Niente divorzio, niente battaglie legali. Chiudi gli occhi, li riapri, ed è tutto finito. Non è mai successo.

Devo farlo per Lottie. Devo offrirle una via d'uscita. Ma come cavolo posso fare? Che cosa posso fare... come... Com'è che si...

Un'altra idea mi attraversa rapidissima il cervello.

Mi manca quasi il respiro, non mi sembra neppure vero di formulare un pensiero del genere... È ancora più orribile ed estremo dell'idea di imbucarsi nella luna di miele, ma risolverebbe tutto.

No, dài, non posso. Voglio dire, no. È impossibile, e sbagliato, a tutti i livelli. Chiunque facesse una cosa simile alla propria sorella sarebbe una specie di mostro.

E va bene, allora sono un mostro.

Afferro il telefono con la mano che mi trema, non so bene se per la trepidazione o la determinazione.

«Amba Hotel, VIP Service, come posso esserle utile?»

«Salve» dico con voce un po' tesa. «Potrei per favore parlare con Nico Demetriou? Sono Fliss Graveney della "Pincher Travel Review". Gli dica che è importante.»

Mi mettono in attesa, e io immagino Nico in tutto il suo metro e sessanta di altezza, la giacca del completo stretta sulla pancia. L'ho conosciuto al Mandarin Oriental di Atene e, prima di allora, al Sandals delle Barbados. Ha sempre lavorato negli alberghi, cominciando come facchino e facendosi strada via via, fino a diventare il VIP concierge dell'Amba. Ora me lo vedo camminare spedito sul pavimento di marmo della hall con le sue scarpe di vernice e lo sguardo che guizza in tutte le direzioni.

È specializzato in "*guest experience*", ossia l'arte di soddisfare le esigenze dell'ospite, che si tratti di un cocktail personalizzato, di una gita in elicottero, di una nuotata con i delfini o di un'esibizione di danza del ventre in camera. Se si cerca un complice in un crimine, lui è perfetto.

«Fliss!» La sua voce rimbomba allegra nel ricevitore. «Ho appena saputo che intendi venire a trovarci!»

«Sì, arrivo domani sera, spero.»

«Siamo onorati di rivederti così presto! C'è qualcosa di particolare che posso fare per te? O forse si tratta di una visita personale?»

Colgo il tono interrogativo, una punta di sospetto. Perché sto tornando? Che cosa succede?

«È abbastanza personale.» Mi interrompo, pesando le parole. «Nico, devo chiederti un favore. Mia sorella arriverà all'Amba proprio oggi. Si è appena sposata. È in luna di miele.»

«Meraviglioso!» La sua voce è così tonante che per poco non cado all'indietro. «Tua sorella farà la vacanza più bella della sua vita. Metterò a loro disposizione il mio maggiordomo più fidato. Li accoglieremo all'arrivo e, sorseggiando champagne, organizzeremo la loro vacanza su misura, magari un evento extra o una cena speciale...»

«Nico, no. Non hai capito, voglio dire, è tutto fantastico, ma ho un favore diverso da chiederti.» Mi torco le mani. «È un po'... insolito.»

«Faccio questo lavoro da tanti anni» ribatte lui gentilmente. «Per me non esiste niente di insolito. Vuoi farle una sorpresa? Vuoi che le faccia trovare un regalo nella stanza? Vuoi che organizzi un massaggio per tutti e due sulla spiaggia in una cabina privata?»

«Non proprio.»

Oddio, come faccio a spiegarglielo?

Coraggio, Fliss, spara.

«Voglio che tu impedisca loro di fare sesso» dico in fretta.

All'improvviso cala il silenzio assoluto. Sono riuscita a mandare in confusione persino Nico.

«Fliss, per favore, ripetimi la tua richiesta» dice alla fine. «Temo di non aver capito.»

Io invece temo di sì.

«Voglio che tu impedisca loro di fare sesso» ripeto, pronunciando le parole con la massima chiarezza. «Niente sesso. Niente prima notte di nozze, almeno finché non arriverò io. Fai tutto quello che puoi. Mettili in stanze separate, distraili, rapisci uno dei due. Insomma, fa' tutto ciò che è necessario.»

«Ma sono in luna di miele.» Sembra profondamente sconcertato.

«Lo so. Proprio per questo.»

«Stai cercando di mandare a monte la prima notte di nozze di tua sorella?» chiede scioccato, alzando la voce. «Stai cercando di separare un uomo dalla sua novella sposa? Due persone unite davanti a Dio?»

Avrei dovuto spiegargli meglio la situazione.

«Nico, si è sposata in fretta e furia. E neppure davanti a Dio! È stata un'enorme stupidaggine. Devo parlarle. Cercherò di arrivare lì prima possibile, ma, nel frattempo, se riuscissimo a tenerli separati...»

«Non le piace lo sposo?»

«Le piace moltissimo.» Faccio una smorfia. «Anzi, praticamente non vede l'ora di rotolarsi a letto con lui. Perciò sarà molto difficile fermarli.»

Un altro silenzio. Posso solo immaginare l'espressione perplessa di Nico.

«Fliss, purtroppo non posso soddisfare la tua strana richiesta» dice alla fine. «Tuttavia posso offrire a tua sorella una cena gratis al tavolo dello chef nel nostro ristorante di pesce a cinque stelle...»

«Nico, ti prego. Ti prego, ascoltami» lo interrompo disperata. «È la mia sorellina minore, capisci? È stata piantata dall'uomo che ama e si è impelagata in questo matrimonio per ripicca. Conosce a malapena suo marito e parla già di fare figli. Io non l'ho mai neppure visto, ma a quanto pare è una persona inaffidabile. Pensa se tua figlia si lasciasse rovinare la vita dall'uomo sbagliato. Faresti tutto quello che puoi per impedirlo, no?»

Ho conosciuto la figlia di Nico, Maya. È un'adorabile bambina di dieci anni con i nastri fra i capelli. Sarò riuscita a fare breccia nel suo cuore?

«Se non fanno sesso, il matrimonio può essere annullato» spiego scandendo bene le parole. «Perché non sarà stato consumato legalmente. Se invece lo fanno...»

«Se lo fanno, sono affari loro!» Nico sembra al limite della sua capacità di sopportazione. «Fliss, questo è un albergo, non una prigione! Non posso pedinare gli ospiti in continuazione! Non posso controllare le loro... attività.»

«Mi stai dicendo che non saresti in grado di farlo?» Lancio la sfida. «Non saresti in grado di impedire loro di farlo per ventiquattro ore?»

Il fatto è che Nico si vanta di essere capace di risolvere qualsiasi problema. Qualsiasi. Scommetto che sta già escogitando dei modi per fermarli.

«Se mi puoi fare questo favore, te ne sarò *eternamente* grata.» Abbasso la voce. «E naturalmente esprimerò la mia gratitudine con un'altra recensione dell'albergo. Cinque stelle garantite.»

«Abbiamo già avuto l'onore di ricevere una recensione da cinque stelle sulla tua rivista due volte» ribatte.

«Allora sei» improvviso. «Inventerò una nuova categoria, solo per te. "Il nuovo superlusso internazionale." E metterò l'Amba in copertina. Hai idea di quanto possa valere? Hai idea di quanto sarebbero contenti i tuoi capi?»

«Fliss, comprendo il tuo dilemma» dice Nico. «Tuttavia devi capire che non posso proprio immischiarmi nella vita privata dei clienti, tanto meno se sono in luna di miele!»

Sembra abbastanza risoluto. Tirerò fuori qualcosa di superlativo dal mio cilindro.

«Okay!» Abbasso ulteriormente la voce. «Ascolta, se mi aiuti a risolvere questo problema, pubblicherò un tuo profilo sulla rivista. Parlerà solo di te, Nico Demetriou. Ti definirò... il segreto del successo dell'Amba, la risorsa più preziosa dell'hotel, il concierge a cui bisogna rivolgersi. Lo vedranno tutti gli operatori del settore. *Tutti.*»

Non ho bisogno di dire altro. La rivista viene distribuita in sessantacinque paesi. Qualsiasi amministratore delegato del settore come minimo le dà un'occhiata. Un profilo come quello sarebbe la sua carta vincente per ottenere lavoro in tutto il mondo.

«So che hai sempre sognato di lavorare al Four Seasons di New York» gli sussurro.

Ho il battito cardiaco leggermente accelerato. Prima d'ora non avevo mai abusato del mio potere e la cosa mi procura un brivido, in parte gradevole, in parte no. È così che comincia la corruzione, penso. Il prossimo passo è scambiare recensioni con valigette piene di contanti e missili Trident.

Solo per questa volta, mi dico con fermezza. Un'eccezione in un momento di emergenza.

Nico tace. Sento la sua coscienza collidere con la sua ambizione professionale, e mi dispiace molto di avergli causato questo dilemma. D'altra parte, non sono io l'artefice di questa pagliacciata, no?

«Sei un maestro, Nico» aggiungo, per adularlo. «Hai la geniale capacità di trasformare ogni desiderio in realtà. Se c'è un uomo al mondo in grado di fare questa cosa, quello sei tu.»

L'ho convinto? Sono fuori di testa? Sta già mandando una mail a Gavin?

Sto per arrendermi, quando la sua voce d'un tratto si abbassa: «Fliss, non ti prometto nulla».

Sento un improvviso barlume di speranza.

«Capisco perfettamente» rispondo, imitando il suo tono di voce. «Però ci proverai?»

«Ci proverò. Solo per ventiquattro ore. Come si chiama tua sorella?»

Sììì!

«Charlotte Graveney.» Sono talmente sollevata che quasi mi impappino. «Anche se immagino che si presenterà come signora Parr. Suo marito si chiama Ben Parr. Hanno prenotato l'Oyster Suite. E per me possono fare quel che vogliono, a parte l'amore. L'uno con l'altro» specifico, ripensandoci meglio.

Segue un lungo silenzio, poi Nico dice semplicemente: «Sarà una luna di miele molto strana».

8
LOTTIE

Sono sposata! Ho un sorriso perenne stampato in faccia. Sono così euforica che mi sembra di poter spiccare il volo. Oggi è stato il giorno più bello, magico e straordinario della mia vita. Sono sposata!!! *Sono sposata!!!*

Continuo a rivivere il momento in cui ho alzato lo sguardo dalla scrivania e ho visto Ben irrompere nel mio ufficio con un mazzo di rose in mano. Aveva la mandibola serrata e gli occhi scintillanti: si vedeva che era determinato a fare qualcosa. Persino Martin, il mio capo, è sbucato dal suo ufficio. Tutto il piano è ammutolito quando Ben si è piazzato davanti alla mia porta e ha annunciato: "Io ti sposo, Lottie Graveney. Io ti sposo oggi stesso".

Poi mi ha presa in braccio – mi ha presa in braccio! – e tutti hanno applaudito, Kayla mi è corsa dietro con la borsa e il cellulare e Ben mi ha messo in mano il bouquet, punto e basta. Ero una sposa.

Rammento appena la cerimonia. Ero sotto choc. Ben praticamente si è avventato su ogni risposta, questo me lo ricordo. Non si è fermato un attimo e ha detto: "Sì, lo voglio" in modo quasi aggressivo. Si era portato dei coriandoli biodegradabili e li ha lanciati su noi due, poi ha stappato una bottiglia di champagne, e a quel punto era già ora di andare all'aeroporto. Non mi sono neppure cambiata, ho ancora addosso gli abiti da ufficio. Mi sono sposata con il tailleur e non me ne importa niente!

Mi intravedo nello specchio del bar e mi scappa da ridere. Sono esattamente come mi sento: stordita e accalorata. Siamo nella sala d'attesa della business class di Heathrow e aspettiamo di imbarcarci per Ikonos. È da stamattina che non mangio niente, ma non ho fame. Sono su di giri. Le mie mani non vogliono proprio smettere di tremare.

Prendo qualche pezzetto di frutta e una fettina di Emmental, così tanto per fare qualcosa, quando una mano mi si posa su una gamba e sussulto.

«Stai facendo il pieno di energia?» mi sussurra Ben all'orecchio, e io sento un brivido delizioso. Mi giro a guardarlo e lui mi sbaciucchia il collo, facendo scivolare discretamente la mano sotto la gonna. Che bello, Dio, com'è bello.

«Non sto più nella pelle» mi mormora nell'orecchio.

«Neppure io» rispondo.

«Sei così attraente.» Sento il suo respiro caldo sul collo.

«Tu di più.»

Calcolo di nuovo quanto dobbiamo ancora aspettare. Il volo per Ikonos dura tre ore e mezzo. Fra dogana e strada per raggiungere l'hotel non possiamo metterci più di due ore. Dieci minuti per il trasporto bagagli al piano di sopra... cinque per vedere come funzionano gli interruttori... trenta secondi per mettere il cartello "Non disturbare"...

Quasi sei ore. Non sono sicura di poter aspettare così tanto. Ben sembra più o meno nelle mie stesse condizioni. Sta addirittura respirando affannosamente. Mi ha infilato tutte e due le mani fra le cosce. Non riesco neppure a concentrarmi sulla composta di fichi.

«Scusate.» Un anziano si infila fra noi e comincia a infilzare fette di Emmental con la forchetta e a posarle sul proprio piatto. Ci guarda con aria di rimprovero. «Come si dice in questi casi» aggiunge lentamente «prendetevi una stanza.»

Mi sento avvampare. Non eravamo poi così sfacciati.

«Siamo in luna di miele» ribatto.

«Tanti auguri.» L'anziano non sembra per niente colpito. «Spero che il giovanotto si laverà le mani prima di servirsi al buffet.»

Guastafeste.

Do un'occhiata a Ben e ci allontaniamo verso un gruppo di poltroncine imbottite. Fremo ovunque. Voglio che rimetta le mani dov'erano, che ricominci a fare quello che stava facendo.

«Allora, ehm, formaggio?» Offro il piatto a Ben.
«No, grazie» risponde contrariato.
È una tortura. Guardo l'orologio. Sono passati solo due minuti. Dovremo ammazzare il tempo in qualche modo. Possiamo chiacchierare. Sì, è proprio quello che ci vuole, una bella chiacchierata.
«Mi piace molto l'Emmental» comincio «e a te?»
«Mi fa schifo.»
«Davvero?» Registro questa informazione nuova sul suo conto. «Cavolo, non ne avevo idea.»
«Mi ha disgustato definitivamente durante l'anno in cui ho vissuto a Praga.»
«Hai vissuto a Praga?» chiedo interessata.
La cosa mi incuriosisce. Non sapevo proprio che Ben avesse vissuto all'estero, né che gli facesse schifo l'Emmental. Questo è il grande vantaggio di sposare un uomo senza aver vissuto tanti anni insieme a lui. Hai ancora delle cose da scoprire. Siamo all'inizio di una grande avventura di scoperta reciproca. Passeremo tutta la vita a esplorarci a vicenda, a denudare i nostri segreti. Non saremo mai una di quelle coppie che se ne stanno sedute in silenzio perché ormai sanno già ogni cosa l'uno dell'altra, si sono dette tutto e stanno solo aspettando il conto.
«Allora, sei stato a... Praga! Perché?»
«Ora non ricordo bene.» Ben si stringe nelle spalle. «Quell'anno ho fatto un corso di arte circense.»
Arte circense? Questa non me l'aspettavo. Sto per chiedergli che cos'altro abbia fatto, quando agli arriva un SMS e lui tira fuori il cellulare dalla tasca. Mentre lo legge, aggrotta rabbiosamente la fronte e io lo guardo preoccupata.
«Tutto bene?»
«È Lorcan. Può andare a farsi fottere.»
Di nuovo Lorcan. Ho una voglia matta di conoscerlo. Provo addirittura gratitudine nei suoi confronti. Se non avesse detto niente a Ben, lui non sarebbe arrivato di corsa nel mio ufficio e io non avrei mai fatto l'esperienza più romantica della mia vita.
Gli strofino il braccio, solidale. «Ma non è il tuo più vecchio amico? Non dovreste fare pace?»
«Forse lo era un tempo.» Ben si imbroncia.
Guardo il display del telefono da dietro la sua spalla e intravedo una parte del messaggio.

Non puoi sottrarti a queste decisioni, Ben. Abbiamo lavorato duramente tutti quanti, e sparire nel nulla in questo momento è semplicemente

Ben sposta il cellulare fuori dal mio campo visivo e io non me la sento di chiedergli di lasciarmi leggere il resto.

«Quali decisioni?»

«Solo noiosissime rotture di palle.» Ben fissa torvo il telefono. «E io non mi sto sottraendo a un bel niente. Dannazione, il fatto è che Lorcan vuole sempre fare tutto a modo suo, si è abituato a comandare quando c'era ancora mio padre. Be', adesso le cose sono cambiate.»

Si mette a digitare aggressivamente con i pollici. La risposta arriva quasi simultanea, e lui impreca fra sé e sé.

«Priorità. Lui viene a parlare a me di priorità. Ho una vita *privata.* Sto facendo quel che avrei dovuto fare quindici anni fa. Avrei dovuto sposarti allora. A quest'ora avremmo dieci bambini.»

Provo uno slancio d'amore per lui. Vuole una grande famiglia! Non ne avevamo mai parlato, ma io speravo davvero che volesse tanti bambini. Quattro, magari. O sei!

«Possiamo rimediare adesso.» Mi protendo per sbaciucchiargli il collo. Un attimo dopo, Ben lascia cadere il telefono sulla poltrona.

«Ascolta» dice. «L'unica cosa che conta al mondo siamo noi due.»

«Esatto» sospiro.

«Ricordo il momento in cui mi sono innamorato. È stato il giorno in cui ti eri messa a fare la ruota sulla spiaggia. Stavi prendendo il sole su quella roccia in mezzo al mare. Ti sei tuffata dallo scoglio e hai nuotato fino alla spiaggia e poi, anziché tornare camminando, ti sei messa a fare la ruota. Non credo che sapessi di essere osservata.»

Me lo ricordo anch'io. Ricordo la sensazione della sabbia sotto le mani. I capelli ondeggianti. Ero snella e atletica. Avevo gli addominali scolpiti come il guscio di una tartaruga.

E naturalmente sapevo che mi stava guardando.

«Mi fai andare fuori di testa, Lottie.» Comincia a trafficare sotto la mia gonna. «Come sempre.»

«Ben, non possiamo.» Do un'occhiata al signore anziano, che incrocia il mio sguardo sopra il giornale. «Non qui.»

«Non posso aspettare.»

«Neppure io. Ma dobbiamo per forza.» Controllo di nuovo l'orologio. Sono passati solo dieci minuti. Come facciamo a resistere?

«Ehi.» Ben mi guarda in faccia abbassando la voce. «Sei già stata nei bagni? Sono grandi.» Fa una pausa. «E unisex.»

Soffoco un risolino. «Non vorrai mica...»

«Perché no?» Gli luccicano gli occhi. «Ti va?»

«Adesso?»

«Perché no? Mancano ancora venti minuti all'imbarco.»

«Io... non lo so.» Esito, combattuta. Non è esattamente così che avevo immaginato l'inizio della mia luna di miele: una sveltina nei gabinetti di Heathrow. D'altra parte, non avevo previsto di essere così disperata. «E la nostra prima notte di nozze?» Ci tengo troppo al mio progetto, è più forte di me. «E l'idea di farlo in modo speciale e romantico?»

«Lo sarà lo stesso.» Giocherella dolcemente con il lobo del mio orecchio, scatenando fremiti incontenibili sul mio collo. «Questa è solo l'anteprima, poi ci sarà lo spettacolo vero.» Le sue dita hanno trovato la spallina del mio reggiseno. «E francamente, se non lo facciamo subito va a finire che scoppio.»

«Anch'io.» Respiro a fatica. «Va bene, vai prima tu. Trova un posto.»

«Ti mando un SMS.»

Si alza e si avvia in fretta verso i bagni. Io mi appoggio allo schienale e cerco di non ridere. È un posto così silenzioso e affollato che non so proprio come riusciremo a cavarcela.

Tiro fuori il cellulare in attesa del suo messaggio e decido di scrivere a Fliss. Io e lei abbiamo sempre scherzato sul "Mile High Club", il club del sesso ad alta quota. Devo per forza dirglielo, non riesco a resistere. Le mando un SMS veloce:

> Ti sei mai chiesta che cosa mi piace fare nel bagno di una sala d'attesa dell'aeroporto? Te lo farò sapere... ☺

Non mi aspetto che mi risponda, è solo uno stupido messaggino da ridere. Quindi rimango di stucco quando un attimo dopo mi arriva la replica.

Stop, FERMATI!!!!!!! Non fare stupidaggini.
Aspetta di arrivare in albergo!!!!!!!!

Guardo il telefono sconcertata. Che problema ha? Le scrivo di getto un altro SMS:

Non ti preoccupare, siamo sposati. ☺

Bevo un sorso d'acqua e sento arrivare un altro messaggio. Stavolta è di Ben.

Terzo gabinetto a sinistra. Bussa due volte.

Ho un brivido delizioso e rispondo:

Sto arrivando.

Prendo la borsa e vedo che Fliss ha scritto di nuovo:

Secondo me, devi assolutamente aspettare!!!!
Aspetta di essere in albergo!!!!

Comincia a essere irritante. Le ho scritto solo per ridere, non per farmi dare qualche stupida lezioncina. Di che cosa si preoccupa? Che chissà come ci scoprano, qualcuno mi colleghi a lei e la sua preziosissima rivista cada in disgrazia? Arrabbiata, le rispondo:

Non sono affari tuoi.

Mentre attraverso la sala diretta ai bagni, sono scossa da veri e propri fremiti di desiderio. Busso due volte alla porta del terzo gabinetto e Ben mi tira dentro, già mezzo svestito.

«Oh, mio Dio, oh, mio Dio...»

Mi bacia subito la bocca, mi infila una mano fra i capelli, mi sta slacciando il reggiseno e io mi sto contorcendo per togliermi le mutandine. Non sono mai stata così veloce. Non ho mai desiderato una cosa così rapida. Non ho mai sentito una smania così bruciante in vita mia.

«Ssh!» continuiamo a bisbigliare l'uno all'altra, sbattendo contro le pareti del box. Grazie a Dio, sono robuste. Ci stiamo posizionando più in fretta che possiamo, respiriamo entrambi come locomotive a vapore, so già che non durerà più di dieci secondi...

«Preservativo?» bisbiglio.
«No.» Mi guarda negli occhi. «Va bene?»
«Okay.» Sento un'ulteriore ondata di eccitazione. Forse facciamo un bambino!
«Ehi.» D'un tratto si ferma. «Non è che dall'ultima volta che ci siamo visti ti sei messa a fare cose un po' perverse? C'è qualcosa che dovrei sapere?»
«Un po'» dico ansimando e sollevando ulteriormente la gonna. «Te lo dico dopo. Dài, sbrigati!»
«Okay! Dammi il tempo...»
Bam-bam-bam-bam!
Qualcuno si è messo a bussare alla porta del gabinetto, procurandomi un mezzo infarto. Per lo spavento, sbatto il ginocchio contro la cassetta del water. Eh? Cosa succede?
«Scusate?» Una voce femminile ci sta chiamando. «Sono la direttrice della sala d'attesa. C'è qualcuno lì dentro?»
Cazzo.
Non riesco a rispondere. Non riesco a muovermi. Io e Ben ci guardiamo in preda al panico.
«Potete aprire la porta?»
Ho ancora una gamba avvinghiata alla schiena di Ben e l'altro piede sul water. Non ho idea di dove sia la mia biancheria intima. E il peggio è che sono ancora scossa da spasmi di desiderio.
Non potremmo ignorare questa direttrice? Continuare e basta? Cioè, che cosa possono fare?
«Continui?» sussurro impercettibilmente a Ben. «Pianissimo?» Mi aiuto con le mani per farmi capire e il sedile del water cigola. Merda.
«Se non uscite, sarò costretta a usare il passe-partout per entrare» sta dicendo la donna.
Hanno un passe-partout per entrare nei gabinetti? Che cos'è questo, uno Stato fascista?
Sto ancora ansimando fortissimo, ma ormai scoppio di frustrazione. Non posso farlo, non posso consumare il mio matrimonio mentre la direttrice della sala d'attesa origlia dall'altra parte della porta, a pochi centimetri di distanza, pronta a usare il passe-partout. Bussa di nuovo, stavolta molto più forte.
«Mi sentite?» domanda la donna. «Qualcuno mi sente là dentro?»

Guardo Ben avvilita. Dobbiamo rispondere prima che faccia irruzione con i reparti speciali.

«Ehilà!» grido di rimando, allacciandomi di nuovo il reggiseno. «Mi scusi! Mi stavo solo aggiustando... i capelli.»

I capelli? Come mi è venuto in mente?

«Mi stava aiutando mio marito» aggiungo, mentre mi guardo intorno in cerca delle mutande. Ben si sta tirando su i pantaloni. È finita.

Accidenti, non trovo le mutandine, dovrò lasciar perdere. Mi do qualche spazzolata, prendo la borsetta, apro la porta e sorrido alla donna con i capelli grigi che ci aspetta fuori insieme a un'aiutante bruna più giovane.

«Scusatemi» dico con voce suadente. «Ho un problema di salute. Mio marito mi deve aiutare a iniettarmi un siero. Preferiamo farlo in privato.»

La donna mi scruta da capo a piedi sospettosa. «Vuole che chiami un dottore?»

«No, grazie. Adesso sto bene. Grazie, caro» aggiungo rivolta a Ben per risultare più credibile.

Le casca lo guardo sul pavimento. «Quelle sono sue?» Seguo i suoi occhi e impreco silenziosamente. Le mie mutandine. Ecco dov'erano.

«Ovvio che non sono mie» ribatto in tono sdegnoso.

«Ah, va bene.» Si rivolge all'aiutante. «Lesley, per piacere di' a un inserviente di dare una rinfrescata al box.»

Oddio. Quelli sono slip di Aubade. Mi sono costati quaranta sterline e sono abbinati al reggiseno che ho addosso. Non posso sopportare che finiscano nella pattumiera.

«Veramente...» Guardo le mutandine come se avessi notato un particolare all'improvviso. «A ripensarci, forse in realtà sono mie.» Le raccolgo con nonchalance e osservo attentamente un piccolo bocciolo di rosa ricamato. «Ah, sì.» Me le infilo in tasca, evitando lo sguardo glaciale della direttrice della sala. «Grazie infinite per il suo aiuto. Continui a lavorare così. Splendida sala d'aspetto.»

«Mi permetta di farle i complimenti per il buffet» aggiunge Ben. Solleva un braccio e mi conduce via prima che possa esplodere. Non so se ho voglia di ridere o di urlare. Com'è successo? Come facevano a saperlo?

«Non stavamo facendo rumore» mormoro a Ben mentre ci allontaniamo. «Per niente.»

«Scommetto che è stato il vecchio» borbotta lui. «Deve aver fatto la spia, avrà immaginato quello che stavamo facendo.»

«Bastardo.»

Mi lascio andare su una morbida poltrona e mi guardo intorno sconsolata. Perché non mettono a disposizione salette per fare sesso? Perché si può solo navigare in Internet e mangiare uva?

«Prendiamoci una bottiglia di champagne» propone Ben, stringendomi una spalla. «Non ti preoccupare, ci rifacciamo stasera.»

«Ci rifacciamo stasera» concordo con trasporto.

Controllo di nuovo l'orologio. Mancano cinque ore e trenta minuti al momento in cui potremo esporre il famoso cartello "Non disturbare". Conterò ogni millisecondo. Mentre Ben si dirige verso il bar, prendo il telefono e scrivo a Fliss.

Ci hanno scoperto. Qualcuno ha fatto la spia. Bastardi.

Dopo una pausa piuttosto lunga, arriva la risposta.

Poverini! Buon viaggio. xxx

9

FLISS

Istruttivo. Un viaggio istruttivo. Sì.

Non ho chiesto il permesso. Non ho dato nessun preavviso. Non sono andata nell'ufficio della preside e non mi sono sorbita la ramanzina. Sento che in questo caso l'elemento sorpresa è cruciale.

«Signora Phipps?» La maestra Hocking sbuca con la testa dalla porta della classe. «Desiderava parlarmi?»

«Ah, buongiorno.» Sorrido cercando di assumere un tono sicuro. «Sì, niente di che, dovrò portare Noah via con me per qualche giorno. Su un'isola greca. Sarà molto istruttivo.»

«Ah.» Aggrotta la fronte in modo scoraggiante. «Temo che dovrà chiedere il permesso alla preside...»

«Capisco.» Faccio segno di sì con la testa. «Purtroppo non ne ho il tempo, perché ho saputo che oggi non c'è, o sbaglio?»

«Ah, sì? Quando pensava di partire?»

«Domani.»

«Domani?» La signora Hocking sembra sbigottita. «Ma la scuola è ripresa da appena due giorni!»

«Ah, già.» Mi fingo sorpresa, come se non ci avessi pensato. «Be', purtroppo è un'emergenza.»

«Che tipo di emergenza?»

Un'emergenza legata a una luna di miele, un problema di sesso, lei capisce, vero?

«Un grave problema... di famiglia» improvviso. «Ma come dicevo, sarà un viaggio molto istruttivo. Incredibilmente istruttivo.» Allargo le braccia come per dimostrare quanto sarà istruttivo questo viaggio. «Altamente educativo.»

«Mmh.» È chiaro che la signora Hocking non ha nessuna voglia di arrendersi. «Ma è la quarta volta che Noah perde la scuola quest'anno.»

«Ah, sì?» Faccio la finta tonta. «Non ho tenuto il conto.»

«Lo so che ha avuto...» si schiarisce la gola «delle difficoltà, fra il lavoro e... tutto il resto.»

«Sì.»

Stiamo fissando entrambe il soffitto, come per cancellare il ricordo di quella volta in cui Daniel mi aveva appena sguinzagliato contro i suoi nuovi superavvocati e io ero scoppiata a piangere all'uscita dalla scuola e praticamente mi ero messa a singhiozzare sulla sua spalla.

«Be'» sospira. «Va bene, informerò io la preside.»

«Grazie» dico umilmente.

«Noah al momento sta facendo la lezione integrativa, ma se viene in classe le do la sua cartella.»

La seguo nell'aula vuota, che odora di legno, pittura e pongo. L'insegnante di sostegno, Ellen, sta mettendo a posto delle cassette di plastica e mi sorride. Ellen ha un marito che guadagna un mucchio di soldi in banca ed è una grande fan degli alberghi a cinque stelle. Legge la rivista ogni mese e mi chiede sempre informazioni sui trattamenti benessere all'ultimo grido e se hanno finito di costruire il Dubai.

«La signora Phipps porta Noah a fare un viaggio istruttivo su un'isola greca» dice la signora Hocking con un'espressione impassibile che chiaramente significa: "Questa madre irresponsabile si è presa una minivacanza per andare a sbronzarsi e a drogarsi e si porta dietro il suo povero figlio, che finirà per stordirsi anche lui con il fumo passivo. Che cosa posso farci?".

«Fantastico!» dice Ellen. «Ma come fate con il cagnolino?»

«Che cosa?» La guardo inespressiva.

«Noah ci ha parlato del vostro cucciolo. Un cocker spaniel?»

«Un cocker spaniel?» rido. «Non so proprio come gli sia saltato in mente. Non abbiamo nessun cucciolo, e non stiamo neppure per prenderne uno...» mi interrompo. La signora Hocking e Ellen si fissano. «Che cosa c'è?»

Cala il silenzio, poi l'insegnante più anziana sospira. «In effetti, ci era sembrato strano. Mi dica, è vero che il nonno di Noah è morto da poco?»

«No.»
«E non è vero che si è fatto operare alla mano durante la vacanza?» aggiunge Ellen. «In Great Ormond Street?»
«No!» Guardo in faccia prima l'una e poi l'altra. «Che cosa ha raccontato?»
«No, non si preoccupi» si affretta a dire la signora Hocking. «Avevamo già notato che Noah sembra avere una grande fantasia. Tira fuori storie di tutti i tipi, alcune delle quali chiaramente inventate.»
La guardo sconcertata. «Che cos'altro ha raccontato?»
«È del tutto normale per un bambino di questa età vivere in un mondo di fantasia.» Ignora la mia domanda. «E naturalmente sta attraversando un momento destabilizzante a casa. Crescendo supererà questa fase, ne sono certa.»
«Che cos'altro ha raccontato?» insisto.
«Be'.» Di nuovo le due donne si guardano in faccia. «Ha detto che gli avevano fatto un trapianto al cuore. Naturalmente, sapevamo che non era vero. Ha parlato di una sorellina nata da un utero in affitto, e di nuovo abbiamo dubitato che fosse vero...»
Un trapianto al cuore? Una sorellina nata da un utero in affitto? Come fa a sapere che esistono cose del genere?
«Okay» dico alla fine. «Farò due chiacchiere con lui.»
«Affronti l'argomento con dolcezza.» La signora Hocking sorride. «Come dicevo, è una fase normalissima. Forse cerca di attirare l'attenzione, o forse non si rende neppure conto di farlo. In ogni caso, sono certa che gli passerà.»
«Ha detto persino che lei una volta ha gettato tutti i vestiti di suo marito in strada e ha invitato i vicini a prendere quello che volevano!» interviene Ellen, ridendo allegramente. «Quel bambino ha una fantasia!»
Mi sento avvampare. Accidenti, ero convinta che stesse dormendo.
«Eh, sì!» Mi sforzo di risultare naturale. «Chi cavolo farebbe una cosa simile?»
Ho ancora la faccia in fiamme quando arrivo al dipartimento per le esigenze educative speciali. Ogni mercoledì Noah frequenta un corso integrativo perché ha una scrittura orribile. (Nella denominazione ufficiale si legge "coordinazione spaziale", e costa sessanta sterline a seduta.)

Fuori dalla porta c'è un angolo adibito a sala d'aspetto e io mi siedo sul divanetto in miniatura. Davanti a me c'è uno scaffale pieno di matite con impugnature speciali, forbici dalle forme strane e palline morbide. In una libreria sono allineati volumi dai titoli tipo *Come ti senti oggi?* Un televisore appeso al muro sta trasmettendo un programma speciale per bambini.

Non sarebbe male avere un reparto del genere in ufficio, mi ritrovo a pensare. Non mi dispiacerebbe fuggire per mezz'oretta alla settimana a giocare con le palline, indicando il cartello didattico con su scritto "Oggi sono triste perché il mio capo è un cretino".

"... Mi hanno operato in Great Ormond Street." Una voce proveniente dal televisore attira la mia attenzione. "Dopo mi faceva male la mano e non potevo più scrivere." Alzo lo sguardo e vedo una bambina dai tratti asiatici che parla davanti alla telecamera. "Però poi Marie mi ha aiutato a imparare di nuovo a scrivere." Si sente una musica e si vede la ragazzina intenta a sforzarsi di usare la matita sotto la guida di una donna. Nell'ultima scena la bambina sorride orgogliosa mostrando il disegno appena terminato. L'immagine svanisce e io fisso il televisore sbattendo le palpebre sconcertata.

Great Ormond Street. Sarà una coincidenza?

La musica cambia e sullo schermo compare un ragazzino con le lentiggini. "Mia mamma avrà una bambina da un utero in affitto. All'inizio mi sono sentito messo da parte, ma adesso sono molto contento."

Che cosa?

Afferro il telecomando e alzo il volume per ascoltare Charlie mentre presenta la sua sorellina nata da un utero in affitto. Il filmato finisce con tutta la famiglia riunita in giardino. Poi viene Romy, a cui hanno fatto un impianto cocleare, e Sara, la cui mamma ha subito un intervento di chirurgia plastica e ha cambiato faccia (ma non importa) e infine David, con il suo cuore nuovo.

Il DVD non ha uno scopo preciso, mi rendo conto. È un video promozionale di altri DVD, e continua a girare a vuoto. Tanti racconti esemplari, uno più strappalacrime dell'altro.

Mi viene quasi da piangere a vedere tutti quei bambini che raccontano la propria storia commovente, ma sono anche arrabbiatissima. A nessuno è venuto in mente di guardare questo

DVD? Nessuno ha collegato le fantasie di Noah con quello che ha visto qui?

"Adesso posso correre a giocare" dice allegramente David davanti alla telecamera. "Posso giocare con Lucy, il mio nuovo cagnolino."

Lucy è un cocker spaniel. Naturalmente.

La porta si apre di scatto e Noah viene accompagnato fuori dall'insegnante, la signora Gregory.

«Ah, signora Phipps» dice, come ogni settimana. «Noah sta facendo ottimi progressi.»

«Benissimo» sorrido amabilmente. «Noah, tesoro, mettiti la giacca.» Mentre si allontana verso i ganci appendiabiti, mi giro verso l'insegnante e abbasso la voce. «Signora Gregory, stavo guardando il suo interessante DVD. Noah ha una fantasia molto vivida e secondo me rischia di identificarsi un po' troppo con i bambini del video. Per piacere, potrebbe spegnerlo quando lui è qui?»

«Identificarsi?» Ha un'aria perplessa. «In che senso?»

«Ha detto alla signora Hocking che ha avuto un trapianto al cuore» rispondo seccamente. «E un'operazione alla mano in Great Ormond Street. Sono tutte cose che ha visto sul DVD.» Indico il televisore.

«Ah.» Assume un'espressione avvilita. «Oh, mio Dio.»

«Niente di grave, ma non potrebbe mettere su qualcos'altro, o spegnere addirittura il televisore?» Sorrido di nuovo. «Grazie mille.»

Certi bambini credono di essere Harry Potter. Ovviamente, invece, il mio si immagina di essere la star di un DVD di autoaiuto. Mentre esco con Noah, gli stringo forte la mano.

«Allora, tesoro, stavo guardando il video della tua insegnante. È divertente conoscere storie nuove, vero? Storie che riguardano *altre persone*» aggiungo, per sottolineare meglio il concetto.

Noah riflette a lungo.

«Se alla tua mamma fanno un intervento di chirurgia plastica alla faccia» dice alla fine «non fa niente anche se poi ha la faccia diversa, perché probabilmente così sarà più felice.»

Il mio sorriso si raggela. Per piacere, fa' che non abbia raccontato alle insegnanti che, dopo aver subito un intervento di chirurgia plastica al viso, adesso mi sento meglio.

«Ma certo.» Cerco di apparire rilassata. «Ehm, Noah, lo sai che la mamma non ha subito un intervento di chirurgia plastica, vero?»

Noah evita il mio sguardo. Oddio, chissà che cosa avrà detto?

Sto per ripetergli che non ho mai subito nessun intervento di chirurgia plastica (un'iniezione di Botox non conta), quando mi squilla il telefono. È un messaggino di Lottie. Oddio, per piacere, non dirmi che chissà come ce l'hanno fatta lo stesso.

Stiamo salendo sull'aereo. Che cosa ne pensi del Mile High Club? Potremmo chiamare il bambino Miles o Miley ☺ xxx

Rispondo in fretta:

Non essere volgare! Fate le cose per bene xxx

Dopo aver premuto "invio", fisso il telefono per alcuni istanti. Non proveranno a farlo sull'aereo, no di certo. In ogni caso, il personale dell'aeroporto avrà fatto una telefonata discreta all'equipaggio, segnalando la presenza di una coppia un po' troppo allegra in prima classe. Ci penseranno loro; posso rilassarmi.

Eppure mi batte forte il cuore. Guardo l'orologio e mi viene una gran rabbia per le scarse possibilità di viaggio che abbiamo. Un solo volo diretto per Ikonos al giorno? È assurdo. Vorrei essere già là.

Ma, visto che non posso, tanto vale fare un po' di ricerche.

Lo trovo esattamente dove mi aspettavo che fosse: nella scatola sotto il suo letto, insieme a tutti gli altri. Lottie ha cominciato a tenere un diario quando aveva quindici anni, facendolo pesare non poco. Me ne leggeva dei brani ad alta voce, dicendo che un giorno li avrebbe pubblicati. Sentenziava in tono profetico: "Come ho scritto ieri sul mio *diario...*", come se ciò bastasse a rendere i suoi pensieri molto più significativi dei miei (non registrati, persi nella nebbia del tempo: la storia li rimpiangerà, naturalmente).

Prima d'ora non avevo mai letto i diari di Lottie. Sono una persona dotata di senso etico. E poi non potrebbe fregarmene di meno. Ma devo per forza raccogliere informazioni su questo Ben e non mi vengono in mente altre fonti. Tanto non mi scoprirà mai nessuno.

Noah è in cucina che guarda *Ben 10*. Mi siedo sul letto e sento provenire dal piumone il profumo di Lottie: floreale, dolce e pulito. A diciott'anni si metteva Eternity, e mentre apro le pagine del suo diario sento una leggera ventata anche di quello.

Okay, facciamo una cosa veloce, mi sento molto tesa e in colpa, anche se ho le chiavi di Lottie e ho tutto il diritto di trovarmi nel suo appartamento mentre lei è su un aereo, a miglia e miglia di distanza, e comunque, se per caso dovesse arrivare qualcuno, ficcherei subito il diario sotto un cuscino e direi: "Sono qui solo per motivi di sicurezza".

Apro il diario a caso.

> Fliss è una stronza pazzesca.

Cosa?

«Vaffanculo!» rispondo automaticamente.

Okay, è stata una reazione inutile e immatura, non è il caso di trarre conclusioni avventate, ci sarà di certo una spiegazione. Proseguo nella lettura. A quanto pare, non volevo prestarle il mio giubbotto di jeans per il suo anno sabbatico.

Ah, sì? Sono una stronza solo perché non le volevo dare il giubbotto che avevo pagato con i *miei* soldi? Sono così offesa che mi viene voglia di telefonarle e dirgliene quattro. E a proposito, dov'è che ha scritto che le ho prestato almeno sei paia di infradito mai più riviste, e anche i miei occhiali da sole Chanel, solo perché mi ha implorato fino a tirarmi scema?

Fisso il diario, ribollendo leggermente di rabbia, poi mi costringo a girare alcune pagine. Non posso indugiare su un battibecco da ragazzine. Devo andare avanti, trovare Ben. Mentre sfoglio il diario leggendo solo frammenti di testo, mi sembra quasi di accompagnarla nel suo viaggio durante l'anno sabbatico: prima a Parigi, poi nel Sud della Francia, infine in Italia. La lettura mi avvince abbastanza.

> ... mi sa che forse quando sarò più grande andrò a vivere a Parigi ... ho mangiato troppi croissant, grrrr, come sono grassa, faccio schifo... questo Ted che va all'università è proprio FIGO... molto preso dall'esistenzialismo... dovrei cominciare anch'io, mi ha detto che ho un talento naturale...
>
> ... un tramonto SPETTACOLARE... ho bevuto troppa Coca-Cola e rum... mi sono scottata di BRUTTO... sono andata a letto con

> questo Pete, non avrei dovuto... abbiamo deciso di trasferirci tutti nel Sud della Francia quando avremo più o meno trent'anni...
>
> ... MAGARI parlassi un po' meglio l'italiano. È qui che voglio vivere, per sempre. È FANTASTICO... ho mangiato troppi gelati, grrrr, le mie gambe fanno schifo... domani parto per la Grecia...
>
> ... questo posto è FAVOLOSO... c'è una bellissima atmosfera festaiola, tutti si FANNO tutti... potrei vivere solo di feta... immergermi continuamente in queste grotte sottomarine... c'è questo tipo di nome Ben... picnic con alcuni ragazzi e Ben... fatto l'amore con Ben... FANTASTICO...

«Lottie?» Una voce maschile si intromette nei miei pensieri e io sobbalzo violentemente, lanciando in aria il diario. Cerco istintivamente di riafferrarlo, ma poi mi rendo conto che è un indizio di reato e ritiro in fretta la mano, lo lascio cadere a terra, gli do un calcio per allontanarlo da me e alzo la testa.

«Richard?»

È in piedi sulla porta, con un impermeabile addosso, i capelli arruffati e una valigia in mano. Sembra agitato e in questo momento assomiglia decisamente più a Gordon Brown che a Pierce Brosnan da giovane.

«Dov'è Lottie?» chiede.

«Sono qui per questioni di sicurezza» borbotto prontamente, il viso in fiamme per la vergogna, lo sguardo che si posa nervosamente sul diario. «Sicurezza.»

Richard mi guarda come se stessi farneticando, anche se la mia risposta non è affatto lontana dalla verità.

«Dov'è Lottie?» ripete più forte. «Che cosa succede? Sono andato nel suo ufficio e nessuno mi ha voluto dire dov'è. Vengo qui e ti trovo seduta sul suo letto. Dimmelo.» Lascia andare la valigia. «Sta male?»

«Male?» Mi scappa quasi da ridere istericamente. «No, non sta male. Richard, che cosa ci fai qui?»

Sulla sua valigia c'è il tagliando della compagnia aerea. Deve essere arrivato direttamente dall'aeroporto, in preda a uno slancio improvviso di romanticismo. Mi dispiace molto che Lottie non lo possa vedere adesso.

«Ho commesso un errore. Un terribile errore.» Va alla finestra e guarda fuori per un attimo, poi mi lancia un'occhiata. «Non so fino a che punto si confidi con te.»

«Abbastanza» rispondo con diplomazia.

Non credo desideri sapere che mi ha detto proprio tutto, compresa la sua predilezione per fare sesso bendato e per i giocattoli erotici che Lottie ha il terrore possano essere scoperti dalla donna delle pulizie.

«Be', ci siamo lasciati» dice fiaccamente. «Due settimane fa.»

Non c'è dubbio.

«Sì, l'ho saputo.» Annuisco. «Era molto sconvolta.»

«Be', ma anch'io!» Si volta, respirando affannosamente. «Ha tirato fuori quella storia di punto in bianco! Pensavo fossimo felici insieme. Pensavo fosse felice anche lei.»

«E infatti lo era! Ma non vedeva un punto d'arrivo.»

«Parli di...» Esita a lungo. «Matrimonio.»

Provo una punta di irritazione. Neppure io sono una grande fan del matrimonio, ma non è proprio necessario fare una faccia così poco entusiasta.

«Sposarsi non è un'idea poi così astrusa» sottolineo. «È quel che fanno le persone che si amano.»

«Be', sì, lo so, ma...» Fa una smorfia, come se stessimo parlando di qualche hobby bizzarro praticato da certa gente nei reality più assurdi. Comincio ad arrabbiarmi davvero. Se solo si fosse comportato da uomo e le avesse chiesto di sposarlo, tutto questo non sarebbe successo.

«Che cosa vuoi, Richard?» domando bruscamente.

«Voglio Lottie. Voglio parlarle. Voglio rimettere le cose a posto. Non risponde alle mie telefonate, alle mie mail. Allora ho detto al mio nuovo capo che dovevo tornare in Inghilterra.» Colgo una punta d'orgoglio nella sua voce. Evidentemente pensa di aver compiuto un gesto eroico.

«E che cosa intendi dirle?»

«Che siamo fatti l'uno per l'altra» risponde sicuro. «Che la amo. Che possiamo risolvere ogni cosa. Che forse a un certo punto si potrebbe anche parlare di matrimonio.»

"Forse a un certo punto si potrebbe anche parlare di matrimonio." Wow. Certo che sa come lusingare una ragazza.

«Be', temo che sia troppo tardi ormai.» Provo un certo piacere sadico nel dirgli queste parole. «È sposata.»

«Come è sposata? In che senso?» Continua ad avere la stessa espressione confusa. Maledizione, che cosa può voler dire, secondo lui?

«È sposata! È impegnata! Anzi, ha appena preso l'aereo per andare a trascorrere la luna di miele a Ikonos.» Controllo l'orologio. «In questo momento è in volo.»

«Che cosa?» Un cipiglio temporalesco gli corruga la fronte. Decisamente Gordon. Fra poco mi lancia contro il portatile. «Come fa a essere *sposata*? Che cosa stai *dicendo*?»

«Vi siete lasciati, praticamente ha avuto un esaurimento nervoso, ha incontrato una vecchia fiamma che le ha chiesto di sposarlo su due piedi e lei ha detto di sì, perché era scioccata e terribilmente triste e perché quell'uomo le piace da impazzire. Ecco che cosa sto dicendo.» Lo fisso con espressione torva. «Chiaro?»

«Ma... chi è quello?»

«È stato il suo ragazzo durante l'anno sabbatico. Non lo vedeva da quindici anni. Il suo primo amore eccetera eccetera.»

Mi guarda sospettoso. Vedo gli ingranaggi del suo cervello al lavoro: comincia ad accendersi la lampadina, non è una bugia, sto dicendo la verità, Lottie è sposata.

«Cazzo... cazzo.» Si batte i pugni sulla fronte.

«Eh, già. Anch'io mi sento alla stessa maniera.»

Segue un silenzio triste. Una piccola raffica di pioggia batte sulla finestra e io mi stringo le braccia intorno al corpo. Adesso che la soddisfazione di punire Richard è svanita, mi sento solo male e depressa. Che disastro.

«Allora» sospira «mi sa che è finita davvero.»

«Mi sa di sì.» Mi stringo nelle spalle. Non ho intenzione di rivelargli il mio piano. Ci manca solo che si metta di mezzo anche lui o cominci a darmi stupidi consigli. La mia priorità è svincolare Lottie da Ben per il suo bene. E se alla fine Richard vorrà farmi un bell'applauso, cavoli suoi.

«Insomma, che cosa sai di questo tizio?» Richard si riscuote improvvisamente dalla sua trance. «Come si chiama?»

«Ben.»

«Ben.» Ripete il nome in tono sospettoso. «Non ho mai sentito nominare questo Ben.»

«Eh, be'.» Mi stringo di nuovo nelle spalle.

«Cioè, so degli altri ragazzi, Jamie, Seamus e, com'è che si chiamava, del ragioniere.»

«Julian» non posso fare a meno di suggerire.

«Esatto, ma non ha mai neppure menzionato questo Ben.» Richard setaccia la stanza con lo sguardo, come in cerca di indizi, poi nota il diario, rimasto mezzo aperto per terra. Mi guarda incredulo.

«Stavi leggendo il suo diario?»

Porca miseria, avrei dovuto prevedere che Richard se ne sarebbe accorto. Nota sempre più cose di quello che ci si aspetterebbe. Lottie diceva che è come un leone che sonnecchia sotto un albero, ma secondo me è più come un toro. Un attimo prima è lì che pascola tranquillo, poi all'improvviso ti carica a testa bassa.

«Non lo stavo esattamente leggendo.» Cerco di mantenere un contegno. «Stavo solo facendo un po' di ricerche su questo Ben.»

Richard mi fissa attentamente. «Che cosa hai scoperto?»

«Non molto. Sono arrivata solo al momento in cui si sono conosciuti a Ikonos...»

Si avventa sul diario e io, più veloce di un lampo, ne afferro un angolo. Ce lo stiamo contendendo. Lui è molto più forte di me, ma io non ho nessuna intenzione di lasciarglielo prendere. C'è un limite a tutto.

«Non posso credere che stessi leggendo il diario di tua sorella» dice Richard, cercando di strapparmelo di mano.

«Non posso credere che vorresti leggere il diario della tua ragazza» ribatto ansimante. «Mollalo! *Mollalo!*»

Alla fine riesco ad accaparrarmelo e me lo stringo protettiva al petto.

«Io ho il diritto di sapere.» Richard mi guarda minaccioso. «Se Lottie ha preferito quest'uomo a me, ho il diritto di sapere chi è.»

«E va bene» dico seccamente. «Te ne leggo un pezzo. Abbi un po' di pazienza.»

Sfoglio le pagine, salto le parti in cui parla della Francia e dell'Italia e arrivo a Ikonos. Okay. Eccoci. Pagine e pagine piene di Ben. Ben qui, Ben là, Ben, Ben, Ben.

«Lo ha conosciuto in questa pensione in cui alloggiavano.»

«La pensione di Ikonos?» Richard fa una smorfia: adesso ricorda. «Mi ha raccontato un milione di volte di quel posto. C'erano tanti gradini, vero? C'era stato un incendio e lei aveva salvato tutti? Cioè, quel posto le ha cambiato la vita, dice sempre che è lì che è diventata la persona che è oggi. Da qualche parte ci deve essere una foto...» Si guarda intorno nella stanza, poi punta il dito: «Eccola».

Guardiamo entrambi la foto incorniciata di Lottie su una sedia a dondolo con una gonnellina bianca di pizzo, il reggiseno del costume e un fiore dietro l'orecchio. È magra, giovane e radiosa.

«Non ha mai detto una parola su questo Ben» ripete Richard. «Niente di niente.»

«Ah.» Mi mordo il labbro. «Be', forse era un po' selettiva nei suoi racconti.»

«Ho capito.» Con il viso imbronciato, si lascia andare sulla sedia della scrivania di Lottie. «Vai avanti.»

Do una scorsa agli scritti di mia sorella. «Insomma, si sono notati sulla spiaggia... poi c'è stata una festa e si sono messi insieme...»

«Leggi» mi interrompe. «Non fare riassunti.»

«Sei sicuro?» Lo guardo con il sopracciglio alzato. «Sicuro di voler sentire questa roba?»

«Leggi.»

«Okay.» Prendo fiato e scelgo un paragrafo a caso.

«"Stamattina ho guardato Ben mentre faceva sci d'acqua. Dio com'è figo. Suona l'armonica ed è così abbronzato. Abbiamo fatto sesso tutto il pomeriggio sulla barca, non abbiamo segni del costume... Ho comprato altre candele profumate e olio da massaggio per stasera. Non mi interessa altro che stare con Ben e fare sesso con lui per sempre. Non amerò mai nessun altro così tanto. MAI."»

Rimango in silenzio, a disagio. «Se viene a sapere che ti ho letto questa roba, mi ammazza.»

Richard non risponde, sembra addolorato.

«Sono passati quindici anni» dico imbarazzata. «Aveva diciotto anni, sono le classiche cose che scrivi sul diario a quell'età.»

«Secondo te...» Fa una pausa. «Secondo te, ha mai scritto niente di simile su di me?»

Nel mio cervello cominciano a suonare campanelli d'allarme. Oh-oh. No, non se ne parla proprio.

«Non ne ho idea!» Chiudo il quaderno di scatto. «È diverso. Tutto cambia quando si cresce. Il sesso è diverso, l'amore è diverso, la cellulite è molto diversa...» Sto cercando di alleggerire l'atmosfera, ma Richard non sembra neppure sentirmi. Fissa la foto di Lottie con la fronte così corrugata che temo gli si possa infossare il cranio. All'improvviso suona il campanello di casa, e tutti e due sussultiamo guardandoci in faccia. Mi rendo conto che ci è balenato lo stesso pensiero assurdo: Lottie?

Richard percorre lo stretto corridoio a lunghe falcate e io lo seguo con il cuore in tumulto. Spalanca la porta e rimango delusa nel vedere un esile uomo anziano sulla soglia.

«Ah, signor Finch» dice con voce lamentosa. «Charlotte è in casa? Perché non ha finito il lavoro sul terrazzo sul tetto che aveva promesso di fare. È ancora in condizioni pietose.»

Il terrazzo sul tetto. Persino io so di quel terrazzo. Lottie mi ha telefonato per dirmi che le stava venendo la passione del giardinaggio, che aveva ordinato una valanga di graziosi accessori e intendeva progettare un orto urbano.

«Insomma, io ho tutta la pazienza di questo mondo» sta dicendo l'uomo «ma una promessa è una promessa, e abbiamo contribuito tutti al fondo per le piante, e credo proprio che...»

«Lo farà, va bene?» replica brusco Richard con un vocione da far tremare i lampadari. «Ha in mente un grande progetto, è una persona creativa, queste cose richiedono molto tempo, quindi si tolga dai piedi!»

L'uomo si ritira allarmato e io guardo Richard con un sopracciglio alzato. Però... Di tanto in tanto non dispiacerebbe neppure a me avere qualcuno che prende le mie difese in questo modo.

Inoltre, avevo ragione io. È decisamente un toro, non un leone. Se fosse un leone, a quest'ora starebbe inseguendo pazientemente Ben nascosto fra i cespugli. Richard è un uomo troppo schietto per fare una cosa simile: preferisce caricare furiosamente l'obiettivo più vicino, anche a costo di mandare in frantumi mille tazzine di porcellana.

La porta si chiude, e noi ci guardiamo in faccia dubbiosi, come se quella interruzione avesse cambiato l'atmosfera.

«Devo andare» dice di colpo e si abbottona l'impermeabile.

«Torni a San Francisco?» gli chiedo sconcertata. «Così, come se niente fosse?»

«Certo.»

«E Lottie?»

«Lottie cosa? È sposata e le auguro tutta la felicità del mondo.»

«Richard...» Esito, non sapendo che cosa dire.

«Erano come Romeo e Giulietta e adesso si sono ritrovati. È tutto chiaro. Auguro loro ogni bene.»

È sconvolto, lo vedo, molto sconvolto. Ha la mandibola serrata e lo sguardo distante. Oddio, adesso mi sento malissimo. Non avrei dovuto leggergli il diario, volevo solo scioccarlo, riscuoterlo da quell'atteggiamento compiaciuto.

«Non sono affatto come Romeo e Giulietta» ribatto decisa. «Senti, Richard, se proprio lo vuoi sapere, sono tutti e due esauriti. Lottie non ragiona più da quando vi siete lasciati e, a quanto pare, questo Ben sta attraversando una crisi di mezza età... Richard, ascoltami, ti prego.» Gli poso una mano sul braccio e aspetto che mi dia retta. «Questo matrimonio non durerà, ne sono certa.»

«Come fai a esserne certa?» Si acciglia, come se mi odiasse per avergli offerto un barlume di speranza.

«Me lo sento» dico con aria misteriosa. «Chiamalo intuito da sorella.»

«Be', pensa un po' quello che vuoi.» Scrolla le spalle. «Questo succederà a un certo punto.» Torna in camera da letto a prendere la sua valigia.

«No, invece!» Gli corro dietro e gli afferro la spalla. «Cioè... potrebbe accadere prima di quello che pensi. Molto prima. Il punto è che se io fossi in te non mi arrenderei, ma muoverei mari e monti.»

Richard rimane in silenzio per qualche istante: è evidente che si sta sforzando di non farsi troppe illusioni. «Quando si sono sposati, di preciso?» domanda d'un tratto.

«Stamattina.» Mi sento in imbarazzo per lui, pensando al suo orribile tempismo. Se solo fosse arrivato un giorno prima...

«Quindi stanotte è la loro prima...» Si blocca, come se non sopportasse di pronunciare quelle parole.

«Notte di nozze. Sì, suppongo di sì.» Faccio una pausa e mi guardo le unghie inespressiva, con aria del tutto innocente. «Be', chissà come andrà a finire?»

10

LOTTIE

Non ce la faccio, non ce la faccio più. Sarò la prima persona al mondo a morire di frustrazione sessuale.

Ricordo lunghe, intollerabili attese da bambina. L'attesa della paghetta, del compleanno, del Natale. Ma una così mostruosa non l'avevo mai sopportata. È stata una tortura terrificante. Cinque ore, quattro ore, tre ore... Per tutto il viaggio in aereo e il tragitto in macchina dall'aeroporto, ho continuato a ripetermi "manca poco... manca poco... manca poco": è l'unico modo per non impazzire. Ben continua ad accarezzarmi la gamba. Guarda dritto davanti a sé, il respiro calmo e regolare. Mi rendo conto che sta per esplodere come me.

E ora mancano pochi minuti. L'hotel è a mezzo chilometro di distanza. L'autista sta deviando dalla strada principale. Più ci avviciniamo, più l'attesa diventa insopportabile. Questi ultimi momenti mi stanno uccidendo: voglio solo Ben.

Sto cercando di guardarmi intorno e di mostrarmi interessata al paesaggio, ma ci sono solo la strada, colline spelacchiate e vistose pubblicità di bevande greche dai nomi sconosciuti. L'aeroporto è dalla parte opposta dell'isola rispetto alla pensione dove avevamo alloggiato tanti anni fa. Probabilmente non ci ero neppure mai venuta, non ricordo e non riconosco nulla. Sento solo la mia disperazione.

Fra poco... poco... pochissimo... saremo sul nostro enorme letto da luna di miele, i nostri vestiti saranno per terra e noi due ci guarderemo in faccia, pelle contro pelle, e nulla potrà fermarci, finalmente, *finalmente*...

«L'Amba Hotel» annuncia orgoglioso l'autista con uno svolazzo della mano e corre fuori ad aprirci le portiere.

Mentre scendo dall'auto, l'aria calda della Grecia sembra avvolgermi le spalle. Mi guardo intorno e vedo un enorme ingresso con bianchi pilastri, quattro leoni di marmo e una fila di fontane che spruzzano acqua in un laghetto ornamentale. Dai balconi a destra e a sinistra si riversano come vivide cascate rosa le buganvillee. Le candele tremolano nelle enormi lanterne antivento. Sento il canto serale dei grilli e la melodia lontana di un quartetto di archi. È un posto spettacolare.

Mentre ci dirigiamo verso i bassi gradini di marmo, provo un'ondata improvvisa di euforia. Andrà tutto a meraviglia, sarà una luna di miele perfetta. Stringo il braccio di Ben.

«È fantastico, vero?»

«Strabiliante.» Mi infila la mano sotto la maglietta fino al fermaglio del reggiseno.

«No! Siamo in un albergo elegante!» Mi allontano, anche se tutto il mio corpo vorrebbe che lui continuasse. «Dobbiamo aspettare.»

«Non posso più aspettare» dice fissandomi con occhi sempre più torbidi.

«Neppure io.» Deglutisco. «Mi sento morire.»

«Io di più.» Le sue dita si abbassano verso la vita della gonna. «Non dirmi che hai altri vestiti lì sotto.»

«Niente di niente» sussurro.

«Oddio.» Fa una specie di ringhio. «Bene, adesso ci danno le chiavi della stanza, poi chiudiamo la porta e...»

«Signori Parr?» Una voce ci interrompe, alzo lo sguardo e vedo un uomo bruno e basso di statura che scende rapido le scale. Indossa giacca e cravatta e un paio di scarpe molto lucide, e mentre si avvicina noto un distintivo con su scritto "Nico Demetriou, VIP manager". Stringe in mano un enorme mazzo di fiori, che mi porge dicendo: «Madame, benvenuta all'Amba Hotel. Siamo molto felici di accoglierla. Ho saputo che siete in luna di miele!».

Ci sta facendo strada attraverso il grande ingresso a vetrate per condurci nell'enorme atrio dal soffitto a cupola. C'è una piscina con piccole candele galleggianti incassata nel pavimento di marmo. Si sente una musica di sottofondo e nell'aria aleggia un meraviglioso profumo muschiato.

«Vi porgo i nostri migliori auguri. Accomodatevi, prego.» Indica un lungo divano foderato di lino. «Un bicchiere di champagne per tutti e due!»

Un cameriere si è materializzato dal nulla con due bicchieri di champagne su un vassoio d'argento. Dopo un attimo di esitazione, ne prendo uno lanciando un'occhiata a Ben.

«Molto gentile» dice Ben, senza dirigersi verso il divano. «Ma desideriamo andare nella nostra suite il più presto possibile.»

«Certo, certo.» Nico sorride comprensivo. «Stanno portando di sopra i bagagli. Se per cortesia può sbrigare alcune piccole formalità...» Porge a Ben un quaderno rivestito di pelle e una penna. «La prego, si sieda, starà più comodo.»

Controvoglia, Ben si lascia andare sul divano e comincia a scrivere velocissimo. Nel frattempo Nico mi consegna un foglio stampato su cui si legge: "Benvenuti, signore e signora Parr". Sotto c'è una lista di servizi e attività a cui do una scorsa veloce: è davvero sbalorditiva. "Snorkeling guidato e picnic con champagne... gita giornaliera sullo yacht di venti metri dell'hotel... cena personale cucinata da uno chef sul terrazzo privato... massaggio di coppia con aromaterapia sotto le stelle..."

«Siamo felici di presentarvi il nostro programma "Luna di miele superlativa".» Nico mi sorride. «Potrete godere dell'assistenza di un maggiordomo personale ventiquattro ore su ventiquattro e di trattamenti benessere gratuiti nei locali della vostra suite. Il servizio sarà costantemente supervisionato da me. Non esistono richieste troppo piccole o troppo grandi.»

«Grazie.» Non posso fare a meno di ricambiare il sorriso, è un uomo così affascinante.

«La luna di miele è un momento molto ma molto speciale. Io, Nico, farò in modo che sia l'esperienza più bella della vostra vita.» Congiunge le mani. «Indimenticabile.»

«Ecco fatto.» Ben finisce di scrivere e riconsegna i moduli. «Adesso possiamo andare nella nostra stanza? Dov'è?»

«Vi accompagno personalmente!» esclama Nico. «Da questa parte, prego. Andiamo al vostro ascensore privato che porta all'attico.»

Abbiamo un ascensore privato? Lancio un'occhiata a Ben. Vedo che gli frullano in testa delle idee, e lo stesso vale per me.

Mentre siamo in ascensore, cerco di darmi un contegno,

ma mi accorgo che Ben mi sta fissando la gonna. Non perderà tempo. Ci metteremo trenta secondi in tutto, poi dovremo ricominciare daccapo e poi magari cenare e poi, davvero con calma, ricominciare...

«Eccoci arrivati!» Le porte dell'ascensore si aprono e Nico ci conduce allegramente in un corridoio con il pavimento di marmo e le pareti rivestite di boiserie. «La Oyster Suite. Poco tempo fa "Traveller" l'ha eletta migliore suite per lune di miele del mondo. Prego.»

«Wow» faccio io mentre apre la porta. Fliss aveva ragione: è una suite favolosa. È tutta progettata a forma di grotta, con tanto di pilastri, lettini bassi per il relax diurno e statue di dèi greci su piedistalli. L'unico difetto immediato che noto è il televisore acceso, che sta trasmettendo a tutto volume i "Teletubbies". Li odio da quella volta che ho dovuto guardarne circa venti puntate di seguito mentre facevo da baby-sitter a Noah. Chi cavolo ha messo quel programma?

«Si può spegnere quella roba, per piacere?» domando.

«Certo, signora. Prima però mi permetta di mostrarle tutti gli optional. Oltre all'entrata dall'ascensore, c'è un ingresso privato.» Nico si avvia rapido sul pavimento di marmo. «Qui c'è il bagno, con un'ampia doccia aperta. Ecco la vostra sauna, la cucina con un'entrata per il personale, una piccola biblioteca, un salotto con cinema...»

Cerco di assumere un'espressione interessata mentre ci mostra come usare il DVD, ma ho la mente offuscata dal desiderio. Siamo qui, proprio qui, nella nostra "suite luna di miele". È la nostra prima notte di nozze e appena quest'uomo finirà la sua tiritera e si toglierà dai piedi... forse è solo questione di pochi secondi... Ben mi strapperà di dosso la gonna e io gli leverò la camicia... Oddio, non posso più aspettare...

«Il minibar è situato all'interno di questo armadietto e funziona per mezzo di sensori elettronici.»

«Ah, okay» annuisco cortese, anche se ho tutto il corpo vibrante di lussuria. Non me ne frega niente di come funziona quel cavolo di minibar. "Smettila di parlare, togliti dalle scatole e lasciaci fare sesso."

«E qui c'è la camera da letto.» Nico spalanca una porta. Faccio un passo avanti trepidante, poi mi blocco costernata.

«Come?» esclama Ben accanto a me.

La stanza è ampia e sontuosa, con un soffitto a cupola di vetro. E sotto ci sono due letti separati.

«Ma... che...» Sono così confusa che non riesco quasi a parlare. «I letti.» Mi giro verso Ben e ripeto: «I letti».

«Sì, questi sono i letti, signora.» Nico indica i letti singoli sorridendo orgoglioso: «Questa è la camera da letto».

«Lo so che sono letti!» Mi manca il respiro. «Ma perché sono singoli?»

«Sul sito dell'Amba c'è un letto gigante» interviene Ben. «Ho visto la foto: dov'è finito?»

Nico sembra sconcertato. «Offriamo diverse opzioni per la suite. Gli ospiti precedenti devono aver ordinato due letti, come vedete. Sono ottimi.» Batte una mano su uno dei due: «Qualità eccelsa, non è di vostro gradimento?».

«No che non è di nostro gradimento!» taglia corto Ben. «Ci serve un letto matrimoniale. Uno solo. Gigante. Il migliore che avete.»

«Ah.» Nico assume un'espressione contrita. «Mille scuse, signore. Sono desolato, ma visto che non l'avete ordinato in anticipo...»

«Non avremmo dovuto ordinarlo in anticipo! Siamo in luna di miele, e questa è una suite luna di miele!» Ben sta ansimando. «Che cavolo di suite luna di miele ha due letti singoli?»

«Signore, la prego di non allarmarsi» dice Nico rassicurante. «La capisco. Ordinerò immediatamente un letto matrimoniale.» Prende il telefono e si mette a parlare a raffica in greco. Alla fine chiude la comunicazione e sorride di nuovo. «È tutto sotto controllo. Di nuovo mille scuse. Mentre risolviamo il problema, posso offrirvi un cocktail al bar del pianterreno?»

Mi mordo la lingua per non rispondergli male. Non voglio prendere un cocktail al bar. Voglio la mia prima notte di nozze. Subito.

«Be', quanto tempo ci vorrà?» Ben si acciglia. «È veramente assurdo.»

«Signore, completeremo la sostituzione al più presto. Gli operai arriveranno appena... Ah!» Si sente bussare alla porta e Nico si illumina. «Eccoli!»

Sei uomini in tuta da lavoro entrano nella stanza e Nico parla loro in greco. Un tizio solleva il fondo di un letto e lo guarda con aria dubbiosa. Dice qualcosa in greco a un collega, che alza le spalle e scuote la testa.

«Che cosa?» dice Ben concitato, guardando prima l'uno poi l'altro. «Qual è il problema?»

«Nessun problema» risponde Nico rassicurante. «Posso consigliarvi di sedervi in salotto mentre noi risolviamo una piccola questione?»

Ci accompagna fuori e noi ci ritroviamo in salotto. Il televisore sta ancora trasmettendo i "Teletubbies" a tutto volume. Schiaccio freneticamente il telecomando, ma non si spegne. Non funziona neppure il tasto del volume. Il telecomando è scarico?

«Per piacere» dico subito. «Non sopporto questa roba, può spegnere la tivù?»

«E fa un freddo cane qui dentro» aggiunge Ben. «Come si fa a regolare il condizionatore d'aria?»

È vero che qui si gela, me n'ero già accorta.

«Chiamo il maggiordomo» dice Nico con un sorriso. «Si occuperà lui di voi.»

Esce dalla porta e si dilegua, e io guardo Ben incredula. A questo punto dovremmo fare l'amore, trascorrere la serata più incandescente della nostra vita, e non sorbirci "È l'ora del Tubby, ciao-ciao!" a tutto volume, seduti in un salotto a temperatura polare, mentre sei operai lavorano nella camera accanto.

«Dài» dice Ben all'improvviso. «In biblioteca c'è un sofà.»

Mi attira frettolosamente in quella direzione e chiude la porta. Ci sono scaffali pieni di libri che sembrano finti, una scrivania con della carta intestata dell'hotel e una chaise-longue imbottita e foderata di pesante lino marrone. Ben si gira a guardarmi.

«Oddio» sospira incredulo.

«Oddio» gli faccio eco. «Che assurdità.» Prendiamo fiato e poi è come se qualcuno avesse dato il via alla gara "Caccia alle zone più erogene in un minuto". Lui mi assale e io l'assalgo, le sue mani sono dappertutto, il mio reggiseno viene slacciato, la camicetta strappata e mi sto sbottonando la gonna... Ha la pelle così calda, così gustosa che desidero assaporarlo ancora un po', ma lui si sta già guardando intorno nella stanza con aria determinata.

«Sofà» ansima «o scrivania?»

«Per me è uguale» riesco a dire.

«Non posso più aspettare.»
«E se ci sentono?»
«Non ci sentono.» Mi sta slacciando la gonna. Sto per esplodere. Finalmente, finalmente... sì... sì...
«Signore? Madame?» Sentiamo bussare alla porta. «Signore, madame? Signor Parr?»
Che cosa?
«Noooo» gemo. «Nooooooo...»
«Ma che cazzo...» Ben è livido di rabbia. «Mi sentite?» alza la voce. «Abbiamo da fare, tornate fra dieci minuti.»
«Ho un omaggio della direzione» dice qualcuno dietro la porta. «Biscotti appena sfornati: dove desidera che li metta?»
«Li metta dove le pare» urla Ben impaziente. «Non importa.»
«Per piacere, signore, potrebbe gentilmente mettere una firma per confermare la ricezione del dono?»
Ho paura che Ben esploda. Per un attimo rimaniamo zitti.
«Signore?» Il tizio riprende a bussare. «Mi sente? Ho i biscotti appena sfornati, omaggio della direzione.»
«Firma in fretta» bisbiglio. «Poi torniamo qui.»
«Dannazione...»
«Eh, sì, lo so.»
Stiamo cercando di risistemarci un minimo. Ben si abbottona la camicia e fa qualche respiro profondo.
«Pensa alla dichiarazione dei redditi» suggerisco prontamente.
«Okay, prendiamoci questi maledetti biscotti.»
Ben spalanca la porta della biblioteca e si ritrova davanti un uomo anziano con un'elegante livrea grigia e un vassoio d'argento con il coperchio.
«Benvenuti all'Amba Hotel, signori Parr» dice lui solenne. «Sono Georgios, il vostro maggiordomo personale, sempre a disposizione in ogni momento del giorno. Vi ho portato biscotti appena sfornati, omaggio della direzione.»
«Grazie» dice Ben sbrigativo. «Li metta dove vuole.» Scarabocchia sul blocco che gli sta porgendo l'uomo.
«Grazie, signore.» Georgios posa il vassoio d'argento su un tavolino. «Il mio collega arriverà fra poco con il succo di frutta.»
«Il succo di frutta?» Ben lo guarda in faccia. «Che succo di frutta?»
«Succo di frutta fresco, omaggio della direzione» dice Geor-

gios. «Da bere insieme ai biscotti. Il mio assistente Hermes ve lo porterà direttamente. Se desiderate più ghiaccio, chiedete pure.» Consegna a Ben un biglietto da visita. «Il mio numero. Al vostro servizio.»

Ben sta ansimando. «Senta» dice. «Non vogliamo nessun succo di frutta, lo rimandi indietro. Vogliamo solo un po' di *privacy*. Chiaro?»

«Capisco» risponde subito Georgios. «Privacy, naturalmente.» Annuisce solenne. «Questa è la vostra luna di miele e desiderate essere lasciati da soli. È un momento speciale per un uomo e una donna.»

«Esatto...»

Ben viene interrotto da un rumore fortissimo.

«Ma che diamine...» Corriamo entrambi in salotto. Sulla porta della camera da letto c'è un uomo in tuta da lavoro bianca che litiga con un tizio all'interno della stanza. Nico ci raggiunge in fretta, torcendosi le mani ansioso.

«Signore, madame, vogliate scusare questo frastuono.»

«Che cosa succede?» Ben ha gli occhi spiritati. «Che cos'è questo rumore assordante?»

«Abbiamo un problemino con lo spostamento dei letti» cerca di placarlo Nico. «Un problemino minuscolo.»

Un altro uomo in tuta bianca compare da dietro la porta con un grosso martello in mano. Fissa Nico scuotendo la testa in modo inquietante.

«Che cos'è questa storia?» domanda Ben. «Perché scuote la testa? Avete cambiato i letti?»

«E per piacere potete fare qualcosa con quel televisore?» intervengo io. «È insopportabile.» Appena si interrompe il fracasso dei martelli, si sentono di nuovo le urla dei Teletubbies. Me lo sto immaginando, o il volume è ancora più alto di prima?

«Signore, madame, vi porgo le mie più umili scuse. Stiamo lavorando al letto in tutta fretta. Quanto al televisore...» Nico ha in mano un telecomando, che punta verso il muro. Il volume aumenta immediatamente.

«No!» Mi premo le mani sulle orecchie. «È troppo forte! Lo voglio più basso!»

«Mille scuse!» grida Nico in mezzo al baccano. «Ci provo di nuovo!»

Preme i tasti del telecomando alcune volte, ma non succede niente. Se lo sbatte sulla testa e lo agita. «È bloccato!» dice con aria sbigottita. «Chiamo un tecnico.»

«Mi scusi.» Un altro cameriere in livrea si è materializzato dal nulla. «La porta era aperta. Ho del succo di frutta fresco, omaggio della direzione. Signora, dove desidera che lo metta?»

«Io... io...» Sto farfugliando, ho voglia di urlare, di sfogarmi. Questa dovrebbe essere la nostra prima notte di nozze. *La nostra prima notte di nozze.* E siamo qui in piedi in una suite d'hotel, circondati da operai con martelli e camerieri con vassoi, e dalle urla dei Teletubbies che mi trapanano il cervello.

«Madame» dice Nico gentilmente. «Sono mortificato da questi inconvenienti. Posso offrirle di nuovo un cocktail al bar?»

11

FLISS

Faccio fatica a leggere i messaggi. Mi sembra di spiare. È come fermarsi a dare un'occhiata a un incidente stradale. Eppure non posso farne a meno, anche se ho l'istinto di coprirmi gli occhi.

Lottie e Ben stanno trascorrendo la prima notte di nozze più terrificante che si ricordi a memoria d'uomo. Non si può descriverla altrimenti: è orribile, agghiacciante. Ed è tutta colpa mia. Ho una fitta allo stomaco dietro l'altra. Ogni bollettino mi fa sentire peggio. Ma è tutto a fin di bene, mi dico risoluta, pronta a leggere l'SMS successivo.

Un altro giro di margarita. Certo che il ragazzo regge bene l'alcol. N

Nico mi ha tenuta al corrente di ogni sviluppo nel corso dell'intera serata. Negli ultimi quattro messaggi mi ha ragguagliato su tutti i cocktail gratuiti che Lottie e Ben hanno consumato. Una quantità da far accapponare la pelle. Hanno cominciato a bere alle dieci, ora locale. Adesso è mezzanotte. A questo punto, Lottie sarà per forza completamente andata.

Ma Ben? Mi blocco un attimo, battendo pensierosa il telefonino contro il palmo della mano. Mi torna in mente una cosa che mi ha detto Lorcan sul suo conto: "Ha un talento naturale per il gioco d'azzardo, ma manca di buon senso".

Un talento naturale per il gioco d'azzardo. Mmh. Scrivo un messaggio rapidissimo a Nico:

Gli piace il gioco d'azzardo.

Non dico altro. Nico saprà come utilizzare l'informazione.

Schiaccio il tasto "invio", poi chiudo in fretta la valigia, cercando di placare la mia mente inquieta. Pensieri contrastanti continuano però a sfrecciare avanti e indietro, trapanandomi il cervello.

Sto sabotando la luna di miele di mia sorella. Sono una persona orribile. Ma è solo perché desidero che sia felice.

Sì, esatto.

Sì, esatto.

Cioè, che cosa succederebbe se decidessi di non intromettermi e lei rimanesse incinta, loro si separassero e lei si pentisse di tutto quel che ha fatto? Eh? Rimpiangerei di NON aver fatto qualcosa? Come la gente che ai tempi del nazismo teneva gli occhi bassi, fingendo di non essersi accorta di niente?

Non che quel Ben sia un nazista, almeno per quello che ne so io.

Mi sento male per tutta la storia dei "Teletubbies". È stato crudele. Lottie ha quasi la fobia di quel programma.

Trascino il trolley in corridoio e lo metto vicino al bagaglio di Noah. Lui dorme tranquillo in camera sua, abbracciato a Monkey, e io infilo un attimo la testa nello spiraglio della porta per guardarlo. Ha accolto la notizia del viaggio con la massima calma ed è andato subito a prendere la sua piccola valigia, chiedendomi solo quante paia di mutande dovesse portare. Un giorno governerà il mondo, il mio Noah.

Vado in bagno e riempio la vasca, versandoci dentro uno degli innumerevoli bagnoschiuma acquistati al duty-free che ingombrano il gabinetto. Mi sono resa conto di fare shopping quasi esclusivamente negli aeroporti. Mi provo i vestiti prima di salire sull'aereo e li ritiro al ritorno. Acquisto set di Clarins a bordo. Ho scorte di salame stagionato spagnolo e parmigiano sufficienti per un anno. E di Tobleroni.

Esito un attimo, ho in mente il Toblerone: da mangiare distesa nella vasca, insieme a un bicchiere di vino...

Dopo un millisecondo di conflitto interiore, mi dirigo all'armadietto dei dolciumi in cucina. Sei Tobleroni enormi sono incastrati vicino a una scatola di dimensioni assurde di Ferrero Rocher che concedo a Noah ogni sabato, tre alla volta. Secondo lui, arrivano sempre a gruppi di tre. Non gli è mai venuto il dubbio che possano essere assunti in quantità superiori.

Sto spezzando un pezzo di Toblerone quando mi squilla il

telefonino e io lo afferro, chiedendomi se possa essere Nico. Sul display però c'è scritto "Lottie".

Lottie? Turbata, lascio cadere il Toblerone a terra. Fisso il cellulare con il cuore in tumulto, il pollice sospeso sul tasto "rispondi". Non voglio parlarle. In ogni caso, ormai è troppo tardi: è scattata la segreteria telefonica. Poso risollevata il telefonino sul banco della cucina, ma quasi subito dopo riprende a suonare: "Lottie".

Deglutisco rumorosamente. Non posso tirarmi indietro, sennò dovrò richiamarla, il che potrebbe essere persino peggio. Chiudo gli occhi, faccio un respiro profondo e rispondo.

«Lottie! Dovresti essere in luna di miele!» Cerco di assumere un tono allegro e innocente. «Che cosa ti viene in mente di telefonare a me?»

«Fliiiiiiss?»

Eseguo una diagnosi istantanea della sua voce. È ubriaca. Be', quello lo sapevo già. Ma anche lacrimosa. Soprattutto, non sospetta che abbia fatto niente di scorretto, sennò non mi direbbe "Fliiiiiiss?" con il punto di domanda in fondo.

«Che cosa succede?» domando allegramente.

«Fliss, non so che cosa fare!» geme. «Ben è completamente ubriaco, cioè sta quasi per svenire. Come faccio a svegliarlo? Che cosa faccio? Non hai qualche rimedio magico?»

In effetti ho un metodo testato e collaudato a base di caffè nero, cubetti di ghiaccio e deodorante spruzzato nelle narici, ma non ho intenzione di rivelarglielo adesso.

«Cavolo» dico solidale. «Poverina... non so che cosa dirti, magari una tazza di caffè?»

«Non riesce neppure a mettersi a sedere! Ha bevuto tutti questi stupidi cocktail e io ho dovuto aiutarlo a salire in camera nostra, poi è crollato sul letto, e questa dovrebbe essere la nostra prima notte di nozze!»

«Oh, no! Cerco di avere un tono scioccato. «Allora non avete neppure...»

«No!»

Tiro un sospiro di sollievo, è più forte di me. Temevo che fossero riusciti a fare una sveltina all'insaputa di tutti.

«Non abbiamo fatto *niente*» geme Lottie affranta. «E lo so che tu hai raccomandato questo albergo, Fliss, ma francamente è un incubo! Presenterò un reclamo ufficiale! Hanno rovinato la nostra luna di miele. Ci hanno dato due letti separati! Dicono che non riescono a spostarli! In questo momento sono seduta su un letto a una piazza! In una suite luna di miele!»

«Oddio, non ci posso credere!» Ho un tono di voce sempre più falso, ma Lottie sta parlando a raffica e non se ne accorge.

«Allora ci offrono una marea di roba da bere, e il concierge scommette con Ben che non riuscirà a mandare giù questo cocktail speciale greco. Un attimo dopo se l'è scolato fino all'ultima goccia, tutti lo acclamano nel bar e lui praticamente va in coma! Cioè, che cavolo ci hanno messo dentro? Dell'assenzio?»

Non voglio neppure pensarci.

«Ci stavamo sbaciucchiando nell'ascensore per tornare nella nostra stanza» continua Lottie, agitata. «E io ho pensato, bene, finalmente ci siamo... poi, all'improvviso, mi sento un peso morto sulla spalla: Ben si è addormentato! Nel bel mezzo dei baci! Ho dovuto trascinarlo dentro la stanza, e pesa una tonnellata... e adesso è lì che russa!» Sembra sul punto di piangere.

«Dài, Lottie.» Mi passo una mano fra i capelli, cercando disperatamente un modo per cavarmi d'impaccio. «Non è poi così grave. Fatti una bella dormita e... ehm... goditi gli optional dell'albergo.»

«Ho intenzione di fare causa all'albergo.» Non sembra neppure ascoltarmi. «Non so proprio come abbia fatto a vincere il premio di migliore suite luna di miele. È la peggiore!»

«Hai mangiato? Perché non ti fai portare qualcosa con il servizio in camera? Hanno un ottimo sushi, e c'è anche una pizzeria italiana...»

«Okay, magari faccio così.» La rabbia pare attenuarsi e la sento sospirare profondamente. «Scusa se mi sono sfogata con te, Fliss, cioè, non è mica colpa tua.»

Non riesco proprio a rispondere.

Mi ripeto freneticamente che sto facendo la cosa più giusta. Che cosa è peggio, rimanere frustrate e sconvolte per una sola notte o incinte e pentirsene per tutta la vita?

«Fliss? Mi senti?»

«Sì, sì. Ascolta, cerca di farti una dormita. Domani andrà meglio, vedrai.»

«'Notte, Fliss.»

«'Notte, Lottie.»

Poso il telefono e fisso il vuoto davanti a me per un attimo, cercando di placare il mio senso di colpa.

"Domani andrà meglio, vedrai."

Una bugia colossale. Ho già parlato con Nico. Domani non andrà meglio.

12

LOTTIE

Non voglio essere pessimista, ma se potessi dire come mi ero figurata il mattino dopo la prima notte di nozze, non sarebbe certo stato così.

Non sarebbe certo stato così.

Ho sempre immaginato me e il mio neomarito stretti l'una all'altro in un enorme letto con le lenzuola di cotone bianco, come in una pubblicità del borotalco. Gli uccellini che cantavano fuori, il sole che splendeva delicatamente sui nostri visi mentre ci giravamo a guardarci e ci baciavamo, ricordando la splendida notte appena trascorsa e sussurrando paroline dolci senza senso prima di abbandonarci con naturalezza a una mattinata di sesso selvaggio.

Non di svegliarmi in un letto singolo con il torcicollo, i denti non lavati, l'odore della pizza servita in camera la sera prima e i gemiti di Ben provenienti dal letto accanto al mio.

«Tutto a posto?» Cerco di avere un tono premuroso, anche se vorrei prenderlo a calci.

«Credo di sì.» Sembra fare uno sforzo immane per alzare la testa. Ha un colorito verdognolo ed è ancora completamente vestito. «Che cosa è successo?»

«Hai vinto una scommessa» rispondo sbrigativa. «Bravo.»

Ben ha un'espressione distante, il suo sguardo vaga nervoso per la stanza. Sta chiaramente cercando di raccapezzarsi.

«Ho esagerato, vero?» dice alla fine.

«Un pochino.»

«Scusami.»

«Eh, già. Be', pazienza.»

«No, scusami.»
«Ho sentito.»
«No, mi dispiace davvero tantissimo.» Slancia le gambe fuori dal letto e si alza in piedi, oscillando platealmente per un attimo. «Signora Parr, le porgo le mie più sentite e umili scuse. Come potrò mai farmi perdonare?» Fa un inchino profondo, cadendo quasi per terra, e io soffoco un sorriso. Non riesco a rimanere arrabbiata, Ben è sempre stato un ammaliatore.
«Mmh, non mi viene in mente nulla.» Faccio il broncio.
«C'è un po' di posto in quel letto?»
«Forse...»
Mi sposto e alzo il piumino, invitandolo a coricarsi vicino a me. È un piumino di lusso. Abbiamo anche la possibilità di scegliere venti tipi di cuscino. L'ho letto ieri notte mentre mangiavo la pizza. Adesso però non potrebbe fregarmene di meno del cuscino, se sia fatto di grano saraceno, ipoallergico o foderato di seta. Mio marito è a letto con me. Sveglio. Questa è l'unica cosa che conta.
«Mmh.» Mi preme il viso sul collo. «Come sei accogliente.»
«Tu invece puzzi d'alcol.» Arriccio il naso. «Togliti il vestito.»
«Con piacere.» Con un unico movimento si toglie la giacca e la camicia da sopra la testa poi, a petto nudo, si mette a cavalcioni sopra di me e sorride. «Ciao, moglie.»
«Ciao, cretino.»
«Come dicevo, mi farò perdonare.» Mi passa un dito sulla guancia, scende lungo il collo e sotto il piumino, toccando il bordo della mia canotta di raso ultracostosa. «Abbiamo tutta la mattinata per noi.»
«Tutto il giorno.» Tendo le braccia per attirarlo a me e baciarlo.
«Ce lo siamo meritati» sussurra. «Oddio.» Mi sta sfilando le mutandine coordinate. «Lottie, mi ricordo di te.»
«E io di te» biascico, travolta dal desiderio.
Adesso lui è completamente nudo. È figo come un tempo; è bello tonico come un tempo. È la stessa sensazione magnifica che ricordavo, sarà fantastico...
«Madame?» La voce solenne di Georgios mi fende l'orecchio. Per un attimo penso sia Ben che perde tempo a fare un commento qualsiasi. Poi mi rendo conto che non è lui. Quindi deve essere per forza il maggiordomo. Dunque...

Con il cuore in gola, mi alzo subito a sedere afferrando il piumino per coprirmi.

Il maggiordomo è nella suite?

«Buongiorno!» urlo con voce strozzata.

«La signora gradisce la colazione?»

Ma che cavolo succede? Guardo Ben angosciata e lui sembra sul punto di picchiare qualcuno.

«Hai messo il cartello "Non disturbare"?» bisbiglia.

«Credevo di sì!»

«Allora che...»

«Non lo so!»

«Buongiorno.» Georgios compare sulla porta della camera da letto. «Signore, madame, mi sono preso la libertà di ordinarvi una colazione molto speciale, altamente raccomandata da tutti i nostri ospiti in luna di miele VIP. La nostra "colazione champagne e musica".»

Lo fisso, senza parole. Musica? Che cosa significa? Che cavolo...

No, non se ne parla. Poi vedo comparire una ragazza sulla porta e per poco non mi vengono le convulsioni per lo choc: ha lunghi capelli biondi, una tunica greca e sta trascinando un'arpa enorme.

Io e Ben ci scambiamo sguardi allucinati. Come facciamo a fermarli? Che cosa dobbiamo fare?

«Signori Parr, tanti auguri di un felice matrimonio! Oggi accompagnerò la vostra colazione con una selezione di melodie d'amore» dice la ragazza, poi si siede su uno sgabello pieghevole. Un attimo dopo è lì che pizzica energicamente le corde dell'arpa, mentre Georgios e il suo assistente ci posano sul letto vassoi, ci versano bicchieri di champagne, ci sbucciano la frutta e ci offrono ciotoline d'acqua per rinfrescare le dita.

Ho perso il dono della parola. È una scena troppo surreale. Mi aspettava la mattinata di sesso più incandescente della mia vita. Stavo per consumare il mio matrimonio. E invece mi sto facendo sbucciare un kiwi da un sessantenne in livrea mentre un'arpista strimpella *Love Changes Everything*.

Non sono mai stata una grande amante dell'arpa, ma a questa qui lancerei volentieri il cestino dei minicroissant.

«Prego, un bel brindisi per celebrare il vostro matrimonio.» Georgios indica le nostre flûte di champagne. Noi incrociamo obbedienti le braccia per berne un sorso e, senza preavviso, il maggiordomo ci getta addosso una manciata di coriandoli rosa. Mi metto a sputacchiare sconvolta. E questo che cosa mi significa? Un attimo dopo un flash mi abbaglia e mi rendo conto che Georgios ci ha fatto una foto.

«Una foto ricordo» dice solenne. «Ve la consegneremo in un album rilegato in pelle. Omaggio della direzione.»

Che cosa? Lo guardo inorridita. Non voglio una foto ricordo che mi ritrae arruffata, con i postumi di una sbornia e dei coriandoli appiccicati alla bocca.

«Mangia» mi bisbiglia Ben all'orecchio. «In fretta, così se ne vanno.»

Non è una cattiva idea. Prendo la teiera e Georgios balza in avanti con aria di rimprovero.

«Signora, lasci fare a me.» Mi versa una tazza di tè e io bevo qualche sorso. Ingoio dei pezzi di kiwi, poi mi tocco la pancia. «Mmh, buonissimo! Ma sono piena.»

«Anch'io.» Ben annuisce. «È stata una colazione fantastica, ma adesso potreste andarvene?»

Georgios esita con aria riluttante.

«Signore, madame, ho per voi un piatto speciale a base di uova. Sono uova di qualità eccelsa con doppio tuorlo, preparate con lo zafferano...»

«No, grazie. Niente uova, niente di niente.» Ben squadra Georgios in faccia. «Niente. Uova. Grazie.»

«Come vuole, signore» dice Georgios alla fine. Fa un cenno alla ragazza, che improvvisa un finale, poi si alza, si inchina e si accinge a trascinare via la sua arpa. I due maggiordomi prendono i vassoi e li portano sui carrelli lasciati fuori dalla porta. Poi Georgios ricompare in camera da letto.

«Signori Parr, spero abbiate gradito la "colazione champagne e musica". Attendo vostre direttive, sono a vostra completa disposizione. Non ci sono richieste troppo grandi o troppo piccole.» Rimane lì ad aspettare.

«Fantastico» dice Ben in tono tutt'altro che incoraggiante. «Senta, la chiamiamo noi.»

«Attendo vostre direttive» ripete Georgios e si ritira, chiudendo la porta a due battenti della camera da letto.

Io e Ben ci guardiamo in faccia. Sono leggermente isterica.

«Oddio.»

«Accidenti, che sorpresona.» Ben alza gli occhi al cielo.

«Non volevi le uova?» lo prendo in giro. «Guarda che sono fatte con lo zafferano!»

«Lo so io che cosa voglio.» Mi abbassa le spalline della canotta, e il contatto accende scintille di desiderio nel mio corpo.

«Anch'io.» Lo sfioro e lui è scosso da un brivido lieve.

«Dove eravamo arrivati?» Le sue mani mi cercano sotto il piumino, lente e determinate. Sono così sensibile alle sue carezze che non posso fare a meno di gemere.

Ha gli occhi sbarrati e febbrili, il respiro accelerato. Lo attiro a me e mi sento le sue labbra dappertutto, la mente si svuota e il corpo prende il sopravvento. Okay, ci siamo. *Ci siamo.* Sto gemendo di piacere e anche lui, fra poco succede, succede davvero... sto per esplodere... su, dài, dài...

Poi mi blocco. Sento un rumore, un fruscio, appena dietro la porta della camera da letto.

Allontano automaticamente Ben da me e mi alzo a sedere con tutti i sensi all'erta.

«Fermo! Fermo. Ascolta.» Non riesco neppure a pronunciare le parole come si deve. «È ancora qui.»

«Cosa?» Ben ha il viso contratto dal desiderio e io non sono sicura che stia capendo quello che dico.

«È ancora qui!» Gli sposto la mano dal mio seno e indico freneticamente la porta. «Il maggiordomo! Non se n'è andato!»

«*Cosa?*» Un'espressione torva e assassina gli si disegna in viso. Scende di scatto dal letto, completamente nudo.

«Non puoi uscire in quel modo!» strillo. «Mettiti l'accappatoio.»

L'espressione torva diventa ancora più assassina. Si infila un accappatoio e spalanca la porta della camera da letto. Come volevasi dimostrare, Georgios è lì, impegnato a disporre i bicchieri in bell'ordine sul mobile bar.

«Ah, Georgios» dice Ben. «Mi sa che non ci siamo capiti. Grazie molte. Per ora basta così. Grazie.»

«Capisco, signore.» Georgios fa un piccolo inchino. «Aspetto vostre direttive.»

«Bene.» Sento la rabbia di Ben vacillare. «Bene, le mie direttive sono queste: se ne vada, esca da questa stanza. Vada via. *Adiós.*» Lo allontana agitando le braccia. «Ci lasci *soli.*»

«Ah.» Alla fine Georgios coglie l'antifona. «Capisco. Molto bene, signore. Chiamatemi se avete bisogno di qualcosa.» Fa un altro inchino e poi si dirige in cucina. Ben esita un attimo, poi lo segue per accertarsi che esca davvero.

«Così va bene» lo sento dire con fermezza. «Vada via e si rilassi, Georgios. Non si preoccupi di noi. No, possiamo versarci da soli la nostra acqua, grazie. Arrivederci, allora. Arrivederci...» La sua voce si allontana quando entra in cucina.

Pochi istanti dopo compare sulla porta della stanza da letto e agita i pugni in aria. «È andato! Finalmente!»

«Bravo!»

«Che testa dura.»

«Sta solo facendo il suo lavoro, immagino.» Alzo le spalle. «Evidentemente, ha un forte senso del dovere.»

«Non voleva andarsene» dice Ben incredulo. «Ti aspetteresti che uno cogliesse al volo l'opportunità di avere un po' di tempo libero. Lui invece continuava a ripetere che avremmo avuto bisogno di lui per versarci l'acqua minerale, e io a insistere che non siamo due rammolliti buoni a nulla. Viene da chiedersi che razza di gente frequenti questi posti...»

Ben si interrompe a metà frase e rimane a bocca aperta. Giro la testa e mi sento cascare anch'io la mandibola.

No.

Non può essere...

Entrambi guardiamo increduli Hermes, l'assistente di Georgios, entrare spedito in salotto.

«Buongiorno, signori Parr» dice allegramente. Si avvicina al bar e comincia a spostare gli stessi identici bicchieri che Georgios stava riordinando dieci secondi prima. «Posso offrirvi un drink? Uno spuntino? Posso aiutarvi ad allietare la vostra giornata?»

«Che... che...» Ben sembra quasi incapace di proferire parola. «Che cavolo ci fa qui?»

Hermes alza lo sguardo, apparentemente perplesso.

«Sono l'assistente del vostro maggiordomo» risponde alla fine. «Sono io di turno quando Georgios si riposa. Aspetto vostre direttive.»

Mi sembra di impazzire.

Siamo intrappolati nell'inferno dei maggiordomi.

È così che vivono i ricchi? Adesso capisco perché le celebrità sembrano sempre così tristi. Stanno pensando: "Se solo quel cavolo di maggiordomo ci lasciasse fare un po' di sesso...".

«Per piacere.» Ben sembra quasi impazzito. «Per piacere se ne vada, immediatamente. Vada via.» Sta accompagnando Hermes alla porta.

«Signore» dice Hermes allarmato. «Io non uso l'uscita degli ospiti, ma quella della cucina.»

«Non mi frega niente della porta che usa!» Ben sta praticamente urlando. «Se ne vada via! Fuori! *Vamos!* Sciò!» Lo spinge verso l'uscita come se fosse un animale fastidioso. Hermes arretra con espressione terrorizzata, mentre io osservo la scena dalla porta avvolta nel piumino del letto, poi il campanello d'ingresso ci fa sobbalzare violentemente tutti e tre. Ben si irrigidisce e si gira di scatto, come se sospettasse un imbroglio.

«Signore.» Hermes si sta ricomponendo. «La prego, signore, mi permette di aprire la porta?»

Ben non risponde. Espira rumorosamente dalle narici. Mi guarda e io mi stringo nelle spalle, angosciata. Il campanello suona di nuovo.

«La prego, signore» ripete Hermes. «Mi permette di aprire la porta?»

«Su, la apra» dice Ben con espressione truce. «La apra, ma non faccia entrare personale delle pulizie, non ci serve nessuno che ci rimbocchi le coperte o che ce le sollevi di nuovo, non vogliamo champagne né frutta né arpe del cavolo.»

«Molto bene, signore» dice Hermes, guardandolo preoccupato. «Mi permette...»

Passa davanti a Ben, entra nel corridoio e apre la porta. Nico si intrufola rapidissimo, seguito dai sei operai della sera precedente.

«Buongiorno, signori Parr!» dice allegramente. «Confido che abbiate dormito bene. Mille scuse per ieri sera. Ho buone notizie per voi! Siamo arrivati a cambiare i vostri letti.»

13
LOTTIE

No, non può essere vero: siamo stati sbattuti fuori dalla nostra suite luna di miele.

Ma che cos'ha che non va questa gente? Mai vista una simile manica di incapaci in vita mia. Hanno svitato le gambe di un letto, l'hanno girato e hanno deciso che era troppo grande, poi Nico ha suggerito di avvitarle di nuovo e ricominciare... e per tutto il tempo Ben è stato lì a ribollire di rabbia, sempre sul punto di esplodere.

Alla fine ha cominciato a urlare così forte che gli operai si sono raccolti tutti intorno a Nico in cerca di protezione. Bisogna riconoscere che il concierge ha saputo mantenere il suo aplomb, persino quando Ben ha cominciato a minacciarli con l'asciugacapelli. Nico ci ha chiesto gentilmente di uscire dalla suite finché gli operai erano al lavoro; forse, nel frattempo, avremmo gradito una colazione *à la carte* sulla veranda, completamente gratuita?

Questo è successo due ore fa. Quanto può durare una colazione *à la carte*? Siamo tornati nella stanza a prendere la nostra roba per la spiaggia e c'era ancora della gente: erano tutti lì che guardavano i letti e si grattavano la testa. La stanza è piena di gambe di letto, testiere e un materasso matrimoniale maxi appoggiato al muro. A quanto pare, il letto era "del tipo sbagliato". Ma che cosa vuol dire?

«Che cosa ci vorrà mai a cambiare dei letti?» dice Ben infuriato, mentre ci incamminiamo verso la spiaggia. «Cosa sono, deficienti?»

«Stavo pensando la stessa cosa.»

«È assurdo.»
«Un'idiozia.»
Ci fermiamo all'entrata della spiaggia. È uno spettacolo notevole: mare blu, spiaggia dorata, file di lettini, i più morbidi che abbia mai visto, ombrelloni bianchi che si gonfiano al vento e camerieri che si danno da fare portando bevande su vassoi. In qualsiasi altro giorno, mi sarebbe venuta l'acquolina in bocca.
In questo momento, però, desidero una cosa sola, e non c'entra niente con l'abbronzatura.
«Avrebbero dovuto darci un'altra stanza» dice Ben per la centesima volta. «Dovremmo fargli causa.»
Appena ci hanno detto di andarcene, Ben ha chiesto una stanza sostitutiva e per un istante celestiale ho pensato che alla fine sarebbe andato tutto bene. Avremmo potuto infilarci in un'altra camera, trascorrere una splendida mattinata insieme, sbucare giusto in tempo per il pranzo... Invece no. Nico si è torto le mani e ha detto che era mortificato e addolorato, ma tutte le stanze dell'hotel erano prenotate: i signori non avrebbero gradito invece un giro gratis in mongolfiera?
Un giro gratis in una cavolo di mongolfiera? Ho temuto che Ben lo strozzasse.
Mentre facciamo una pausa vicino alla rastrelliera per gli asciugamani, avverto una presenza incombente. È Georgios. Da dove è spuntato? Ci ha seguiti? Fa parte del servizio? Do una gomitata a Ben e lui alza il sopracciglio.
«Madame» dice Georgios solenne. «Posso aiutarla a portare gli asciugamani?»
«Oh. Ehm, grazie» rispondo imbarazzata. Veramente non ho bisogno di aiuto, ma sarebbe scortese dirgli di andarsene.
Georgios prende gli asciugamani e un bagnino ci guida verso due lettini davanti al mare. Molti ospiti si sono già accomodati e nell'aria aleggia il profumo delle creme solari. Le onde si frangono dolcemente sulla spiaggia... Devo ammetterlo, è veramente incantevole.
Il bagnino e Georgios stanno stendendo gli asciugamani con precisione militare.
«Acqua in bottiglia.» Georgios posa un secchiello refrigerante sul nostro tavolino. «Gliela stappo, madame?»
«Non si preoccupi. Magari bevo dopo. Grazie mille, Georgios,

per ora basta così.» Mi siedo su un lettino e Ben si accomoda sull'altro. Mi libero delle infradito agitando i piedi, mi tolgo il caftano, mi corico e chiudo gli occhi, sperando che Georgios colga l'antifona. Un attimo dopo un'ombra attraversa le mie palpebre e io le apro. Non ci posso credere, Georgios sta raddrizzando con cura le mie infradito e piegando il caftano.

Intende rimanere qui con noi tutto il dannato giorno? Do un'occhiata a Ben, che sta chiaramente pensando alla stessa cosa.

Appena vede che mi alzo a sedere, Georgios scatta sull'attenti.

«La signora desidera fare il bagno? La signora desidera camminare sulla sabbia rovente?» Mi porge le ciabatte.

Cosa?

Okay, questa è pura idiozia. Questi alberghi a cinque stelle hanno esagerato alla grande. Sì, sono in vacanza, sì, è bello godere di un minimo di servizio personale, ma non è che all'improvviso non sono più capace di stendere un asciugamano, di stappare una bottiglia o di infilarmi le infradito.

«No, grazie. In realtà, desidero...» Cerco di farmi venire in mente qualcosa che richieda un bel po' di tempo. «Vorrei una spremuta d'arancia fresca con del miele spruzzato sopra. E degli M&M's. Solo marroni. Grazie mille, Georgios.»

«Madame.» Con mio grande sollievo, fa un inchino e si allontana.

«M&M's marroni?» dice Ben incredulo. «Che diva.»

«Ho provato a liberarmi di lui» ribatto sottovoce. «Ha intenzione di pedinarci tutto il giorno? È questo il compito di un maggiordomo personale?»

«Lo sa solo Dio.» Ben sembra distratto. Continua a guardarmi il reggiseno del costume o, meglio, il contenuto del reggiseno.

«Fatti spalmare la crema» mi dice. «Questo lavoro non lo lascio al maggiordomo.»

«Okay, grazie.» Gli passo il flacone e lui se ne spruzza un bel po' sulla mano. Mentre comincia a spalmare, lo sento respirare affannosamente.

«Dimmi se sono troppo irruento» mi sussurra. «O troppo poco.»

«Ehm... Ben» bisbiglio. «Intendevo la schiena. Non ho bisogno d'aiuto a spalmarla nel décolleté.»

Mi sa che non mi sente, perché non si ferma. Una donna vicina ci sta guardando in modo strano. Ben prende un altro po' di crema e comincia a spalmarla sotto il reggiseno con entrambe le mani. Ha il respiro molto pesante. Ora ci stanno guardando anche altre persone.

«Ben!»

«Volevo solo fare un lavoro preciso» farfuglia.

«Ben! Smettila!» Mi sposto di scatto. «Spalmamela sulla *schiena*.»

«Va bene.» Sbatte le palpebre un po' di volte con lo sguardo vacuo.

«Forse è meglio che lo faccia da sola.» Gli strappo il flacone di mano e comincio a spalmarmi la crema sulle gambe. «Ne vuoi un po'? Ben?» Gli agito la mano davanti al viso per attirare la sua attenzione, ma lui sembra in trance. Poi, d'un tratto, si riscuote.

«Mi è venuta un'idea.»

«Che idea?» gli domando guardinga.

«Un'idea brillante.»

Si alza in piedi e si avvicina a un uomo e a una donna distesi sui lettini vicini. Li avevo già notati prima, a colazione. Hanno tutti e due i capelli rossi e temo possano prendersi una scottatura.

«Salve.» Ben sfodera un sorriso ammaliante alla donna. «Vi state godendo la vacanza? A proposito, io mi chiamo Ben. Siamo appena arrivati.»

«Ah, salve.» La donna ha un tono leggermente sospettoso.

«Bel cappello.» Indica la testa della signora.

"Bel cappello"? Mai visto un affare di paglia più insulso in vita mia. Che cosa gli sta frullando in testa?

«Veramente, mi stavo chiedendo una cosa» continua Ben. «Mi trovo in una situazione un po' incresciosa. Devo fare una telefonata molto importante e la nostra stanza è inutilizzabile. Vi spiace se uso la vostra? Farò in un attimo. Ci rimarrò veramente poco. Con mia moglie» aggiunge con nonchalance. «Ci sbrigheremo molto in fretta.»

La donna sembra un po' perplessa.

«Una telefonata?» domanda.

«Un'importante telefonata di lavoro» dice Ben. «Come dicevo, saremo velocissimi. Entriamo e usciamo.»

Mi lancia uno sguardo e mi strizza l'occhio quasi impercettibilmente. Sorriderei, se non fossi così obnubilata dal desiderio. Una stanza. Oddio, abbiamo così tanto bisogno di una stanza...

«Caro?» La donna si sporge verso il marito e lo sospinge leggermente. «Queste persone vogliono prendere in prestito la nostra stanza.» Il marito si alza a sedere e squadra Ben, schermandosi gli occhi dal sole. È più vecchio di sua moglie e sta facendo il cruciverba del "Times".

«Ah, sì? E a che cavolo vi serve la nostra stanza?»

«Per fare una telefonata» risponde Ben. «Una telefonata di lavoro velocissima.»

«Perché non può andare nella sala conferenze?»

«Non c'è abbastanza privacy» risponde Ben senza battere ciglio. «È una chiamata strettamente confidenziale. Gradirei molto un posto appartato.»

«Ma...»

«Senta» Ben esita. «Posso farle un piccolo presente per il disturbo? Diciamo... cinquanta sterline?»

«Eh?» Il marito sembra sbigottito. «Ci vuole dare cinquanta sterline solo per usare la nostra stanza? Dice sul serio?»

«Sono sicuro che l'albergo vi troverà una stanza gratis» interviene premurosa la moglie.

«No, non ce la vogliono dare, okay?» Ben sembra un tantino impaziente. «Ci abbiamo provato, ecco perché lo stiamo chiedendo a voi.»

«Cinquanta sterline.» Il marito posa il cruciverba, si acciglia pensieroso come se gli fosse venuta in mente un'altra idea. «Come... in contanti?»

«In contanti, con assegno, come vuole. Glieli faccio scalare dal conto della stanza. Per me è uguale.»

«Scusi un attimo.» Il marito punta il dito contro Ben come se all'improvviso avesse capito tutto. «Che cos'è, una truffa? Intende consumare centinaia di sterline parlando al mio telefono e darmene cinquanta per il disturbo?»

«No, voglio solo la vostra stanza!»

«Ma ci sono così tanti altri spazi.» La moglie sembra sconcertata. «Perché volete proprio la nostra stanza? Perché non andate in un angolo dell'atrio? Perché non...»

«*Perché ci voglio fare sesso, okay?*» sbotta Ben all'improvviso. Vedo spuntare tante teste sotto gli ombrelloni. «Voglio fare sesso» ripete con più calma. «Con mia moglie. Siamo in luna di miele. Chiedo troppo, forse?»

«Vuole fare sesso?» La moglie si scosta da Ben come se temesse di prendere una malattia. «Nel *nostro* letto?»

«Non è il vostro letto!» dice Ben spazientito. «È un letto d'albergo. Faremo cambiare le lenzuola, o lo faremo per terra.» Si gira verso di me in cerca di conferme. «Andrebbe bene anche il pavimento, vero?»

Mi prude tutta la faccia. Non riesco a credere che stia coinvolgendo anche me. Non riesco a credere che stia dicendo a tutta la spiaggia che lo faremo per terra.

«Andrew!» La moglie si volta verso il marito. «Di' qualcosa!»

Andrew rimane zitto e corruga la fronte per un attimo, poi alza gli occhi.

«Cinquecento e non un centesimo di meno.»

«Che cosa?» Ora tocca alla moglie sbottare. «Stai scherzando! Andrew, quella è la nostra stanza e questa è la nostra luna di miele e non permetteremo a una strana coppia di usare la nostra camera per fare... qualsiasi cosa.» Afferra la chiave magnetica dal lettino di Andrew e se la infila nel costume con aria di sfida. «Siete dei pervertiti.» Guarda Ben con occhi torvi. «Lei e sua moglie.»

Molte teste sono girate verso di noi. Fantastico.

«Okay» dice Ben alla fine. «Be', grazie lo stesso.»

Mentre Ben ritorna da me, un omone peloso con un paio di boxer aderenti si alza di scatto da un lettino vicino e tocca Ben sulla spalla. Persino da qui sento l'odore del suo dopobarba.

«Ehi» dice con forte accento russo. «Io ce l'ho una stanza.»

«Ah, sì?» Ben si gira interessato.

«Tu, io, tua moglie, la mia nuova moglie Natalya... volete divertirvi un po'?»

C'è un momento di pausa... poi Ben si gira a guardarmi con le sopracciglia alzate. Io lo fisso leggermente scioccata. Me lo sta chiedendo davvero? Scuoto la testa con forza, mimando con le labbra: "No, no, no".

«No, grazie, non oggi» risponde Ben sinceramente dispiaciuto. «Un'altra volta.»

«No preoccupa.» Il tipo russo gli dà una pacca sulla spalla e Ben torna al suo lettino. Ci si abbandona sopra e guarda il mare con espressione furente.

«Uffa, per colpa di quella brutta strega frigida, la mia idea geniale è andata in fumo.»

Mi sporgo verso di lui e gli do una manata sul petto. «Ehi, fammi capire: volevi accettare l'offerta del russo?»

«Almeno sarebbe stato qualcosa.»

Qualcosa? Lo fisso incredula, finché lui non alza gli occhi.

«Be'?» ribatte lui sulla difensiva. «Sarebbe stato pur sempre qualcosa.»

«Be', scusami tanto per non aver voluto condividere la mia prima notte di nozze con un gorilla e una ragazza con le tette di gomma» replico sarcastica. «Mi dispiace di aver fatto la guastafeste.»

«Non sono di gomma» dice Ben.

«Le hai guardate, vero?»

«Silicone.»

Non posso fare a meno di ridacchiare. Nel frattempo, Ben è già impegnato a gettare con destrezza un paio di asciugamani sopra l'ombrellone. Che cosa sta facendo?

«Sto solo creando un po' di privacy» dice strizzandomi l'occhio, e si stende accanto a me sul mio lettino, allungando le mani dappertutto come una piovra. «Dio come sei figa... Non mi dirai che hai un bikini aperto sotto, eh?»

Sta scherzando?

In effetti, un bikini aperto sotto sarebbe stato comodo.

«Non credo che esistano...» All'improvviso noto due bambini che ci guardano con curiosità. «Fermati!» sibilo, e tiro fuori la mano di Ben dalle mutandine del costume. «Non lo facciamo su un lettino solare! Sennò ci arrestano!»

«Una granita, signora? Al limone?» Hermes infila la testa sotto gli asciugamani porgendo un vassoio con due bicchieri, e noi facciamo un salto di tre metri. Mi sa che prima di andarmene di qui mi verrà un infarto.

Per un po' rimaniamo in silenzio a mangiare la nostra granita, ascoltando il tenue vocio sulla spiaggia e le onde che lambiscono la sabbia.

«Senti» dico alla fine. «È una situazione di merda, ma non ci possiamo fare niente. O ce ne stiamo qui a ribollire di rabbia e a bisticciare o andiamo a fare qualcosa in attesa che la camera sia pronta.»

«Tipo che cosa?»

«Hai presente...» Cerco di assumere un tono ottimista. «Amene attività vacanziere. Tennis, vela, canoa, ping-pong. Qualsiasi cosa abbiano da offrire.»

«Che figata» dice Ben imbronciato.

«Andiamo a fare due passi e vediamo quello che c'è.»

Voglio andarmene da questa spiaggia. Tutti continuano a girarsi verso di noi bisbigliando dietro i loro libri e il tipo russo non la smette di farmi l'occhiolino.

Ben finisce la sua granita e si protende verso di me per baciarmi. Le sue labbra ghiacciate schiudono le mie con un delizioso sapore di limone e sale.

«*Non possiamo*» dico, quando la sua mano sale automaticamente sul reggiseno del mio bikini. «Uffa, smettila.» Gli allontano bruscamente la mano. «Così diventa troppo difficile. Teniamo le mani a posto finché non sarà pronta la camera.»

«Tenere le mani a posto?» mi fissa incredulo.

«Mani a posto» annuisco risoluta. «Dài, andiamo a fare un giro del complesso... La prima attività che troviamo, la facciamo. Va bene? Affare fatto?»

Aspetto che Ben si alzi in piedi e si infili le infradito. Georgios ci sta venendo incontro sulla passerella dell'albergo e, incredula, vedo che sta portando un vassoio con sopra un bicchiere di succo di arancia e un piatto di M&M's marroni.

«Madame.»

«Wow!» Bevo il succo d'arancia d'un fiato e sgranocchio una manciata di M&M's. «Meraviglioso!»

«La nostra camera è pronta?» domanda Ben bruscamente. «A questo punto deve esserlo per forza.»

«Non credo, signore.» L'espressione di Georgios diventa sempre più cupa. «Temo sia sorto un problema con l'allarme antincendio.»

«L'allarme antincendio?» gli fa eco Ben incredulo. «Cosa intende con l'allarme antincendio?»

«Mentre stavano spostando i letti, hanno danneggiato un sensore. Purtroppo, prima di consentirvi di tornare nella stanza, dobbiamo aggiustarlo per la vostra sicurezza personale. Le mie più sentite scuse, signore.»

Ben si prende la testa fra le mani. Ha un'aria talmente isterica che mi fa quasi paura.

«Be', quanto dovremo aspettare ancora?»

Georgios allarga le braccia. «Signore, spero solo...»
«Non lo sa» lo interrompe Ben nervoso. «Certo che non lo sa. Perché dovrebbe saperlo lui?»
Ho l'orribile sensazione che possa perdere le staffe e aggredire Georgios.
«Be', non fa niente» mi affretto a dire. «Andiamo a divertirci.»
«Madame.» Georgios annuisce. «Come posso assisterla?»
Ben lo fulmina con lo sguardo. «Puoi andare...»
«Mi può portare un altro succo, per piacere!» cinguetto, prima che Ben dica qualcosa di veramente offensivo. «Magari al gusto di... di...» Esito. Qual è il gusto che richiede più tempo per la preparazione? «Barbabietola?»
Un sussulto attraversa il volto altrimenti impassibile di Georgios. Mi sa che forse ha capito il mio giochetto.
«Certo, signora.»
«Fantastico! Ci vediamo dopo.» Ci incamminiamo su un sentiero delimitato da muretti bianchi e buganvillee. Il sole batte sulle nostre teste e c'è molto silenzio. So che Georgios è dietro di noi, ma non attacco discorso, sennò non se ne va più.
«Il bar della spiaggia è da questa parte» dice Ben mentre passiamo accanto a un cartello. «Potremmo farci un salto.»
«Il bar della spiaggia?» Gli lancio un'occhiata sarcastica. «Dopo ieri sera?»
«Vorrei un cocktail. Un Hair of the Dog, un Virgin Mary... Qualsiasi cosa.»
«Okay.» Scrollo le spalle. «Potremmo farci un drink veloce.»
Il bar della spiaggia è grande, circolare e buio, con musica di bouzouki in sottofondo. Ben si accascia immediatamente su uno sgabello.
«Benvenuti.» Il barman si avvicina con un ampio sorriso. «Congratulazioni per il vostro matrimonio.» Ci porge un menu laminato delle bevande e si allontana.
«Come faceva a sapere che ci siamo appena sposati?» Ben lo guarda socchiudendo gli occhi.
«Avrà visto le nostre fedi nuove di zecca, immagino. Che cosa prendiamo?» Comincio a esaminare il menu, ma Ben è assorto nei suoi pensieri.
«Quella stronza» borbotta. «Se non fosse stato per lei, adesso saremmo nel loro letto.»

«Be', vedrai che aggiusteranno in fretta l'allarme antincendio» replico in modo poco convincente.

«Questa è la nostra stramaledettissima luna di miele!»

«Lo so» dico, cercando di ammansirlo. «Dài, facciamoci un drink, un vero drink.» A essere sincera, ne ho voglia anch'io.

«Stavi dicendo che siete in luna di miele?» Una ragazza bionda ci fa un cenno dall'altra parte del bar. Indossa un caftano arancione con i pompon sulle maniche e sandali decorati con i tacchi molto alti. «Ma certo! Qui siamo tutti in luna di miele. Quando vi siete sposati?»

«Ieri. Siamo arrivati ieri sera.»

«Noi sabato! Nella Holy Trinity Church di Manchester. Io avevo un abito di Phillipa Lepley. Abbiamo organizzato un ricevimento con centoventi invitati e un buffet, poi la sera abbiamo fatto una festa danzante con musica dal vivo e sono arrivati altri cinquanta ospiti.» Ci guarda, aspettando una replica.

«Il nostro è stato più... contenuto» dico, dopo un attimo di pausa. «Molto più contenuto, ma meraviglioso.»

Più meraviglioso del vostro, aggiungo fra me e me. Mi volto verso Ben in cerca di conferme, ma lui si è girato con lo sgabello e sta parlando con il barista. È la prima volta che noto una somiglianza caratteriale fra Ben e Richard: sono tutti e due totalmente asociali e chiusi con gli sconosciuti. Quante volte ho attaccato discorso con gente molto interessante e simpatica mentre Richard se ne restava in disparte, ad esempio quella donna affascinante che avevamo incontrato una volta a Greenwich a cui lui non aveva assolutamente voluto essere presentato... Okay, alla fine si era scoperto che era un po' fuori di testa e aveva cercato di farmi investire diecimila sterline in una casa sull'acqua, ma lui non poteva saperlo, no?

«Anello?» La ragazza allunga la mano. Noto che ha le unghie arancioni come il caftano: tutti i suoi caftani sono arancioni o si ridipinge le unghie ogni sera?

«A proposito, mi chiamo Melissa.»

«Molto carino!» Affianco la mano sinistra alla sua, facendo luccicare al sole il mio anello di platino. È incastonato di diamanti e in effetti è un gioiello piuttosto vistoso.

«Bellissimo!» Melissa alza le sopracciglia colpita. «Fa un effetto stupendo indossare la fede, vero?» Si sporge in avanti con fare cospiratorio. «Mi intravedo nello specchio, vedo l'anello al dito e penso: "Porca miseria! Sono sposata!".»

«Anch'io!» D'un tratto, mi rendo conto di essermi persa questa cosa: le chiacchiere fra donne sul matrimonio. Questo è il lato negativo di fare tutto in fretta e furia senza parenti o damigelle d'onore al proprio fianco. «Ed è anche strano essere chiamata "signora"!» aggiungo. «Signora Parr.»

«Io sono la signora Falkner» sorride. «Mi piace moltissimo: Falkner.»

«A me piace Parr» dico ricambiando il sorriso.

«Lo sai che questa è la destinazione per eccellenza delle coppie in luna di miele? Ci sono venute persone famose. La nostra suite è stupenda, da impazzire, e domani sera rinnoviamo i voti sull'Isola dell'Amore. La chiamano così: l'Isola dell'Amore.»

Indica un molo di legno che si estende sul mare e si allarga in fondo a formare una grande piattaforma su cui è stato montato un arco bianco foderato di tulle.

«Poi ci sarà una festa» dice. «Dovreste venire! Magari rinnovate i voti anche voi!»

«Di già?»

Non vorrei risultare scortese, ma questa è la cosa più assurda che abbia mai sentito. Mi sono sposata ieri. Perché dovrei rinnovare i voti?

«Abbiamo deciso di rinnovare i nostri ogni anno» dice Melissa compiaciuta. «L'anno prossimo lo faremo alle Mauritius, e ho già visto il vestito che desidero indossare. Era su "Brides" del mese scorso. Quello di Vera Wang, a pagina 54. L'hai visto?» Prima che abbia il tempo di rispondere, le squilla il telefono e lei si incupisce. «Scusa un attimo... Matt? Matt, che cavolo stai facendo? Sono al bar, come avevamo deciso. Al bar. No, non al centro benessere, al bar!»

Sbuffa impaziente, poi mette via il cellulare e mi sorride di nuovo. «Allora, questo pomeriggio voi due dovete assolutamente partecipare al gioco delle coppie.»

«Il gioco delle coppie?» ripeto inespressiva.

«Hai presente, come quello della tivù. Devi rispondere a domande sul tuo compagno, e vincono i concorrenti che dimostrano di conoscersi meglio.» Indica un manifesto affisso lì vicino su cui si legge:

OGGI ALLE 16 GIOCO DELLE COPPIE SULLA SPIAGGIA.
GRANDI PREMI!!! ENTRATA LIBERA!!!

«Si sono iscritti tutti» aggiunge, bevendo il suo drink con una cannuccia. «Qui organizzano un mucchio di attività per coppie in luna di miele. Naturalmente sono tutte stupidaggini commerciali.» Si ravvia i capelli con aria distratta. «Cioè, voglio dire, come se il matrimonio fosse una specie di gara.»

Mi scappa da ridere. Okay, ci ha provato: praticamente ce l'ha scritto in fronte che vuole vincere a tutti i costi.

«Allora, partecipate anche voi?» Mi guarda da sopra i suoi occhiali di Gucci. «Su, è solo per divertirsi!»

Immagino che abbia ragione. Cioè, diciamocelo: che cos'altro possiamo fare per passare il tempo?

«Okay, iscrivici.»

«Yianni!» Melissa chiama il barista. «Ti ho trovato altri due candidati per il gioco delle coppie.»

«Eh?» Ben si gira accigliato.

«Andiamo a fare un quiz» lo informo. «Avevamo deciso di provare la prima attività che trovavamo, no? Be', eccola.»

Yianni ci passa due fogli, insieme a due bicchieri e a una bottiglia di vino che deve aver ordinato Ben. Melissa si è alzata dallo sgabello del bar. Sta di nuovo parlando al telefono e sembra ancora più arrabbiata di prima.

«Il bar della spiaggia, non quello nell'atrio. Il bar della spiaggia! Okay, rimani lì, arrivo io...» Mima con le labbra: "Ci vediamo dopo" e si allontana ondeggiando in un turbinio di caftano arancione.

Appena se n'è andata, io e Ben rimaniamo in silenzio per un attimo a leggere i volantini del gioco delle coppie. "Dimostrate il vostro amore! Dimostrate di essere una coppia affiatata!"

Nonostante tutto, sento crescere in me lo spirito competitivo. Non che abbia bisogno di dimostrare niente. Il fatto è che sono certa che in questo posto non esista una coppia più affiatata e in sintonia di me e Ben. Insomma, basta guardare gli altri... e guardare noi.

«Questa la perdiamo di sicuro» dice Ben, con una risatina.

Perdere?

«No che non perdiamo!» Lo fisso sconcertata. «Perché dici così?»

«Perché dovremmo sapere tante cose l'uno dell'altra» ribatte Ben, come se fosse ovvio. «E noi non le sappiamo.»

«Invece sappiamo un mucchio di cose!» dico sulla difensiva. «Ci conosciamo da quando avevamo diciott'anni! Secondo me, vinciamo.»

Ben alza un sopracciglio. «Forse. Che tipo di domande fanno?»

«Non lo so. Non ho mai visto il programma alla tivù.» Mi viene un'idea improvvisa. «Fliss però ha il gioco da tavolo. Adesso la chiamo.»

14

FLISS

Siamo al terminal delle partenze di Heathrow quando mi squilla il telefono. Non faccio in tempo a prenderlo che Noah lo estrae dalla tasca laterale della mia borsa e osserva attentamente il display.

«È la zia Lottie!» Il suo faccino si illumina entusiasta. «Glielo dico che andiamo a farle una sorpresa nella sua vacanza speciale?»

«No!» Afferro il telefono. «Stai lì seduto un attimo, apri il pacchetto di figurine, guarda i dinosauri.» Schiaccio il tasto "rispondi" e mi allontano di qualche passo da Noah, cercando di ricompormi.

«Ciao, Lottie!» la saluto.

«Oh, finalmente! È un po' che cerco di chiamarti! Dove sei?»

«Be', sai... in giro.» Mi sforzo di fare una pausa prima di aggiungere, leggera come una farfalla: «Avete avuto un po' di fortuna con la stanza, il letto, o... altro?».

Nico mi ha informato che è ancora senza stanza, ma so anche che Ben ha cercato di prenderne in prestito una da un altro ospite dell'albergo sulla spiaggia. Stronzetto subdolo.

«Ah, la stanza.» Lottie ha un tono sconsolato. «Accidenti, è stata una vera odissea, ma per il momento ci siamo arresi. Abbiamo deciso di goderci la giornata.»

«Bene, mi sembra la cosa più sensata da fare.» Tiro un leggero sospiro di sollievo. «Allora, com'è il tempo laggiù? C'è il sole?»

«Fa un caldo incredibile.» Lottie sembra preoccupata. «Senti, Fliss, ti ricordi il gioco delle coppie?»

«Intendi quello della televisione?»

«Esatto, avevi il gioco da tavolo, no? Che tipo di domande fanno?»

«Perché?» chiedo perplessa.

«Facciamo il gioco delle coppie. Le domande sono difficili?»

«Difficili? Ma no! Roba da ridere, stupidaggini. Cose semplici che un uomo e una donna sanno l'uno dell'altra.»

«Fammene qualcuna.» Lottie sembra un po' tesa. «Aiutami a fare un po' di esercizio.»

«Be', d'accordo.» Rifletto un attimo. «Che dentifricio usa Ben?»

«Non lo so» dice Lottie dopo un momento di pausa.

«Come si chiama sua madre?»

«Non lo so.»

«Qual è il suo piatto preferito fra quelli che gli cucini tu?»

C'è una pausa più lunga. «Non lo so» ammette alla fine. «Non ho mai cucinato per lui.»

«Se andasse a teatro, sceglierebbe Shakespeare, un'opera moderna o un musical?»

«Non lo so!» geme Lottie. «Non sono mai andata a teatro con lui. Ben ha ragione! Perderemo!»

È completamente fuori di testa? Ovvio che perderanno.

«Credi che Ben sappia qualcuna di queste cose su di te?» domando con delicatezza.

«Certo che no! Non sappiamo niente!»

«Ecco, appunto...»

«Ma io non voglio perdere» dice Lottie, abbassando drasticamente la voce. «C'è questa ragazza che si è vantata del suo matrimonio, e se non so niente di mio marito e lui non sa niente di me...»

"Allora forse non avreste dovuto sposarvi!" vorrei urlarle.

«Magari potreste parlare un po'?» suggerisco alla fine.

«Sì! Sì, esatto» dice Lottie, come se avessi decrittato un codice difficilissimo. «Adesso impariamo tutto a memoria. Dammi una lista delle cose che devo sapere.» Sembra risoluta. «Dentifricio, nome della madre, piatti preferiti... mi puoi mandare un SMS con tutte le domande?»

«No, non posso» rispondo decisa. «Sono impegnata, Lottie. Perché cavolo ti metti a fare questa cosa? Perché non ve ne state a poltrire sulla spiaggia?»

«Mi hanno convinto e adesso non possiamo tirarci indietro, sennò sembra che non siamo una coppia felice. Fliss, è un posto da pazzi. È la "centrale" delle lune di miele.»

Alzo lo spalle. «Lo sapevi già, no?»

«Sì, immagino di sì...» Esita un attimo. «Ma non credevo fosse un posto così mieloso. Ci sono coppie ubriache d'amore dappertutto, e non puoi fare un passo senza che ti dicano "congratulazioni" o ti lancino coriandoli addosso. Quella tizia di cui ti ho parlato sta già per rinnovare i voti, ci credi? Ha provato a convincere anche me a farlo.»

Per un attimo dimentico dove sono e l'intera situazione. Sto solo chiacchierando con Lottie.

«Ho l'impressione che sia diventata una cosa estremamente commerciale.»

«Eh, sì, un po'.»

«Allora non fate il gioco delle coppie.»

«Devo per forza.» Sembra risoluta. «Non mi tiro indietro adesso. Insomma, dovrei sapere che scuole ha fatto Ben, cose del genere? E i suoi hobby?»

Ho un altro accesso di rabbia. È ridicolo. Sembra una che studia come una disperata per cercare di imbrogliare un funzionario dell'ufficio immigrazione. Per un attimo, mi chiedo se sia il caso di dirglielo in faccia.

Allo stesso tempo, però, l'istinto mi dice di non tentare nulla per telefono. Finiremmo solo per litigare furiosamente, lei mi sbatterebbe giù il telefono e si farebbe subito mettere incinta da Ben, probabilmente sulla spiaggia, davanti a tutti, solo per darmi una lezione.

Devo andare da lei. Le dirò semplicemente che volevo farle una sorpresa. Studierò il territorio, la lascerò rilassare, poi la prenderò da parte e le parlerò. Le farò un bel discorso lungo, chiaro e inesorabile, e non le darò tregua finché non avrà capito come stanno davvero le cose. Finché non l'avrà capito sul serio, però.

D'un tratto, mi rendo conto che questo gioco delle coppie è arrivato proprio al momento giusto. Farà una figuraccia davanti a tutti, dopo di che sarà pronta ad ascoltare la voce della ragione.

L'altoparlante annuncia un volo e Lottie mi chiede subito: «Che cos'è? Dove sei?».

«Alla stazione» mento con disinvoltura. «Sarà meglio che vada, in bocca al lupo!»

Spengo il telefono e mi guardo intorno in cerca di Noah. L'avevo lasciato seduto su una sedia di plastica a mezzo metro di distanza, ma lui è andato al banco della compagnia aerea e sta parlando fitto fitto con una hostess, che si è chinata per ascoltarlo attentamente.

«Noah!» lo chiamo, e tutte e due le teste si girano. La hostess mi fa un cenno di saluto, si alza in piedi e me lo porta. È molto abbronzata e formosa, ha due enormi occhi azzurri e i capelli raccolti in uno chignon, e quando si avvicina vengo investita da una ventata di profumo.

«Mi scusi.» Le sorrido. «Noah, rimani qui, non girovagare.»

La hostess mi guarda sbalordita e io mi porto la mano alla bocca, pensando di avere una briciola sul labbro.

«Desideravo solo dirle una cosa» comincia subito. «Ho saputo quello che ha passato questo bambino e credo che abbiate avuto tutti quanti un coraggio incredibile.»

Per un attimo non so che cosa rispondere. Che cavolo le avrà raccontato Noah?

«E secondo me dovrebbero dare una medaglia a quel paramedico» aggiunge con un tremito nella voce.

Lancio un'occhiataccia a Noah, e lui mi guarda tranquillo e sereno. Che cosa faccio? Se le spiego che mio figlio è uno che viaggia molto con la fantasia, ci facciamo tutti la figura dei cretini. Forse è più facile lasciar correre. Fra un minuto ci imbarchiamo: non la rivedremo mai più.

«Non è stato poi così terribile» dico alla fine. «Grazie infinite...»

«Non è stato poi così terribile?!» ripete incredula. «Ma è stato drammaticissimo!»

«Eh... sì.» Deglutisco rumorosamente. «Noah, andiamo a comprare una bottiglia d'acqua.»

Mi affretto verso un distributore di bevande per mettere subito fine alla conversazione. «Noah» dico, appena la donna non ci può più sentire. «Che cosa hai raccontato alla signora?»

«Ho detto che da grande voglio partecipare alle Olimpiadi» risponde prontamente. «Voglio fare il salto in lungo. Così.» Si libera dalla mia presa e salta sulla moquette dell'aeroporto. «Posso andare alle Olimpiadi?»

Mi arrendo. A un certo punto dovremo fare un bel discorso, ma non adesso.

«Certo che puoi.» Gli scompiglio i capelli. «Ascoltami, però: non parlare più con gli sconosciuti. Lo sai che non devi farlo, vero?»

«La signora non era una sconosciuta» replica in tono giudizioso. «Aveva un cartellino, quindi sapevo il suo nome. Si chiamava Cheryl.»

A volte la logica di un bambino di sette anni è imbattibile. Torniamo ai nostri posti e lo metto a sedere vicino a me.

«Sfoglia il tuo album delle figurine e non muoverti.» Prendo il mio BlackBerry e mando qualche mail veloce. Ho appena dato l'okay per la pubblicazione di un supplemento interamente dedicato alle vacanze artiche quando mi blocco, accigliata. Qualcosa ha attirato la mia attenzione. La cima di una testa dietro un giornale. Una cresta di capelli scuri. Mani ossute con le dita lunghe che girano una pagina.

Non è possibile.

Continuo a fissarlo, finché non gira un'altra pagina e intravedo uno zigomo. È lui. Seduto a cinque metri di distanza, con una piccola borsa da viaggio davanti a sé. Che cavolo ci fa qui?

Non dirmi che ha avuto la mia stessa idea.

Lo vedo voltare un'altra pagina, calmo e rilassato, e comincio a ribollire di rabbia. È tutta colpa sua. Ho dovuto scombinarmi la vita, portare via mio figlio da scuola e stressarmi tutta la notte solo perché lui non è stato capace di tenere la bocca chiusa. È stato lui a mandare tutto all'aria. È lui la causa di tutto. E ora se ne sta lì, placido e tranquillo come se stesse andando in vacanza.

Gli squilla il telefono e posa il giornale per rispondere.

«Certo» lo sento dire. «Sì, senz'altro, affronteremo tutte le questioni. Sì, lo so che il tempo stringe.» Sul suo viso compaiono segni di tensione. «Lo so che non è l'ideale. Farò del mio meglio, tenendo conto della delicatezza del momento, d'accordo?» Si interrompe per ascoltare, poi risponde: «No, direi di no. Devo solo informarmi. Non è il caso di mettere in giro delle voci. Okay. Va bene. Ci sentiamo appena torno».

Mette via il telefono e riprende a leggere il giornale mentre io lo fisso sempre più risentita. Bravo, rilassati, sorridi a una battuta di spirito, divertiti, perché no?

Sono così furente che finirò per bucargli il giornale con lo sguardo. Una signora anziana seduta vicina a lui se ne accorge e si innervosisce. Io le sorrido in modo sbrigativo, tanto per farle capire che non ce l'ho con lei, ma lei sembra ancora più spaventata.

«Mi scusi» dice. «C'è qualcosa che non va?»

«Che non va?» ripete Lorcan senza capire, girandosi verso di lei.

«No, niente...»

Mi vede e sobbalza per la sorpresa. «Ah, ciao.»

Aspetto che si profonda in scuse, che si prostri ai miei piedi e invece, a quanto pare, per lui è sufficiente un saluto. Appena i suoi occhi scuri incrociano i miei, ho un flashback improvviso: un ricordo sfocato di quella notte, labbra sulla pelle, fiato rovente sul collo, io che gli afferro i capelli. D'un tratto arrossisco, e la mia espressione diventa ancora più velenosa.

«"Ciao?"» ripeto. «Non sai dire nient'altro che "ciao"?»

«Immagino che siamo diretti nello stesso posto.» Posa il giornale e si sporge in avanti con un'espressione attenta. «Sei in contatto con loro? Perché ho urgenza di parlare con Ben. Gli devo far firmare dei documenti. Ho bisogno di trovarlo all'hotel quando arrivo. Lui però non risponde alle mie chiamate, mi sfugge, sfugge a tutto.»

Lo guardo incredula. Lorcan pensa solo al lavoro. Non gliene importa proprio niente che il suo migliore amico abbia sposato mia sorella sull'onda di uno stupido impulso provocato da lui?

«Io sono in contatto con Lottie, non con Ben.»

«Ah.» Si acciglia e torna al suo giornale. Come fa a leggere il giornale? Mi sento profondamente, mortalmente offesa dal fatto che, dopo avere scatenato un simile disastro, Lorcan riesca a concentrarsi sulle pagine sportive.

«Stai bene?» Mi sbircia. «Hai uno sguardo un po'... fisso.»

Sprizzo rabbia da tutti i pori. La testa mi formicola, mi si stringono i pugni. «No, guarda un po' che strano» dico. «Non sto per niente bene.»

«Ah.» Dà un'altra occhiata al giornale e dentro di me scatta qualcosa.

«Smettila di leggere!» Balzo in piedi e, prima di rendermi del tutto conto di quello che sto facendo, gli strappo il giornale di mano. «Basta!» Lo appallottolo furiosamente e lo getto a terra. Ho il respiro affannoso e le guance in fiamme.

Lorcan guarda il quotidiano con aria divertita.

«Mamma!» esclama Noah, piacevolmente stupito. «Non si devono sporcare i luoghi pubblici!»

Tutti gli altri passeggeri si sono girati verso di me. Fantastico. E adesso mi sta guardando anche Lorcan, le scure sopracciglia aggrottate, come se fossi una specie di mistero imperscrutabile.

«Qual è il problema?» domanda alla fine. «Sei incazzata?»

Sta scherzando?

«Sì!» esplodo. «Sono un tantino incazzata perché tu, dopo che io avevo già risolto la questione fra Ben e mia sorella, hai voluto metterci lo zampino e hai rovinato tutto!»

Vedo che comincia lentamente a rendersi conto della situazione. «E secondo te è colpa mia?»

«Certo che è colpa tua! Se fossi stato zitto, adesso non sarebbero sposati!»

«Eh, no.» Scuote la testa deciso. «Sbagliato. Ben aveva già deciso.»

«Lottie ha detto che l'ha fatto grazie a te.»

«Lottie si è sbagliata.»

Non ha intenzione di cedere, vero? Stronzo.

«So solo che avevo risolto la questione» ribatto freddamente. «Ci ero riuscita, e poi è successo tutto questo.»

«Tu *credevi* di aver risolto la questione» mi corregge. «*Credevi* di esserci riuscita. Quando conoscerai Ben come lo conosco io, ti renderai conto che la sua mente continua a guizzare di qua e di là come un pesce. Per lui un accordo preso in precedenza non conta nulla. Per esempio, quello di firmare documenti urgentissimi e di importanza vitale.» D'un tratto colgo una punta di irritazione nella sua voce. «Anche se lo inchiodi, lui trova comunque il modo di sfuggirti.»

«Allora è per questo che sei qui?» Guardo la valigetta ventiquattrore. «Solo per i documenti?»

«Se Maometto non va alla montagna, la montagna deve disdire tutti gli altri impegni e prendere l'aereo.» Gli arriva un SMS e lui lo legge, poi comincia a scrivere la risposta. «Per me sarebbe importante riuscire a parlare con Ben» aggiunge mentre digita. «Sai che cosa stanno facendo?»

«Il gioco delle coppie» rispondo.

Lorcan sembra perplesso, poi digita ancora un po'. Lentamente mi siedo di nuovo. Noah si è sistemato sul pavimento e sta costruendo un cappello con il giornale di Lorcan.

«Smettila, Noah» dico senza convinzione. «Mio figlio» aggiungo, rivolta a Lorcan.

«Ciao» dice lui a Noah. «Che bel cappello. Allora, non me l'hai ancora detto: che cosa ci fai qui, di preciso? Vai dai due piccioncini, immagino. E loro lo sanno?»

La domanda mi prende alla sprovvista. Bevo un sorso d'acqua, mentre penso freneticamente alla risposta da dare.

«Lottie mi ha chiesto di andare» mento alla fine. «Ma non sono sicura che Ben ne sia al corrente, perciò non dirgli che mi hai visto, d'accordo?»

«Certo.» Si stringe nelle spalle. «È un po' strano che una sposa chieda alla propria sorella di andare da lei mentre si trova in luna di miele. Non si sta divertendo?»

«Veramente stanno pensando di rinnovare i voti» dico, seguendo un'ispirazione improvvisa. «Lottie vuole che le faccia da testimone.»

«Ma per piacere.» Lorcan aggrotta la fronte. «Che idea assurda è mai questa?»

Ha un tono così sprezzante che comincio a irritarmi.

«Secondo me, è una bella idea, invece» lo contraddico. «Lottie ha sempre desiderato una cerimonia sul mare. È un tipo romantico.»

«Non ne dubito.» Lorcan annuisce, come se ci stesse riflettendo su, poi alza lo sguardo, impassibile. «E i pony? Vuole usare anche quelli?»

Pony? Lo guardo inespressiva. Che cavolo...

I pony identici. Fantastico. Quindi ieri mattina ha sentito. Arrossisco violentemente e per un attimo rischio di perdere il mio aplomb.

L'unico modo di affrontare la situazione, decido in fretta, è la schiettezza. Siamo adulti, possiamo prendere atto di una situazione imbarazzante e voltare pagina. Proprio così.

«Allora, ehm.» Mi schiarisco la gola. «Ieri mattina.»

«Sì?» Si sporge in avanti con finto interesse. Non ha nessuna intenzione di semplificarmi la vita, vero?

«Non so bene che cosa tu...» Ritento. «Naturalmente, quando sei entrato nella stanza, stavo parlando al telefono con mia sorella e quello che hai sentito era del tutto decontestualizzato. Cioè, probabilmente avrai dimenticato quello che ho detto, ma in caso contrario non vorrei che avessi male interpretato qualcosa...»

Non mi sta ascoltando nemmeno. Ha preso un bloc-notes e ci sta scrivendo sopra. Che maleducato. Be', almeno così non sono più sotto torchio. Porgo la bottiglia d'acqua a Noah, che sorseggia distrattamente, impegnato com'è a costruire il cappello. Poi Lorcan mi tocca la spalla e io mi giro. Mi consegna il bloc-notes su cui ha scritto qualcosa.

«Credo di avere buona memoria con le parole» mi dice cortese. «Ma ti prego di correggermi se ho fatto degli errori.»

Mentre leggo, rimango a bocca aperta per lo stupore.

"Piccolissimo, te l'assicuro. Tutta la serata è stata una noia unica, ho dovuto fare finta di divertirmi e per tutto il tempo... No, orribile, e dopo non è stato molto meglio... Mi viene male solo a pensarci. Anzi, sto per vomitare. E poi Lorcan non mi amerà mai e non faremo mai un matrimonio doppio in sella a due pony identici."

«Senti» dico alla fine, tutta rossa in faccia. «Non intendevo... quello.»

«Che cosa, in particolare?» Alza un sopracciglio.

Bastardo. Crede che sia divertente?

«Lo sai benissimo» replico gelida «che sono parole decontestualizzate. Non si riferivano a...» Lascio la frase in sospeso, distratta da un trambusto improvviso. Viene dal banco della compagnia aerea. Due hostess stanno protestando, mentre un uomo in camicia di lino e pantaloni chino cerca di infilare una valigia nella struttura per misurare il bagaglio a mano. Lui alza la voce rabbioso e io ho la netta sensazione di conoscerlo.

Quando si gira, reprimo un sussulto di sorpresa. Ah, mi pareva! È Richard!

«Signore, purtroppo la valigia è chiaramente troppo grossa per essere portata in cabina.» Sta parlando un'hostess della compagnia aerea. «E ormai è troppo tardi per il check-in. Posso consigliarle di prendere un altro volo?»

«Un altro volo?» La voce prorompe dalla gola di Richard come l'urlo di un animale tormentato. «Non ci sono altri voli diretti in questo posto dimenticato da Dio! Solo uno al giorno! Che cavolo di servizio è questo?»

«Signore...»

«Devo salire su questo aereo.»

«Ma, signore...»

Poi Richard mi lascia di stucco: si solleva sul banco della compagnia aerea per parlare allo stesso livello della hostess.

«La ragazza che amo si è legata a un altro uomo» dice con foga. «Io mi sono svegliato troppo tardi e non me lo perdonerò mai. Ma se non mi resta più niente da fare, almeno voglio dirle adesso quello che provo per lei. Perché non gliel'ho mai dimostrato, non abbastanza. Non sono neppure sicuro di averlo saputo io stesso.»

Lo guardo a bocca aperta, completamente sbalordita. Ma è proprio Richard? Che fa dichiarazioni d'amore in pubblico? Se solo Lottie potesse vederlo adesso! Rimarrebbe di stucco! La hostess della compagnia aerea, invece, pare del tutto impassibile. Ha i capelli tinti di nero e raccolti in un severo chignon e un volto carnoso con un paio di occhietti cattivi.

«In ogni caso, signore, la sua valigia è troppo grande per la cabina» dice. «Può farsi da parte, per piacere?»

Che stronza. Ho visto un sacco di gente portare bagagli di quelle dimensioni sugli aerei. So che dovrei farmi avanti e dire a Richard che sono qui, ma sento il bisogno di vedere come andrà a finire.

«Bene, allora la lascio qui.» Richard guarda malissimo la donna, balza a terra e apre di scatto la valigia. Prende due magliette, un sacchetto per la roba sporca, un paio di calzini e dei boxer e allontana il trolley con un calcio.

«Ecco, questo è il mio bagaglio a mano.» Glielo mette sotto il naso. «Contenta, adesso?»

L'hostess della linea aerea lo guarda inespressiva.

«Non può lasciare lì la valigia, signore.»

«Bene.» Lui la richiude e la sbatte in cima a un cestino: «Ecco fatto».

«Non può lasciarla neppure lì, signore, per questioni di sicurezza, non sappiamo che cosa contiene.»

«Sì, che lo sapete.»

«No, invece.»

«L'ho appena aperta sotto i suoi occhi.»

«Non importa, signore.»
Tutti si sono voltati a guardare la scena. Richard sta ansimando. Le sue spalle larghe sono sollevate. Mi ricorda di nuovo un toro sul punto di caricare.
«Zio Richard!» Noah l'ha visto all'improvviso. «Vieni in vacanza con noi?»
Lui individua prima mio figlio, poi me, e sobbalza per la sorpresa.
«Fliss?» Lascia cadere un paio di boxer a terra e, con aria un po' meno taurina, si china a raccoglierli. «Che cosa ci fate qui?»
«Ciao, Richard.» Cerco di assumere un tono ameno. «Andiamo da Lottie. Che cosa... ehm...» Allargo le mani con aria interrogativa. «Cioè, che cosa... di preciso...»
Chiaramente, come tutti i presenti, ho capito grosso modo che cosa ha intenzione di fare, ma mi interesserebbe sapere qualche dettaglio in più. Ha un piano?
«Non potevo rimanere con le mani in mano» dice bruscamente. «Non potevo perderla e andarmene via senza neppure dirle che cosa io...» Si blocca, il volto contratto per l'emozione. «Avrei dovuto chiederle di sposarmi quando ne ho avuta l'occasione» aggiunge all'improvviso. «Avrei dovuto tenermi caro quello che avevo! Avrei dovuto chiederle di sposarmi!»
Il suo ruggito di dolore si leva nell'aria silenziosa. Ha lasciato di sasso tutti i presenti, e francamente anche me. Non avevo mai visto Richard in preda a una passione così forte. E Lottie?
Peccato che non ho registrato tutto il discorso con l'iPhone.
«Signore, per piacere, tolga la valigia da quel cestino.» La hostess della compagnia aerea si sta rivolgendo a Richard. «Come dicevo, sta causando un allarme di sicurezza.»
«Non è più mia» ribatte lui, brandendo di nuovo i suoi boxer. «Questo è il mio bagaglio a mano.»
La donna irrigidisce la mascella.
«Vuole che chiami la sicurezza e faccia distruggere la valigia, ritardando il volo di sei ore?»
Non sono l'unica a inorridire. Intorno a noi, il cortese borbottio di protesta inizia a cedere il passo a commenti caustici e ostili. Sento che Richard non è il passeggero più amato della sala. Anzi, sento che da un momento all'altro la gente potrebbe cominciare a fischiare e a battere lentamente le mani.

«Zio Richard, vieni in vacanza con noi?» Noah è fuori di sé dalla gioia. «Possiamo fare la lotta? Posso sedermi vicino a te sull'aereo?» Corre ad abbracciargli le gambe.

«Mi sa di no, piccolo.» Richard gli lancia un sorriso ironico. «A meno che tu non riesca a convincere questa signora.»

«Questo è suo nipote?» Cheryl, l'amica di Noah, dopo aver osservato distrattamente la scena dall'altro banco della compagnia aerea, d'un tratto prende vita. «Lui è lo zio di cui mi avevi parlato?»

«Lui è lo zio Richard» conferma allegramente Noah.

Non avrei mai dovuto lasciargli prendere l'abitudine di chiamarlo "zio". Aveva cominciato un Natale e a noi era sembrato carino. Nessuno poteva prevedere che lui e Lottie si sarebbero lasciati. Eravamo convinti che ormai Richard facesse parte della famiglia, non avremmo mai pensato...

All'improvviso mi rendo conto che Cheryl è andata quasi in iperventilazione.

«Margot!» Nonostante il fiatone, alla fine riesce a parlare. «Devi lasciare salire questo signore sull'aereo! Ha salvato la vita a suo nipote! È un grand'uomo!»

«Cosa?» Margot si incupisce.

«Eh?» Richard guarda Cheryl a bocca aperta.

«Non sia modesto! Suo nipote mi ha raccontato tutto!» dice Cheryl con voce commossa. «Margot, non hai idea, questa famiglia ne ha passate di tutti i colori.» Esce dal banco. «Signore, mi dia la sua carta d'imbarco.»

Vedo Richard rimuginare incredulo. Lancia un'occhiata sospettosa a Noah, poi a me. Io assumo un'espressione angosciata, cercando di trasmettere il messaggio: "Assecondala".

«E anche lei.» Cheryl si gira verso di me con occhi languidi. «Chissà quanto avrà sofferto per la malattia di suo figlio.»

«Viviamo alla giornata» mormoro, rimanendo sul vago.

Lei sembra soddisfatta e si allontana. Richard è ancora lì con le mutande in mano e un'espressione interdetta. Non provo neppure a spiegargli la situazione.

«Allora, ehm, vuoi sederti?» gli dico. «Posso portarti un caffè o altro?»

«Perché vai da Lottie?» mi chiede senza muoversi. «C'è qualche problema?»

Non so bene come rispondere. Da una parte non voglio che si faccia false illusioni, dall'altra magari potrei ricordargli *en passant* che la perfezione non esiste neppure in paradiso?

«Vogliono rinnovare i voti, giusto?» dice Lorcan da sopra il giornale.

«Chi è quello?» chiede Richard con istintiva diffidenza. «Chi sei?»

«Ah, sì» dico io imbarazzata. «Ehm, Richard, ti presento Lorcan, il testimone di Ben e il suo migliore amico, o quel che è. Sta andando anche lui sull'isola.»

Richard si irrigidisce all'istante, assumendo di nuovo la postura da toro.

«Ho capito» annuisce. «Ho capito.»

Non credo che abbia capito, ma è talmente nervoso che non oso interromperlo. Si è posizionato istintivamente davanti a Lorcan con i pugni serrati.

«E tu invece sei...?» domanda Lorcan cortese.

«Sono il cretino che l'ha lasciata andare!» risponde Richard con improvviso fervore. «Non riuscivo a condividere il suo modo di immaginare il nostro futuro. Pensavo che lei fosse troppo, come dire, sognatrice. Ora però sono anch'io un sognatore: ho la sua stessa visione e desidero che si avveri.»

Tutte le donne nei dintorni lo stanno ascoltando rapite. Dove ha imparato a parlare così? Lottie sarebbe estasiata dal discorso sulla visione. Mi sono messa a trafficare con l'iPhone nel tentativo di registrarlo di nascosto, ma sono troppo lenta.

«Che cosa stai facendo?»

«Niente!» Abbasso subito l'iPhone.

«Oddio, forse sto commettendo un errore.» D'un tratto, Richard sembra tornare in sé e vedersi lì in piedi al centro in quella sala d'attesa d'aeroporto, con le mutande in mano e un pubblico di passeggeri. «Forse dovrei semplicemente tirarmi indietro.»

«No!» mi affretto a dire. «Non tirarti indietro!»

Se solo Lottie potesse vedere Richard adesso... Se solo sapesse che cosa lui prova veramente per lei, comincerebbe a ragionare, ne sono sicura.

«Chi credo di prendere in giro?» Incurva le spalle, desolato. «È troppo tardi. Sono sposati.»

«Non è vero!» mi sfugge di bocca.

«Che cosa?» Richard e Lorcan si girano a guardarmi. Vedo molte altre facce interessate tendere le orecchie.

«Voglio solo dire che non hanno ancora, come dire, consumato il matrimonio» spiego, tenendo la voce più bassa che posso. «Quindi, in teoria, potrebbero ottenere un annullamento legale. In tal caso, sarebbe come se non si fossero mai sposati.»

«Davvero?» Vedo un barlume di speranza accendersi sul volto di Richard.

«Perché non hanno ancora consumato il matrimonio?» domanda Lorcan incredulo. «E come fai a saperlo?»

«È mia sorella, ci diciamo tutto. Quanto al motivo...» Mi schiarisco la voce evasiva. «Hanno avuto sfortuna, tutto qui. L'albergo ha fatto confusione con i letti. Ben si è ubriacato. Cose del genere.»

«Vabbe', non mi interessa» dice Lorcan, e comincia a infilare i suoi documenti nella valigetta.

Richard rimane zitto. Ha la fronte aggrottata e sembra molto concentrato. Alla fine si lascia andare sulla sedia vicino alla mia e comincia ad appallottolare freneticamente i suoi boxer. Lo guardo incredula, non mi sembra ancora vero di vederlo qui.

«Richard» dico alla fine. «Hai presente il detto: "Troppo poco, troppo tardi?". Per te bisognerebbe coniare il motto: "Troppo e troppo tardi". Questa cosa di attraversare mezzo mondo, correre all'aeroporto, tenere discorsi romantici davanti a tutti, perché non l'hai mai fatta *prima*?»

Richard evita di rispondere alla domanda e si limita a fissarmi avvilito. «Credi che sia troppo tardi?»

Questa è una domanda a cui non voglio rispondere io.

«È solo un modo di dire» replico, dopo un momento di pausa. «Coraggio.» Gli do una pacchetta rassicurante sulla spalla: «Dobbiamo imbarcarci».

Siamo in volo da circa mezz'ora quando Richard ci raggiunge nella parte anteriore dell'aereo dove siamo seduti in una fila di tre posti. Prendo Noah in braccio e Richard si sistema sul sedile accanto a me.

«Allora, quanto credi sarà alto questo Ben?» dice senza tanti preamboli.

«Non lo so, non l'ho mai visto.»

«Ma hai visto delle fotografie. Che cosa dici... un metro e settantaquattro, settantacinque?»

«*Non lo so.*»

«Secondo me sarà uno e settantacinque. Decisamente più basso di me» aggiunge, con cupa soddisfazione.

«Be', non è poi così difficile» osservo. Richard sarà quasi un metro e novanta.

«Non avrei mai detto che Lottie si sarebbe messa con un nanerottolo.»

Non so che cosa rispondergli, quindi alzo gli occhi al cielo e continuo a leggere la rivista della compagnia aerea.

«L'ho cercato su Internet.» Richard accartoccia un sacchetto per il vomito. «È multimilionario, proprietario di una cartiera.»

«Mmh, lo so.»

«Ho cercato di scoprire se possiede un jet privato. Non c'era scritto, ma credo di sì.»

«Richard, smettila di torturarti.» Alla fine mi giro verso di lui. «I jet privati non c'entrano proprio niente, e neppure l'altezza. Non ha senso mettersi in competizione.»

Richard mi guarda in silenzio per alcuni secondi, poi, come se non avessi neppure parlato, dice: «Hai visto in che posto vive? L'hanno usato per "Highton Hall". È un multimilionario e ha una casa principesca». Si rabbuia. «Bastardo.»

«Richard...»

«Ma è un po' esilino, non credi?» Sta facendo a pezzi il sacchetto. «Non avrei mai immaginato che Lottie si mettesse con un tizio così mingherlino.»

«Richard, smettila!» esclamo esasperata. «Se vai avanti così per tutto il viaggio, mi fai andare fuori di testa.»

Una voce zuccherosa ci interrompe: «Questo è il nostro ospite speciale?». Alziamo lo sguardo e vediamo una hostess con una treccia alla francese che si china su di noi sorridendo. Ha in mano un orsacchiotto, un portafoglio della compagnia aerea, dei lecca lecca e una scatola enorme di Ferrero Rocher. «Cheryl ci ha raccontato la tua storia» dice radiosa a Noah. «Ho dei regali per te.»

«Grande! Grazie!» Noah afferra i regali prima che possa fermarlo e rimane senza fiato. «Mamma, guarda che scatola di Ferrero Rocher! Ci sono anche così grandi!»

«Grazie» dico un po' a disagio. «Non dovevate disturbarvi.»

«È il minimo che possiamo fare!» mi assicura la hostess. «E il signore è il famoso zio?» Si rivolge a Richard sbattendo le ciglia, e lui la ricambia con un'espressione spenta.

«Mio zio parla tre lingue» dice Noah orgoglioso. «Zio Richard, parla in giapponese!»

«Chirurgo e poliglotta?» La hostess spalanca gli occhi, e io conficco le dita nella mano di Richard prima che gli venga in mente di smentire. Non voglio che Noah sia umiliato in pubblico.

«Eh, sì!» mi affretto a dire. «È un uomo di grande talento. Grazie infinite.» Fisso sorridente la hostess finché lei, dopo aver dato un ultimo buffetto sulla guancia di Noah, se ne va.

«Fliss, che cavolo sta succedendo?» protesta sottovoce Richard, appena lei si è allontanata.

«Posso avere una carta di credito da mettere qui dentro?» domanda Noah, esaminando il suo portafoglio. «Posso avere un'American Express? E i punti?»

Oh, mio Dio, a sette anni sa già che cosa sono i punti dell'American Express? È imbarazzante. Quasi come quella volta che ero arrivata in un albergo di Roma e non avevo fatto in tempo a trovare delle monete per la mancia che lui aveva già chiesto di vedere un'altra stanza.

Tiro fuori l'iPod e lo consegno a Noah, che lancia un urlo di gioia e si infila gli auricolari, poi mi sporgo verso Richard e abbasso la voce.

«Noah ha raccontato una storia inventata a una hostess.» Mi mordo il labbro, d'un tratto risollevata per aver condiviso le mie preoccupazioni. «È diventato un contaballe pazzesco, anche a scuola: ha detto a una maestra che gli avevano fatto un trapianto al cuore e a un'altra che aveva una sorellina nata con un utero in affitto.»

«Che cosa?» chiede sbigottito.

«Eh, sì, lo so.»

«Ma dove ha sentito queste storie? Una sorellina nata con un utero in affitto!»

«Da un DVD che fanno vedere nel dipartimento per le esigenze educative speciali della scuola» rispondo in tono ironico.

«Ah, bene.» Richard metabolizza lentamente la notizia. «Insomma, che cosa ha raccontato a questa gente?» domanda indicando la hostess.

«Non ne ho idea, a parte il fatto che tu hai un ruolo da protagonista nei panni di un chirurgo.» Lo guardo negli occhi e all'improvviso scappa da ridere a tutti e due.

«Non c'è niente da ridere.» Richard scuote la testa, mordendosi il labbro.

«È orribile.»

«Povero bambino.» Richard gli scompiglia i capelli, e lui si risveglia momentaneamente dalla sua trance da iPod, con un sorriso beato in faccia. «Secondo loro, lo fa perché i suoi genitori sono divorziati?»

Il residuo di ilarità svanisce dalla mia faccia. «Probabilmente» dico con noncuranza. «O forse lo attribuiscono, come dire, alla cattiva madre in carriera.»

Richard fa una smorfia. «Mi dispiace.» Dopo un momento di pausa, aggiunge: «A proposito, come vanno le cose? Hai firmato l'accordo?».

Apro la bocca per rispondere spontaneamente, poi mi blocco. Ho annoiato molte volte Richard a cena parlando di Daniel. Vedo che si sta preparando al mio sfogo. Perché prima non notavo mai queste cose?

«Ah, sì, bene.» Gli sfodero il mio nuovo sorriso zuccheroso. «Tutto bene! Non ne parliamo neanche.»

«Okay.» Richard sembra preso alla sprovvista. «Grandioso! Insomma... ci sono altri uomini all'orizzonte?» Il volume della sua voce sembra raddoppiato e io sussulto. Prima di riuscire a controllarmi, guardo automaticamente Lorcan, che è seduto accanto al finestrino dalla parte opposta del corridoio e per fortuna non pare aver sentito nulla, concentrato com'è sul suo computer portatile.

«No» rispondo. «Niente. Nessuno.»

Mi impongo rabbiosamente di non guardare Lorcan, di non pensare neppure a lui, ma è una missione impossibile. Prima che riesca a tenerli a bada, i miei occhi guizzano di nuovo verso di lui. Stavolta Richard segue il mio sguardo.

«Che cosa?» Mi fissa sbigottito. «Lui?»

«Ssh.»

«Lui?»

«No! Cioè... sì.» Sono costernata. «Una volta.»

«*Lui?*» Richard sembra mortalmente offeso. «Ma lui è dall'altra parte della barricata!»

«Non ci sono barricate!»

Richard scruta Lorcan socchiudendo gli occhi con aria diffidente. Un attimo dopo Lorcan alza lo sguardo. Sembra stupito che lo stiamo guardando. Mi sento avvampare e mi giro subito dall'altra parte.

«Smettila!» bisbiglio. «Non lo guardare!»

«Anche tu lo stavi guardando» osserva Richard.

«Solo perché lo stavi guardando tu!»

«Fliss, sembri nervosa.»

«Non sono nervosa» ribatto dandomi un contegno. «Sto solo cercando di comportarmi da adulta fra adulti. Lo stai guardando di nuovo!» Gli strattono il braccio. «Smettila!»

«Chi è, di preciso?»

«Il più vecchio amico di Ben. Un avvocato, lavora nella sua azienda.» Alzo le spalle.

«Insomma... c'è una storia?»

«No, non è una storia. Ci siamo solo visti e poi...»

«E poi mollati.»

«Esatto.»

«Sembra un gran simpaticone» dice Richard, continuando a osservare Lorcan con aria critica. «Sto facendo del sarcasmo» aggiunge, dopo un attimo di pausa.

«Eh, già» annuisco. «L'avevo capito.»

Lorcan alza di nuovo lo sguardo e solleva le sopracciglia. Poco dopo si slaccia la cintura di sicurezza per venire da noi.

«Fantastico» bisbiglio. «Grazie, Richard. Ciao!» Sfodero un sorrisino dolce a Lorcan. «Come te la passi?»

«È terribile. Devo parlarti.» I suoi occhi scuri sono vitrei quando incrociano i miei, e io mi sento sobbalzare il cuore nel petto per l'emozione.

«Okay, va bene, ma forse non è il luogo adatto...»

«Mi rivolgo a tutti e due» mi interrompe, guardando sia me che Richard. «Sto andando a Ikonos per un buon motivo. Devo discutere di alcune questioni importanti con Ben. Lui ha bisogno di concentrarsi. Perciò se avete in mente di picchiarlo, rubargli la moglie, fare scenate o qualsiasi altra cosa, vi prego vivamente di rimandare tutto a dopo il nostro incontro. Poi sarà tutto vostro.»

All'improvviso provo una gran rabbia nei suoi confronti.

«Non hai nient'altro da dire?» Lo fulmino con lo sguardo.
«No.»
«Pensi solo al lavoro: non te ne importa proprio niente di aver provocato questo matrimonio?»
«Io non ho provocato un bel niente» ribatte. «E naturalmente la mia priorità è il lavoro.»
«"Naturalmente"» ripeto sarcastica. «Il lavoro è più importante del matrimonio? Un punto di vista interessante.»
«Al momento, sì. E anche per Ben dovrebbe essere così.»
«Be', non ti preoccupare» dico alzando gli occhi al cielo. «Non abbiamo intenzione di picchiarlo.»
«Io potrei anche farlo.» Richard stringe un pugno e si colpisce l'altra mano. «Magari lo faccio.» La signora anziana seduta vicino a me sembra inorridita.
«Mi scusi» si affretta a dire a Lorcan. «Desidera fare cambio di posto, così può parlare con i suoi amici?»
«No, grazie» dico nell'istante stesso in cui Lorcan risponde: «Sì, molte grazie».
Grandioso. Un minuto dopo Lorcan si sta allacciando la cintura del sedile accanto al mio, mentre io mi impongo di guardare davanti a me. La sua semplice vicinanza mi fa formicolare la pelle. L'odore del suo dopobarba mi evoca flashback proustiani di quella notte, che di sicuro non mi sono di grande aiuto.
«Ecco» dico sbrigativa. È solo una parola, ma secondo me trasmette perfettamente il messaggio: "Ti sbagli su tutta la linea: su chi sia la causa di questo matrimonio, su che cosa intendessi dire di preciso ieri mattina e in generale su quali debbano essere le priorità nella vita".
«Ecco» replica lui con un brusco cenno del capo. Ho la sensazione che intenda dire più o meno la stessa cosa.
«Ecco.» Apro il giornale. Con questo intendo ignorarlo per tutto il viaggio.

L'unico problema è che non posso fare a meno di lanciare di tanto in tanto delle occhiate al suo portatile e notare delle frasi di mio interesse. Richard sta ascoltando l'iPod insieme a Noah, che continua a fare incursioni nei suoi lecca lecca. Anche se è arrogante, pieno di sé e dall'altra parte della barricata, non ho nessun altro con cui parlare.

«Allora, che cosa sta succedendo?» domando alla fine, alzando le spalle come a dire che non è che mi interessi più di tanto.

«Stiamo razionalizzando l'azienda» risponde Lorcan, dopo un attimo di pausa. «Vogliamo espandere un ramo dell'attività, rifinanziarne un altro ed eliminarne un altro ancora. Sono cose che vanno fatte: di questi tempi, l'industria della carta...»

«Un incubo» concordo, prima di riuscire a bloccarmi. «Anche noi risentiamo del costo della carta.»

«Naturalmente. La rivista.» Annuisce. «Bene, allora sei informata.»

Di nuovo, ci ritroviamo in sintonia. Non so se sia un errore, ma, chissà come, è più forte di me. È così bello parlare con qualcuno che non sia il mio capo, un mio subalterno, mio figlio, il mio ex marito o la mia stramba sorellina. Lui non ha bisogno di me per un motivo o per l'altro. Questa è la differenza. È solo seduto qui, composto, come se non gliene fregasse niente.

«Ho letto su Internet che sei l'inventore di Papermaker...» dico. «Ma l'hai creato proprio tu in persona?»

«Io ho avuto l'idea.» Si stringe nelle spalle. «Altre persone più talentuose di me hanno realizzato il progetto vero e proprio.»

«Mi piace Papermaker» ammetto. «I biglietti d'auguri sono molto belli. E costosi.»

«Però li compri lo stesso» mi dice con un sorrisetto.

«Per ora» ribatto. «Finché non troverò un'altra marca.»

«*Touché.*» Fa una smorfia e io lo guardo di sottecchi. Forse sono stata un po' troppo dura.

«State avendo dei problemi?» Glielo chiedo, anche se mi rendo conto che è una domanda stupida. Al momento sono tutti in difficoltà. «Voglio dire, problemi gravi.»

«Siamo a un bivio.» Sospira. «È un momento cruciale. Il padre di Ben è morto abbastanza all'improvviso e da allora stiamo arrancando. Dobbiamo prendere alcune decisioni coraggiose.» Esita un attimo. «Decisioni coraggiose e giuste.»

«Ah.» Ci rifletto su. «Intendi dire che è Ben che deve prendere le decisioni coraggiose e giuste?»

«Sei perspicace.»

«Ed è probabile che lo faccia? Puoi parlare con me, non mi lascerò sfuggire nulla.» Mi blocco un attimo, in dubbio se essere diplomatica o no. «State per fallire?»

«No.» Dalla veemenza con cui risponde mi accorgo di aver toccato un nervo scoperto. «Non stiamo per andare in fallimento, siamo in attivo, ma l'azienda potrebbe andare meglio. Abbiamo i marchi, le risorse, dipendenti molto leali...» Parla come se stesse cercando di convincere una platea immaginaria. «Ma è difficile, l'anno scorso abbiamo rifiutato un'offerta d'acquisto.»

«Non potrebbe essere una soluzione?»

«Il padre di Ben si rivolterebbe nella tomba» taglia corto Lorcan. «L'offerta proveniva da Yuri Zhernakov.»

Alzo le sopracciglia. «Caspita.» Il nome di Yuri Zhernakov finisce sui giornali un giorno sì e un giorno no accanto a parole tipo "miliardario" e "oligarca".

«Ha visto la residenza in "Highton Hall" alla televisione e la moglie se n'è innamorata» dice in tono ironico. «Volevano venirci per alcune settimane all'anno.»

«Be', potrebbe essere una buona cosa, no?» dico. «Vendere, fintanto che c'è qualcuno che fa un'offerta?»

Cala il silenzio. Lorcan sta fissando lo screensaver, che poi è il logo di Papermaker, con sguardo torvo.

«Forse Ben alla fine venderà» dice. «Ma a tutti tranne che a Zhernakov.»

«Che cos'ha che non va Zhernakov?» lo stuzzico ridendo. «Sei uno snob?»

«No, non sono uno snob!» replica Lorcan accalorandosi. «Ma a me sta a cuore l'azienda. Un elemento come Zhernakov non è interessato a una cartiera da quattro soldi che gli rovina la vita. Chiuderebbe metà delle attività, convertirebbe il resto, rovinerebbe la comunità. Se Ben trascorresse un po' di tempo lassù, se ne renderebbe conto...» Si interrompe e sospira. «E poi l'offerta è sbagliata.»

«E Ben che cosa ne pensa?»

«Ben...» Lorcan beve un sorso dalla sua bottiglietta d'acqua. «Purtroppo Ben è abbastanza ingenuo. Non ha l'istinto per gli affari di suo padre, ma crede di averlo, il che è pericoloso.»

Do un'occhiata alla ventiquattrore. «Insomma, stai andando a Ikonos per convincere Ben a firmare tutti i contratti di ristrutturazione dell'azienda prima che possa cambiare idea.»

Lorcan rimane in silenzio per un attimo, tamburellando con entrambe le mani.

«Voglio che lui si assuma la responsabilità di quel che ha ereditato» dice alla fine. «Non si rende conto della propria fortuna.»

Bevo qualche sorso di champagne. C'è qualcosa che non mi convince.

«Perché te la prendi così tanto?» gli domando alla fine. «L'azienda non è tua.» Lorcan sbatte le palpebre e mi accorgo di aver toccato di nuovo un tasto dolente, anche se lui sta molto attento a non darlo a vedere.

«Il padre di Ben era un uomo straordinario» dice lentamente. «Voglio solo che le cose vadano come avrebbe desiderato lui. Ed è fattibile» aggiunge con improvviso fervore. «Ben è un tipo creativo, intelligente. Potrebbe essere un grande leader, ma la deve smettere di fare il coglione e di offendere la gente.»

Sono tentata di chiedergli in che modo, di preciso, abbia offeso della gente, ma non me la sento di impicciarmi così tanto negli affari loro.

«A Londra facevi l'avvocato, vero?» I miei pensieri virano in un'altra direzione.

«Allo studio Freshfields si stanno ancora chiedendo dove sia finito.» Un'espressione spiritosa gli illumina il viso. «Stavo passando da uno studio legale all'altro, quando sono andato a stare dal padre di Ben. Questo è successo quattro anni fa. Vengo ancora chiamato dalle agenzie di reclutamento, ma sono felice così.»

«Ti occupi di annullamenti di matrimoni?» Le parole mi sfuggono di bocca prima che riesca a fermarmi.

«Annullamenti di matrimoni?» Lorcan inarca un bel po' le sopracciglia. «Ah, capisco.» Mi guarda negli occhi con un'espressione così interrogativa che per poco non gli rido in faccia. «Signora Graveney, lei ha una mente machiavellica.»

«Ho una mente pratica» lo correggo.

«Insomma, è vero che non hanno...» Lorcan si interrompe. «Ehi, ma che cosa sta succedendo là?»

Seguo il suo sguardo e vedo che la donna anziana seduta in precedenza accanto a me sta respirando affannosamente con le mani premute sul petto. Un ragazzo molto giovane si guarda intorno con aria impotente e grida: «C'è un dottore? C'è un medico qui dentro?».

«Sono un medico generico.» Un uomo con i capelli grigi e una giacca di lino li raggiunge di corsa. «È tua nonna?»

«No! Non l'ho mai vista in vita mia!» Il ragazzo sembra nel panico e lo capisco. La donna non ha una bella cera. Stiamo tutti fissando il dottore che parla con lei sottovoce e le tasta il polso, quando d'un tratto compare l'hostess con la treccia alla francese.

«Signore» dice ansimante. «Mi scusi, possiamo chiederle aiuto?»

Aiuto? Ma che diavolo...

Io e Richard ci arriviamo insieme: pensano che lui sia un medico. Oh, merda. Richard mi lancia uno sguardo allucinato e io lo fisso angosciata.

«Qui c'è uno specialista!» sta dicendo all'uomo con la giacca di lino, gli occhi scintillanti di entusiasmo. «Non preoccupatevi! Abbiamo a bordo un cardiologo esperto e all'avanguardia di Great Ormond Street! Si occuperà lui della signora!»

Richard strabuzza gli occhi allarmato. «No!» farfuglia. «No, veramente, non sono...»

«Dài, zio Richard!» dice Noah, illuminandosi in viso. «Cura la signora!»

Intanto il medico generico sembra offeso nella sua dignità. «È un semplice caso di angina pectoris» dice stizzito, alzandosi in piedi. «Se vuole che me ne occupi io, ho la borsa medica a bordo, ma se desidera verificare di persona...»

«No.» Richard ha un'aria disperata. «Assolutamente no!»

«Le ho somministrato nitroglicerina sublinguale. Lei è d'accordo?»

Oh, mio Dio, che disastro, Richard è la disperazione fatta persona.

«Io... cioè...» Deglutisce nervosamente. «Io...»

«Non esercita mai a bordo di aerei!» intervengo io in suo soccorso. «Ha una fobia.»

«Sì» dice lui, guardandomi con gratitudine. «Esatto! Una fobia.»

«Dal giorno di quella terribile sciagura.» Rabbrividisco drammaticamente, come se stessi rievocando un ricordo doloroso. «Volo 406 per il Bangladesh.»

«Per piacere, non chiedetemi di parlarne.» Richard sta al gioco.

«È ancora in terapia» annuisco con aria solenne.

Il medico generico ci fissa come se fossimo due pazzi furiosi.

«Be', meno male che c'ero qui io» taglia corto. Si gira di nuovo verso la donna anziana, e io e Richard ci inabissiamo. Mi sento svenire. La hostess scuote la testa delusa e si allontana.

«Fliss, devi fare in modo che Noah si dia una regolata» mi bisbiglia Richard. «Non può andarsene in giro a raccontare storie del genere. Finirà per mettere qualcuno in guai seri.»

«Lo so. Mi dispiace moltissimo.»

L'anziana viene accompagnata nella parte anteriore dell'aereo. Il medico generico e l'equipaggio sembrano impegnati in una discussione un po' tesa. Scompaiono dietro una tenda e per un po' non danno segni di vita. Richard guarda fisso davanti a sé con la fronte increspata dalla preoccupazione. Deve essere in pensiero per quella signora, concludo con benevolenza. Richard ha un animo gentile.

«Allora, dimmi.» Si gira verso di me, sempre accigliato. «È vero che non l'hanno ancora fatto?»

Oh, no, che scema che sono. È un uomo: ovvio che pensa solo a quello.

«Sì che è vero, da quello che mi risulta.» Alzo le spalle.

«Ehi, forse a questo Ben non gli tira.» Richard all'improvviso si ravviva.

«Non credo sia quello il problema» replico scuotendo la testa.

«E perché no? È l'unica spiegazione! Non gli tira!»

«Che cos'è che non tira?» domanda Noah interessato.

Fantastico. Lancio un'occhiataccia a Richard, ma lui non se accorge neppure, tanto è gongolante. Scommetto che in tedesco esiste una lunga parola per indicare "la gioia provocata dall'impotenza del proprio rivale sessuale", e in questo momento Richard la sta sperimentando in pieno.

«Poveretto» aggiunge, quando nota la mia espressione critica. «Voglio dire, mi dispiace per lui, naturalmente, è un disturbo molto brutto.»

«Non hai prove» osservo.

«Sono in luna di miele» ribatte Richard. «Chi è che non lo fa in luna di miele, a meno che non gli tiri?»

«Che cosa non gli tira?» Noah alza la voce.

«Niente, tesoro» mi affretto a rispondere. «Sono discorsi da adulti e molto noiosi.»

«Quella cosa che tira è adulta?» domanda Noah con snervante curiosità. «E certe volte non tira?»

«Non gli tira!» Richard esulta. «È tutto chiarissimo. Povera Lottie.»

«A chi non tira?» domanda Lorcan, girandosi verso di noi.

«A Ben» risponde Richard.

«Davvero?» Lorcan sembra colto alla sprovvista. «Oh, merda.» Si acciglia: «Be', questo spiega molte cose».

Oddio, è così che cominciano i pettegolezzi. È così che nascono gli equivoci, gli arciduchi vengono ammazzati e cominciano le guerre mondiali.

«Sentite, voi due!» dico io furibonda. «Lottie non ha assolutamente parlato di cose che tirano e non tirano.»

«Il mio l'ho tirato su» interviene Noah tranquillo e io, prima di riuscire a controllarmi, sussulto inorridita.

Dài, Fliss, non esagerare, mantieni la calma, sii una madre illuminata.

«Ah, sì, tesoro? Però... è...» Ho le guance in fiamme. I due uomini aspettano allegramente che finisca la frase. «È... interessante, tesoro. Magari ne parliamo dopo. I nostri corpi fanno delle cose meravigliose e misteriose, ma non sempre se ne parla in pubblico.» Lancio un'occhiata eloquente a Richard.

Noah sembra perplesso. «Ma la signora ne ha parlato: mi ha detto di tirarlo su.»

«Che cosa?» Lo fisso, non meno confusa di lui.

«Per il decollo: "Tira su il tavolino".»

«Ah. Il tavolino.» Mi scappa da ridere.

«Il povero tavolino dello zio Ben non va su» dice Richard impassibile.

«Smettila!» Cerco di adottare un tono severo, ma sto ridendo come una matta. «Invece sono sicura che...» Mi blocco, sentendo la voce dell'hostess risuonare dall'altoparlante. «Signore e signori, attenzione, prego. Ho un avviso importante.»

Oh-oh. Spero che la signora stia bene. All'improvviso mi dispiace moltissimo di aver riso in un momento così drammatico.

«Purtroppo devo informarvi che, a causa di un'emergenza medica a bordo, l'aereo non potrà proseguire il volo verso Ikonos, come previsto, ma atterrerà allo scalo più vicino dotato di strutture mediche complete, che al momento è Sofia.»

Rimaniamo inchiodati ai sedili per lo choc. Tutta la mia ilarità è svanita. Ci stanno dirottando?

«Ci scusiamo per il disturbo che questo potrà arrecarvi, e naturalmente vi forniremo ulteriori informazioni appena possibile.»

Un brusio di protesta è esploso tutt'intorno a me, ma io non lo sento neppure. Non può essere vero. Lorcan si gira verso di me incredulo.

«Sofia, in Bulgaria? Quante ore di ritardo avremo?»

«Non lo so.»

«Che cosa succede?» Noah ci sta guardando in faccia a uno a uno. «Mamma, che cosa succede? Chi è Sofia?»

«È un posto.» Deglutisco. «A quanto pare, andremo lì fra poco. Divertente, eh?» Lancio un'altra occhiata a Richard. Anche lui ha perso tutta la sua verve. È sprofondato nel sedile e fissa furibondo lo schienale davanti a sé.

«Ecco, è finita, arriveremo troppo tardi, pensavo di avere una chance di arrivare prima che... hai presente...» Allarga le mani. «Ma adesso è impossibile.»

«Non è impossibile!» ribatto, cercando di rassicurare tanto me stessa quanto lui. «Richard, ascoltami, il cosiddetto matrimonio di Lottie sta già andando a rotoli.»

Non avevo intenzione di dirgli così tanto, ma credo abbia bisogno di un'iniezione di fiducia.

«Tu non puoi saperlo!» ribatte ringhioso.

«Invece sì! Il fatto è che ci sono dei precedenti. Lottie fa sempre così, tutte le volte che finisce una relazione.»

«Che cosa fa, si sposa?» Richard sembra scandalizzato. «Tutte le volte?»

«No!» Mi viene da ridere a vedere la sua espressione. «Sto solo dicendo che compie qualche gesto stupido e avventato, e poi torna in sé. Probabilmente, appena scesa dall'aereo, troverò un SMS con su scritto: "Fliss, ho fatto un errore colossale! Aiutami!".»

Vedo Richard elaborare la notizia. «Lo pensi davvero?»

«Credimi, ci sono già passata. Le chiamo le sue scelte infelici. Una volta entra in una setta, un'altra si fa tatuare... Considera questo matrimonio alla stregua di un piercing estremo. In questo momento stanno facendo il gioco delle coppie» aggiungo per incoraggiarlo. «Voglio dire, è una buffonata! Non si conoscono per niente. Lottie se ne accorgerà e comincerà a rinsavire, allora si renderà conto...»

«Il gioco delle coppie?» dice Richard dopo un po'. «Cioè, come quel programma alla televisione?»

«Esatto. Tipo: "Qual è il piatto cucinato da te che lei preferisce?". Roba del genere.»

«Spaghetti alla carbonara» risponde Richard prontamente.

«Ecco.» Gli afferro la mano e gliela stringo. «Se concorreste voi due, vincereste; Ben e Lottie, invece, faranno una figuraccia, e a quel punto lei tornerà in sé, vedrai.»

15

LOTTIE

È un gioco, solo un gioco, non significa proprio niente.

Eppure sono sempre più inviperita. Perché non mi ricordo cose di questo genere? E, soprattutto, perché Ben non si ricorda niente? Non gli interessano i piccoli dettagli della mia vita?

Siamo seduti nel giardino dell'albergo e mancano dieci minuti all'inizio del gioco delle coppie: non mi sono mai sentita tanto impreparata a una verifica in vita mia. Ben è disteso su un'amaca a bere birra e ad ascoltare una nuova canzone rap con l'iPad, il che non migliora certo il mio umore.

«Ricominciamo» dico. «E stavolta concentrati. Che shampoo uso?»

«L'Oréal.»

«No!»

«Formula antiforfora extra strong.» Ridacchia.

«No!» Gli tiro un calcio. «Te l'ho detto! Kérastase. E tu usi Paul Mitchell.»

«Ah, sì?» fa lui con lo sguardo vuoto. Mi sento subito ribollire di rabbia.

«Che cosa vuol dire "Ah, sì"? Me l'hai detto tu che usi Paul Mitchell! Dobbiamo seguire sempre lo stesso copione, Ben. Se dici Paul Mitchell una volta, devi attenerti a quello!»

«Oddio.» Ben beve un sorso di birra. «Rilassati.» Alza il volume dell'iPad e io sussulto. Gli piace davvero quella musica?

«Passiamo a un'altra cosa.» Cerco di controllare la mia impazienza. «Qual è la mia bevanda alcolica preferita?»

«Sidro alla pera.» Sorride.

«Divertente» dico, per pura cortesia.

"Adesso capisco perché non ha avuto successo come comico." Il pensiero cattivo mi balena in testa senza preavviso. Ops. Stringo le labbra, sperando con tutte le mie forze che non sia trapelato dalla mia espressione. Non l'ho pensato per davvero, certo che no...

"Richard avrebbe fatto uno sforzo." Un pensiero ancora più invadente mi sfreccia nel cervello come un potente uccello in volo, togliendomi il respiro. Guardo il foglio di carta sbattendo le palpebre, il viso in fiamme. Non voglio pensare a Richard. No e poi no.

"Anche Richard avrebbe pensato che il gioco delle coppie è una stupidaggine, ma lui avrebbe fatto uno sforzo, perché vedendo che io ci tenevo, ci avrebbe tenuto anche lui..."

Smettila.

"Come quella volta che si era messo a fare le imitazioni alla festa del mio ufficio e tutti erano rimasti entusiasti di lui..."

SENTI, STUPIDO CERVELLO, Richard è FUORI dalla mia vita. Adesso si starà addormentando tranquillamente in un elegante palazzo di San Francisco, dall'altra parte del mondo, e si sarà completamente dimenticato di me, e io sono con mio marito, ripeto, marito...

«*The Jewelled Path*? Dici sul serio?»

Ero così presa dalla mia battaglia interiore da non accorgermi che Ben ha preso in mano il foglio con le risposte che gli avevo preparato. Adesso lo sta fissando incredulo.

«Che cosa?»

«*The Jewelled Path* non può essere il tuo libro preferito.» Alza lo sguardo dal foglio. «Ti prego, dimmi che stai scherzando.»

«Non sto scherzando» ribatto irritata. «L'hai letto? È un ottimo libro.»

«Ho sprecato trenta preziosi secondi della mia vita per scaricarlo da Internet e dare una scorsa al primo capitolo.» Fa una smorfia. «Rivoglio indietro i miei trenta secondi.»

«Evidentemente, non hai colto il messaggio che vuole trasmettere» dico offesa. «È un libro molto profondo, se lo leggi con attenzione.»

«Solo un mucchio di cazzate new age.»

«Ottanta milioni di lettori non la pensano così.» Lo guardo storto.

«Ottanta milioni di cretini.»
«Be', allora qual è il tuo libro preferito?» Prendo il foglio per leggerlo da sola, ma qualcosa mi distrae. Mi porto la mano alla bocca scioccata e lo guardo in faccia. «Non puoi votare quelli lì!?»
«Perché, tu non li voti?»
«No!»
Ci fissiamo come se avessimo scoperto di essere due alieni. Deglutisco un paio di volte, poi riguardo il foglio.
«Okay! Bene.» Sto cercando di non lasciar trapelare il mio turbamento. «Insomma, dobbiamo ricapitolare alcune informazioni di base. Le nostre preferenze politiche le conosciamo... Che tipo di pasta preferisci?»
«Dipende dal sugo» risponde prontamente lui. «Che domanda stupida.»
«Be', a me piacciono le tagliatelle. Di' tagliatelle anche tu. Programma televisivo preferito?»
«"Dirk e Sally".»
«"Dirk e Sally", decisamente.» Sorride e l'atmosfera si alleggerisce un po'.
«Puntata preferita?» non posso fare a meno di chiedere.
«Fammi pensare.» Si illumina in viso. «Quella con le aragoste. Un classico.»
«No, il matrimonio» ribatto. «Deve essere quella del matrimonio, "Con questa Smith & Wesson calibro 59, io ti sposo..."»
Ho riguardato quella puntata circa novantacinque volte. Dirk e Sally si risposavano (dopo il divorzio iniziale, le dimissioni dalla polizia e la riassunzione nella serie quattro), il matrimonio più bello che abbia mai visto in televisione.
«No, il doppio episodio sul rapimento.» Ben si è seduto sull'amaca e si sta abbracciando le ginocchia. «È stato epico. Ah, aspetta un attimo, ho un'idea...» Si illumina in faccia. «Interpreteremo Dirk e Sally.»
«Che cosa?» Lo fisso sconcertata. «Come?»
«Al gioco! Non riesco a ricordare tutta questa roba.» Agita il mio foglio. «Ma io so che cosa piace a Sally e tu sai che cosa piace a Dirk. Saremo loro, non noi.»
Non dirà mica sul serio, o sì? Prima che riesca a trattenermi, mi sfugge una risatina.

«Peggio non può andare, no?» aggiunge Ben. «So tutto di Sally. Mettimi alla prova.»
«Okay, che shampoo usa?» lo sfido. Ben arriccia il naso per pensarci su.
«Lo so... Silvikrin. Si vede nella sequenza d'apertura. Qual è il drink preferito di Dirk?»
«Bourbon liscio» rispondo prontamente. «Facile. Quand'è il compleanno di Sally?»
«12 giugno, e Dirk le porta sempre un mazzo di rose bianche. E il tuo?» mi chiede, improvvisamente allarmato. «Non è molto presto, vero?»
Ha ragione. Sappiamo più di una coppia di poliziotti televisivi che di noi. È talmente assurdo che non riesco a trattenere un sorriso.
«Okay, Dirk, affare fatto.» Alzo lo sguardo e vedo avvicinarsi Nico, fiancheggiato da Georgios e Hermes. I tre lacchè, come ha cominciato a chiamarli Ben. Siamo nel luogo più nascosto e isolato del giardino, eppure sono riusciti a rintracciarci. È tutto il pomeriggio che ci ronzano intorno, offrendoci bevande e spuntini. Ci hanno persino portato due orribili cappelli da sole con su scritto "Ikonos", per paura che ci prendessimo un colpo di calore.
«Signori Parr, mi risulta che siate iscritti al gioco delle coppie... Comincia fra pochi minuti, giù alla spiaggia» ci dice Nico in tono gentile. Si è messo una giacca decorata con galloni luccicanti, e mi viene il dubbio che sia proprio lui il presentatore del quiz.
«Stavamo giusto andando.»
«Benissimo! Vi assisterà Georgios.»
"Non abbiamo bisogno di nessuna cavolo di assistenza" vorrei ribattere, invece mi mordo il labbro e sorrido.
«Dopo di voi.»
«Vai, Sally» mi bisbiglia Ben all'orecchio e io soffoco un risolino. Forse alla fine ci divertiremo.

Hanno fatto le cose a regola d'arte. Hanno montato un palco di legno sulla spiaggia, decorandolo con un gonnellone di strisce di alluminio rosso. Ai quattro lati hanno appeso gruppi di palloncini a forma di cuore. C'è un enorme striscione con la scritta IL GIOCO DELLE COPPIE e una piccola band che suona *Love*

Is All Around. Melissa arriva ondeggiando sulla sabbia con il suo caftano arancione, seguita, a due passi di distanza, da un uomo biondo rossiccio in calzoncini di Vilebrequin e polo verde acqua. Immagino sia il marito, visto che portano entrambi grossi cartellini con su scritto COPPIA UNO vicino al nome.

«Stella McCartney» gli sta dicendo rabbiosamente, quando ci avviciniamo. «Lo sai benissimo che è di Stella McCartney. Oh, ciao! Allora ci siete anche voi!»

«Pronti alla battaglia?» dice Ben, con una luce birichina negli occhi.

«È solo per divertirsi!» ribatte lei, quasi aggressivamente. «Vero, Matt?»

Noto incredula che Matt ha in mano *Il libro ufficiale delle domande del gioco delle coppie*. Si sono portati quell'affare?

«Oh, ce l'avevamo casualmente a casa» dice Melissa, arrossendo, appena si accorge che lo sto guardando. «Mettilo via, Matt, e comunque è troppo tardi ormai» bisbiglia furente. «Certo che avresti potuto sforzarti un po' di più... Ciao! Voi siete gli altri concorrenti, immagino! È solo per divertirsi!» Saluta un uomo e una donna dall'aria più matura, che si avvicinano mano nella mano, con un'espressione un po' perplessa. Hanno i capelli grigi e indossano entrambi larghi pantaloni beige e camicie hawaiane di cotone con le maniche corte. L'uomo porta i calzini con i sandali.

«Signori Parr, i vostri cartellini.» Nico scende a consegnarci i cartellini con su scritto COPPIA TRE. «Signori Kenilworth, ecco i vostri.»

«Siete in luna di miele?» non posso fare a meno di domandare alla donna che, a quanto pare, si chiama Carol.

«Oh, no, cara, che Dio ti benedica!» Sta giocherellando con il colletto della camicia. «Abbiamo vinto questo viaggio all'asta del nostro bridge club. Non è proprio il genere di posto che fa per noi, ma bisogna stare un po' al gioco, e poi ci piacciono i quiz...»

Nico ci conduce tutti e sei sul palco e noi osserviamo il nostro pubblico, costituito da ospiti dell'hotel in sarong e T-shirt con tanto di cocktail in mano.

«Signore e signori!» Nico ha acceso il microfono e la sua voce rimbomba in tutta la spiaggia. «Benvenuti al gioco delle coppie del nostro albergo!»

Bisogna dire che è abbastanza divertente, è proprio come

alla televisione. Tutte noi donne veniamo guidate in un gazebo vicino, dove ci fanno indossare delle cuffie con una musica assordante, mentre gli uomini rispondono alle domande sul palco. Poi i ruoli si invertono e arriva il nostro turno. Mentre scrivo le risposte, mi sento improvvisamente nervosa. Ben si sarà attenuto al piano? Avrà risposto davvero immaginando di essere Dirk? E se invece se l'è fatta sotto?

Be', ormai è troppo tardi. Scrivo la risposta finale e consegno il foglio.

«E adesso...» annuncia Nico accompagnato da un rullo di tamburi eseguito dalla band. «Riuniamo le coppie! Vietato parlare fra voi!» Il pubblico applaude mentre gli uomini tornano sul palco. I maschi stanno a un lato di Nico, le donne a quello opposto, e io vedo Melissa che cerca di attirare l'attenzione di Matt mentre lui l'ignora risoluto.

«Prima domanda! Qual è la cosa a cui vostra moglie non può rinunciare quando esce? Signori, vi prego di rispondere in modo chiaro e tenendo la bocca vicino al microfono. Coppia uno?»

«Borsetta» risponde prontamente Matt.

«E sua moglie ha risposto...» Nico consulta il foglio. «Borsetta. Dieci punti! Coppia due, stessa domanda?»

«Mentine» dice Tim, dopo un attimo di riflessione.

«E sua moglie ha detto... Caramelle Polo. Ci è andato abbastanza vicino.» Nico annuisce. «Dieci punti! Coppia tre?»

«Facile» dice Ben laconico. «Non esce mai senza la sua Smith & Wesson calibro 59.»

«È una pistola?» domanda Melissa sbigottita. «Una *pistola*?»

«E sua moglie ha detto...» Nico consulta la mia risposta. «"La mia Smith & Wesson calibro 59." Congratulazioni, dieci punti!» Si gira verso di me con le sopracciglia alzate. «Non ce l'avrà qui con lei, spero?»

«Me la porto dappertutto.» Gli sorrido.

«Una pistola?» insiste Melissa. «Sul serio? Matt, hai sentito?»

«Prossima domanda!» esclama Nico. «Non c'è cibo in casa: dove vi viene subito in mente di andare a mangiare? Signori, rispondete di nuovo, per cortesia. Prima la coppia uno.»

«Ehm... in un *fish and chips*» risponde Matt incerto.

«Un *fish and chips*?» Melissa lo fulmina con lo sguardo. «Un *fish and chips*?»

«Be', è una soluzione rapida, semplice...» geme Matt, vedendo l'espressione della moglie. «Che cosa hai messo tu?»

«Le Petit Bistro!» risponde inferocita. «Ci andiamo sempre quando vogliamo fare un pasto veloce. Lo sai benissimo!»

«Io a volte vado al *fish and chips*» si ribella Matt sottovoce, anche se non sono sicura che l'abbia sentito qualcun altro, a parte me.

«Zero punti» dice Nico solidale. «Coppia due?»

«Al pub» dice Tim, dopo circa mezz'ora di riflessione. «Direi che andremmo al pub.»

«E sua moglie ha scritto...» Nico sbircia il foglio. «Signora, mi scusi, ma non riesco a leggere la sua scrittura.»

«Be', non sapevo che cosa mettere.» Carol sembra in difficoltà. «Non ci manca mai il cibo. Una minestra nel freezer ce l'abbiamo sempre, non è vero, tesoro?»

«Ehm, sì» annuisce Tim. «Ne facciamo diverse porzioni che poi tiriamo fuori la domenica per guardare "L'ispettore Barnaby". Minestra al prosciutto e piselli.»

«O piselli, pollo e chorizo» gli ricorda Carol.

«O al pomodoro semplice.»

«E congeliamo anche i panini» spiega Tim. «Così basta mettere tutto nel microonde e in cinque minuti è pronto.»

«Integrali o bianchi e croccanti» aggiunge Carol. «Di solito, li dividiamo a metà...» Lascia la frase in sospeso e poi tace.

Tutti sembrano leggermente storditi da quella descrizione domestica, compreso Nico, che però poi riprende vita.

«Grazie per la risposta incredibilmente precisa.» Sorride a Carol e Tim. «Ma, ahimè, zero punti. Coppia tre?»

«Adesso andiamo al Dill's Diner» rispondo. «Ha detto anche lui così?»

«Mi spiace» comincia Nico. «Non è la risposta...»

«Un attimo!» lo interrompo proprio quando Melissa comincia a sorridere sollevata. «Non ho finito. Adesso andiamo al Dill's Diner, ma un tempo andavamo alla steakhouse di Jerry e Jim, prima che quella banda di delinquenti la facesse saltare in aria.»

«Ah» fa Nico, controllando il foglio. «Sì, suo marito ha scritto: "Andavamo da Jerry e Jim finché la banda di Carlo Dellalucci non l'ha fatta saltare in aria. Adesso andiamo al Dill's Diner".»

«Ma dov'è?» domanda Melissa. «Dove vivete?»

«Appartamento 43D, Ottantesima Strada Ovest» rispondiamo insieme. È scritto nei titoli di testa.

«Ah, New York» fa, come se stesse dicendo: "Oh, quella discarica a cielo aperto".»

«È saltata in aria, cioè esplosa?» interviene Matt, molto colpito. «Ci sono stati dei morti?»

«Il capo della polizia» rispondo con un brusco cenno del capo. «E la figlia di dieci anni che aveva appena conosciuto. È morta fra le sue braccia.»

Era il finale della prima serie. Televisione di prim'ordine. Mi viene quasi da consigliarla a tutti i presenti, solo che rischierei di tradirmi un po'.

«Domanda numero tre!» esclama Nico. «Adesso la gara si fa più agguerrita!»

Di lì alla domanda otto abbiamo finito la prima e la seconda serie e anche la puntata speciale di Natale. Melissa e Matt hanno dieci punti di svantaggio rispetto a noi, e lei è sempre più nervosa.

«No, non può essere vero» dice, mentre Ben finisce di descrivere la "giornata più memorabile trascorsa insieme", con tanto di accerchiamento armato, inseguimento in macchina nello zoo di Central Park e torta di compleanno con candeline in cella (una lunga storia). «Obiezione!» Melissa batte sul microfono come se fosse un giudice con il martelletto. «Nessuno fa una vita del genere!»

«Dirk e Sally sì!» replico, cercando di non scoppiare a ridere appena incrocio lo sguardo di Ben.

«Chi sono Dirk e Sally?» chiede all'improvviso, guardandoci in faccia tutti e due, come se subodorasse un altro inganno.

«I nomignoli con cui ci chiamiamo a vicenda» risponde Ben tranquillamente. «E posso chiederti che cosa vorresti insinuare con ciò? Che abbiamo imparato a memoria una serie di risposte finte solo per fare questo gioco? Sembriamo davvero così sfigati?»

«Ma per piacere!» sbotta Melissa indignata. «Avete detto che il vostro primo appuntamento è stato in un obitorio!»

«E voi vi siete incontrati davvero all'Ivy?» replica lui. «A nessuno viene in mente di darsi appuntamento all'Ivy, a meno che non sappia in anticipo che si annoierà al punto di dover sbirciare altra gente. Mi spiace» aggiunge in tono cortese rivolto a Matt. «Sono certo che voi invece ve la siete proprio goduta.»

Non riesco a smettere di ridere, Melissa è sempre più furibonda e c'è da capirla. Altre persone si sono aggiunte al pubblico e anche loro si stanno divertendo un mondo.

«Domanda numero nove!» Nico cerca di riprendere in mano la situazione. «Qual è il posto più insolito dove avete avuto... relazioni amorose? Coppia due, volete rispondere voi per primi?»

«Be'...» Carol diventa sempre più rossa. «Non sapevo cosa mettere, è una domanda molto intima...»

«Infatti» conferma Nico solidale.

«Credo che il termine esatto sia...» Si interrompe, contorcendosi per l'imbarazzo. «Fellatio.»

Dal pubblico si leva una risata fragorosa e io stringo le labbra per cercare di trattenermi. Carol ha fatto un pompino a Tim? No, non è possibile. Non riesco assolutamente a immaginare la scena.

«Suo marito ha scritto "Un cottage nell'Anglesey"» dice Nico, con un ampio sorriso. «Zero punti, purtroppo, cara signora, però complimenti per averci provato.»

Carol sembra sul punto di prendere fuoco per autocombustione. «Per "posto" avevo capito...» balbetta. «Cioè...»

«Sì, appunto.» Lui annuisce comprensivo. «Coppia uno?»

«Hyde Park» risponde Melissa prontamente, come una scolaretta in classe.

«Giusto! Dieci punti! Coppia tre?»

Ho dovuto pensarci un po' su, c'erano diverse opzioni. Spero solo che Ben si sia ricordato la puntata.

«Il molo di Coney Island.» Guardo Ben in faccia e capisco di aver sbagliato.

«Peccato! Suo marito ha scritto: "Sulla scrivania del procuratore distrettuale".»

«Sulla scrivania del procuratore distrettuale?» Melissa è livida di rabbia. «Mi state prendendo in giro?»

«Zero punti!» interviene in fretta Nico. «E adesso arriviamo al culmine del quiz. Tutto dipende da questa domanda finale. La domanda più personale e intima di tutte.» Fa una pausa a effetto. «Quando si è reso conto di essere innamorato di sua moglie?»

Nel pubblico cala un silenzio carico di suspense, accompagnato da un lieve rullo di tamburi.

«Coppia tre?» domanda Nico

«Quando eravamo legati insieme sulle rotaie e stava arrivando il treno» risponde Ben assorto. «Lei allungò il braccio, mi baciò e disse: "Se questa è la fine, io sarò felice". Poi ci liberò entrambi con la sua limetta per le unghie.»

«Esatto!»

«Sulle rotaie?» Melissa guarda in faccia tutti i presenti. «Posso contestare questa risposta?»

Io sorrido a Ben e alzo il pugno in segno di vittoria. Lui però non risponde. Ha lo sguardo assente, come se stesse ricordando qualcosa.

«Coppia due?»

«Un attimo!» dice Ben all'improvviso. «Non ho finito di rispondere. Quella volta sul binario del treno mi resi conto di essere innamorato di mia moglie. Ma fu in una circostanza molto diversa» mi lancia un'occhiata indecifrabile «che capii di amarla sul serio.»

«Qual è la differenza?» obietta Melissa con voce petulante. «Stai cercando di farci saltare di nuovo i nervi?»

«Ci si innamora e disinnamora di continuo» ribatte Ben. «Ma quando ami davvero una persona... è per sempre.»

È una battuta del telefilm? Non la ricordo. Mi sento un po' confusa. Di che cosa sta parlando?

«Il giorno in cui mi resi conto di amare mia moglie fu proprio qui sull'isola di Ikonos, quindici anni fa.» Si piega sul microfono e la sua voce rimbomba più forte. «Avevo l'influenza e lei mi curò per tutta la notte. Era il mio angelo custode; ricordo ancora quella voce dolce che mi rassicurava, dicendomi che mi sarei ripreso. Solo adesso mi rendo conto che cominciai ad amarla proprio allora.»

Alla fine rimane zitto. Tutti sembrano sbigottiti. Poi una ragazza del pubblico lancia un urlo di apprezzamento, ed è come se si fosse rotto l'incantesimo. D'un tratto esplode l'applauso, più forte che mai.

Sono così commossa che a momenti non sento neppure le risposte degli altri. Stava parlando di noi, non di Dirk e Sally. Di noi, Ben e Lottie. Mi sento pervadere da un piacevole calore e non riesco a smettere di sorridere. Mi ama da quindici anni.

Si è alzato e l'ha detto in pubblico. In tutta la mia vita non mi era mai successa una cosa tanto romantica.

C'è solo un piccolo tarlo che mi rode...

Niente di che, un'inezia... È che non ricordo l'episodio. Ho un vuoto di memoria. Non ricordo che Ben avesse avuto l'influenza, e neppure di averlo curato. Ma in fondo sono tante le cose che avevo dimenticato. Mi ero completamente scordata di Big Bill e del torneo di poker. L'avrò rimosso, sarà nascosto in un recesso profondissimo della mia mente.

«... lo sai che è stato durante quel picnic! L'hai sempre detto tu!»

D'un tratto mi rendo conto che Melissa e Matt stanno ancora litigando per questa risposta.

«Non è stato al picnic» ribatte Matt ostinato. «È accaduto nei Cotswolds. Ma con le scenate che fai, mi sa che sarebbe stato meglio non innamorarmi per niente.»

Melissa prende un respiro profondissimo e praticamente le vedo uscire il fumo dalle orecchie.

«Credo proprio di sapere dove ci siamo innamorati, Matt! E non è stato nei maledettissimi Cotswolds!»

«E con questo siamo giunti alla fine del gioco!» si intromette abilmente Nico. «Ed è con grande piacere che annuncio i nostri campioni: la coppia tre! Ben e Lottie Parr! Vincete un massaggio speciale di coppia all'aperto. Inoltre, nel corso della cerimonia di premiazione che si terrà domani sera, riceverete la "coppa degli sposi felici della settimana". Congratulazioni!» Nico incita il pubblico a fare un grande applauso e Ben mi strizza l'occhio. Mentre facciamo un inchino, mi stringe forte la mano.

«Mi piace l'idea del massaggio di coppia» mi bisbiglia all'orecchio. «Ho letto prima che lo fanno con oli essenziali in un posto sulla spiaggia circondato da tende. Ti offrono bicchieri di champagne e, finito il massaggio, ti lasciano soli a trascorrere "un momento di intimità".»

Momento di intimità? Lo guardo negli occhi. Finalmente! Io e Ben da soli sulla spiaggia nel nostro spazio privato, con le onde che si frangono sulla sabbia, lo champagne e i corpi unti d'olio...

«Facciamolo al più presto» gli dico, la voce impastata dal desiderio.

«Stasera.» La sua mano mi sfiora il seno e io fremo per l'aspettativa. Mi sa che abbiamo lasciato perdere la regola di non toccarci. Ci inchiniamo di nuovo di fronte al pubblico e poi scendiamo dal palco. «E adesso andiamo a prenderci qualcosa da bere» aggiunge Ben. «Ti voglio imbottire d'alcol.»

Tutto sommato, avere un maggiordomo ha i suoi vantaggi. Appena diciamo che vogliamo festeggiare con un drink, Georgios entra in azione, trovandoci un tavolino d'angolo nell'elegante ristorante sulla spiaggia e portandoci una bottiglia di champagne in un secchiello pieno di ghiaccio e tartine speciali all'aragosta prelevate direttamente dal ristorante principale. Per una volta non mi dispiacciono tutte le premure dei maggiordomi, che continuano a girarci intorno cerimoniosi. Mi sembra giusto. È giusto che abbiano tutti questi riguardi: siamo i campioni!

«Eccoci qui!» dice Ben, quando ci lasciano finalmente soli. «Tutto sommato, è stata una bella giornata.»

«Molto bella.» Sorrido.

«Mancano due ore al massaggio.» Mi guarda negli occhi e sorride.

Due ore deliziose per pregustare la fantasmagorica maratona del sesso che ci aspetta. Ce la posso fare. Sorseggio lo champagne e mi appoggio allo schienale, sentendo il sole sul viso. In questo istante la vita è praticamente perfetta. Ho solo un minuscolo tarlo in testa a cui sto cercando di non badare. Ce la posso fare. Sì, dài.

No, non ce la faccio.

Mentre sorseggio champagne e sgranocchio mandorle salate, so che cosa mi sta incupendo l'umore. C'è un punto debole che mi sforzo di ignorare, ma è inutile che cerchi di ingannare me stessa, so benissimo che più lo trascuro, più mi preoccupo.

Non conosco Ben, non come dovrei. È mio marito e non lo conosco. Cioè, va bene che non votiamo alla stessa maniera... ma il problema è che non ne avevo la minima idea. Pensavo che in questi ultimi giorni avessimo fatto un bel po' di progressi nella conoscenza reciproca, ma ora capisco che sono rimaste delle lacune enormi. Quali altre sorprese mi riserverà?

Nel reclutamento del personale poniamo sempre le stesse domande di base per farci rapidamente un'idea dei candidati: "Dove vorresti trovarti fra uno, cinque, dieci anni?". Non saprei proprio che risposta mettere per Ben, e non mi pare giusto, no?

«Ti sento distante.» Ben mi tocca la punta del naso. «Terra chiama Lottie.»

«Dove vorresti essere fra cinque anni?» chiedo di punto in bianco.

«Ottima domanda» ribatte prontamente. «E tu dove vorresti essere?»

«Non sottrarti.» Gli sorrido. «Voglio conoscere i piani ufficiali di Ben Parr.»

«Forse un tempo avevo dei piani ufficiali.» I suoi occhi si raddolciscono quando incrociano i miei. «Ma adesso che ho te forse sono cambiati.»

Il suo sguardo mi disarma al punto che sento svanire tutti i miei dubbi. Mi sta fissando con il sorriso più ammaliante che si possa immaginare e un'espressione vaga e sognante, come se si stesse figurando il nostro futuro insieme.

«Per me è uguale» sbotto, senza riuscire a trattenermi. «È come se avessi davanti un futuro completamente nuovo.»

«Un futuro con te, ovunque desideriamo vivere.» Allarga le mani. «Qual è il tuo sogno, Lottie? Fa' che sia anche il mio.»

«La Francia?» butto là incerta. «Una fattoria in Francia?» Ho sempre sognato di trasferirmi in Francia. «Magari nella Dordogna o in Provenza? Potremmo costruire una casa, trovare un progetto veramente...»

«È una splendida idea.» Gli brillano gli occhi. «Troviamo un rudere e lo trasformiamo in una casa bellissima, dove invitare amici, trascorrere ore e ore a tavola...»

«Sì, esatto!» Le parole escono impetuose, mescolandosi alle sue. «Avremmo una grande tavola, cibo fresco e squisito, e i bambini aiuterebbero a preparare l'insalata...»

«Imparerebbero anche il francese...»

«Quanti bambini vuoi avere?»

La mia domanda interrompe il flusso della conversazione per un attimo. Mi rendo conto che sto trattenendo il fiato.

«Tutti quelli che riusciremo a fare» dice Ben con semplicità. «Se assomigliano a te, ne voglio dieci!»

«Forse non proprio dieci...» rido risollevata. Siamo in perfetta sintonia! Le mie preoccupazioni erano infondate! Quando si parla di scelte di vita, siamo sulla stessa lunghezza d'onda. Mi viene quasi voglia di prendere lo smartphone e cercare vecchie case francesi da perderci la testa.

«Davvero vuoi trasferirti in Francia?»

«Se c'è una cosa che desidero fare nei prossimi due anni è mettere su famiglia» risponde serio. «Trovare uno stile di vita che possa piacermi. E la Francia è una delle mie passioni.»

«Parli francese?»

Prende il menu dei dolci, tira fuori una matita e scrive in fretta sul retro, poi lo gira per mostrarmelo.

L'amour, c'est toi
La beauté, c'est toi
L'honneur, c'est toi
Lottie, c'est toi

Sono incantata. Nessuno mi aveva mai dedicato una poesia, e di sicuro non in francese.

«Grazie infinite! È bellissima!» La rileggo, mi avvicino il foglio al viso come per cercare di aspirarne le parole, poi lo poso di nuovo.

«Ma il tuo lavoro?» Ora desidero così tanto che questo progetto si avveri che non posso fare a meno di insistere, giusto per sicurezza. «Non potresti lasciarlo.»

«Potrei fare avanti e indietro.»

Non so neppure bene in che cosa consista il suo lavoro. Cioè, è un'azienda che produce carta, questo lo so, ma che cosa fa esattamente lui? Non sono sicura che me l'abbia mai spiegato come si deve, e adesso mi sembra un po' troppo tardi per chiederglielo.

«C'è qualcuno che potrebbe mandare avanti l'azienda al posto tuo? Lorcan, magari?» Mi viene in mente il migliore amico di Ben. «Lavora con te, no? Non potrebbe intervenire lui?»

«Oh, sono certo che ne sarebbe felicissimo.» La sua voce assume improvvisamente un tono aspro, e io faccio un passo indietro con le mie fantasticherie.

Accidenti, è chiaro che ho toccato un nervo scoperto. Non è che sappia nulla di preciso, ma d'un tratto l'atteggiamento di Ben evoca momenti di tensione nelle riunioni del consiglio di amministrazione, porte sbattute e mail di cui ci si pente il giorno dopo.

«Doveva essere il tuo testimone» dico con cautela. «Non è anche il tuo migliore amico?»

Ben rimane in silenzio per alcuni istanti, turbato da qualche pensiero.

«Non so neanche perché Lorcan sia nella mia vita» dice alla fine. «Questa è la verità. Ho girato l'angolo e me lo sono trovato davanti.»

«In che senso?»

«Quattro anni fa si è separato dalla moglie. È andato a stare da mio padre su nello Staffordshire. Niente di male, sono sempre andati d'accordo, sin da quando noi due eravamo compagni di scuola. Poi però Lorcan ha cominciato a dare consigli, a lavorare in azienda e a fare il bello e il cattivo tempo. Avresti dovuto vederli insieme, lui e mio padre, che attraversavano impettiti tutta la proprietà, facendo progetti ed escludendomi completamente.»

«Ma è orribile» dico comprensiva.

«La situazione ha raggiunto un punto critico due anni fa.» Beve un sorso di champagne. «Io me ne sono andato via all'improvviso. Ho fatto perdere le mie tracce. Avevo bisogno di pensare. Loro sono andati così nel panico da chiamare la polizia...» Allarga le mani. «Non gli ho mai detto dov'ero andato. Dopo di che hanno cominciato a trattarmi come una specie di squilibrato. Mio padre e Lorcan erano sempre più uniti. Poi, di punto in bianco, mio padre muore...»

La sua voce ha una crudezza da far accapponare la pelle.

«E Lorcan è rimasto nell'azienda?» chiedo.

«E dove sarebbe dovuto andare? Fa una vita molto comoda: ottimo salario, cottage nella proprietà... non gli manca proprio niente.»

«Ha figli?»

«No.» Ben si stringe nelle spalle. «Mi sa che non sono mai arrivati. O forse non ne volevano.»

«Be', allora perché non lo mandi via con discrezione?» Sto per consigliargli uno studio legale di mia conoscenza specializzato in allontanamento con tatto del personale, ma Ben non sembra fare caso a quello che dico.

«Lorcan crede di sapere sempre tutto meglio degli altri!» esplode astioso. «Quello che dovrei fare della mia vita e della mia azienda, quale agenzia pubblicitaria ingaggiare, quanto dovrei pagare gli addetti alle pulizie, che tipo di carta va meglio per... chessò... l'agenda della scrivania.» Sbuffa. «E siccome io non so mai che cosa dire, vince sempre lui.»

«Non è questione di vincere» dico, ma vedo che Ben non mi dà retta.

«Una volta mi ha persino requisito il cellulare davanti a tutti, perché secondo lui non era "appropriato".» Brucia di risentimento.

«Ma queste sembrano vere e proprie vessazioni!» dico scioccata. «Hai un buon responsabile delle risorse umane?»

«Sì.» Ben ha la voce cupa. «Ma se ne sta andando. E comunque lei non si permetterebbe mai di dire qualcosa a Lorcan. Lo adorano tutti.»

La professionista che c'è in me inorridisce. Mi sembra una situazione disastrosa. Mi viene voglia di prendere un foglio di carta e redigere un piano in cinque punti per Ben, per aiutarlo a controllare Lorcan in modo più efficace, ma non è esattamente un discorso sexy da fare in luna di miele.

«Dimmi» esordisco invece in tono gentile e rassicurante. «Dove sei andato quando hai fatto perdere le tue tracce?»

«Davvero lo vuoi sapere?» Ben mi lancia uno sguardo ironico e curioso. «Non ho dato esattamente il meglio di me.»

«Dimmi.»

«Sono andato a prendere lezioni di recitazione comica da Malcolm Robinson.»

«Malcolm Robinson?» Lo guardo negli occhi. «Sul serio?»

Adoro Malcolm Robinson. Fa così ridere. Conduceva un programma bellissimo e una volta sono andata a vederlo dal vivo a Edimburgo.

«Le ho comprate anonimamente a un'asta di beneficenza. Le lezioni sarebbero dovute durare un weekend, ma io l'ho convinto a estenderle a una settimana. Mi è costato una fortuna. Alla fine della settimana gli ho chiesto di dirmi sinceramente se secondo lui avevo talento.»

Cala il silenzio. Solo a vedere la sua espressione mi sento male.

«Allora...» dico alla fine, schiarendomi la gola. «Che cosa ha...»

«Mi ha risposto di no.» Ben mi interrompe con un tono di voce quasi spento. «È stato brusco, mi ha detto di lasciare perdere. In realtà, mi ha fatto un favore: da quel momento in poi, ho smesso di fare battute.»

Faccio una smorfia dispiaciuta. «Deve essere stato un brutto colpo per te.»
«Sì, mi ha ferito nell'orgoglio.»
«Da quanto tempo stavi provando a...?» Lascio la domanda in sospeso, imbarazzata. Non so bene come dirlo. Per fortuna, Ben capisce al volo.
«Sette anni.»
«E hai piantato lì di punto in bianco?»
«Già.»
«E non l'hai detto a nessuno? Nemmeno a tuo padre o a Lorcan?»
«Ho immaginato che forse si sarebbero accorti che avevo smesso di fare spettacoli e che prima o poi mi chiedessero come mai. E invece non l'hanno fatto.» Il tono offeso della sua voce è inequivocabile. «Non avevo nessun altro con cui... come dire... sfogarmi.»
Gli afferro la mano e gliela stringo forte. «Adesso hai me» gli dico dolcemente. «Sfogati pure.»
Ben mi stringe la mano a sua volta e mi guarda negli occhi. Per un attimo mi sento in perfetta sintonia con lui. Poi arrivano due camerieri a ritirare i piatti con le tartine: stacchiamo le mani, e l'incantesimo è spezzato.
«Che strana luna di miele, eh?» dico ironica.
«Mah, non so. Comincia a piacermi.»
«Anche a me.» Non posso fare a meno di ridere. «Mi fa quasi piacere che sia stata così strana. Almeno non la dimenticheremo.»
Parlo sul serio. Se non ci fossero stati tutti quegli incidenti disastrosi in camera da letto, magari adesso non saremmo seduti a questo tavolo e Ben non mi avrebbe fatto queste rivelazioni. È strano come funzionano le cose. Disaccavallo le gambe sotto il tavolo e comincio a sfiorargli la coscia con l'alluce. È una mia specialità, ma lui scuote la testa con forza.
«No» dice bruscamente. «No, no, non ce la faccio, sono troppo arrapato.»
«Allora come farai a sopravvivere al massaggio di coppia?» lo punzecchio.
«Gli dico di non metterci più di dieci minuti e di lasciarci completamente soli» ribatte serio. «Sono pronto a dare laute mance.»

«Manca un'ora.» Do un'occhiata all'orologio. «Mi chiedo che tipo di olio usino.»

«Lasciamo perdere l'argomento olio.» Sembra in tensione. «Per piacere, dammi un attimo di tregua.»

Non posso fare a meno di ridere. «Okay, cambiamo argomento. Quando facciamo un salto alla pensione? Domani?»

Sono per metà entusiasta e per metà terrorizzata all'idea di rivedere quel posto. È lì che ci siamo incontrati. È lì che c'è stato l'incendio. È lì che è cambiata la mia vita. È lì che è successo tutto. In una pensione minuscola, quindici anni fa.

«Domani.» Ben annuisce. «Dovrai fare la ruota sulla spiaggia.»

«Non mancherò.» Gli sorrido. «E tu ti devi tuffare da quello scoglio.»

«E poi troveremo la nostra grotta...»

Sorridiamo tutti e due con gli occhi lucidi, persi nei nostri ricordi.

«Ti mettevi quei microscopici pantaloncini tinti a nodi» dice Ben. «Mi facevano impazzire.»

«Li ho portati» confesso.

«No, dài!» I suoi occhi si illuminano.

«Li ho conservati per tutto questo tempo.»

«Sei un angelo.»

Gli lancio un sorriso malizioso e il desiderio mi travolge. Oddio, come faccio ad aspettare un'ora? Come faccio ad ammazzare il tempo?

Informo Fliss sui nuovi sviluppi. Prendo il telefonino e scrivo un SMS veloce:

Indovina un po'? ABBIAMO VINTO!!! Va tutto a gonfie vele. Io e Ben siamo una squadra fantastica. Sono felicissima. ☺

Mentre scrivo non posso fare a meno di sorridere. Non crederà ai suoi occhi! Anzi, spero che la notizia la tiri su di morale. Prima sembrava un po' stressata. Mi chiedo che cosa stia combinando. D'impulso aggiungo:

Spero che anche tu stia trascorrendo una bellissima giornata. Tutto bene?? L xxx

16

FLISS

Non c'è niente di male in Sofia, la capitale della Bulgaria. È una bellissima città e ci sono stata molte volte. Vanta splendide chiese, interessanti musei e un mercato di libri all'aperto. Eppure, non è qui che vorrei essere alle sei di sera, accaldata, sudata e irritata, in attesa al nastro trasportatore dei bagagli, quando invece dovrei essere sull'isola di Ikonos, in Grecia!

L'unico lato positivo della situazione è questo: non posso dare la colpa a Daniel. Stavolta lui non c'entra niente, stavolta c'è di mezzo il destino, o la mano di Dio. (Grazie tante, Dio. È per via di quella cosa che avevo detto alla lezione di religione a undici anni? Stavo *scherzando*.) Anche se in realtà mi piacerebbe dare la colpa a Daniel. Anzi, mi piacerebbe prenderlo a calci. In mancanza di meglio, magari prendo a calci il mio trolley.

Tutt'intorno al nastro trasportatore si affollano cinque strati di persone. Devono arrivare i bagagli di diversi aerei, e nessuno è di buon umore, tanto meno i passeggeri del volo 637 diretto a Ikonos. Non si vedono molti sorrisi. Non si sentono molte voci allegre.

Cioè, voglio dire, siamo a Sofia, in Bulgaria.

Anni di viaggi per lavoro mi hanno fatto sviluppare un atteggiamento abbastanza zen nei confronti delle linee aeree, dei ritardi e degli imprevisti, ma devo dire che questo è un imprevisto di proporzioni epiche. Non potevamo semplicemente atterrare, lasciare quella povera donna all'ospedale, salutare e riprendere efficientemente il nostro viaggio. Oh, no, prima bisognava recuperare il suo bagaglio, poi hanno avuto problemi a trovare un posto per decollare e alla fine si è scoperto che c'era un guasto a un motore. Insomma, adesso dobbiamo passare una notte a Sofia. Ci sistemano al City Heights Hotel. (Non male, quattro stelle, fantastico bar sul tetto, se ricordo bene.)

«Quella è nostra!» grida Noah per la cinquantunesima volta. Ha reclamato il possesso di quasi tutte le valigie nere comparse sul nastro trasportatore, anche se la nostra ha una fascia rossa inconfondibile e probabilmente al momento è diretta a Belgrado.

«No, Noah, non è quella» dico paziente. «Continua a guardare.» Una donna mi pesta pesantemente l'alluce e cerco di ricordare un insulto in bulgaro che sapevo una volta, quando sento il trillo dell'SMS e tiro fuori il cellulare.

> Indovina un po'? ABBIAMO VINTO!!! Va tutto a gonfie vele. Io e Ben siamo una squadra fantastica. Sono felicissima. ☺ Spero che anche tu stia trascorrendo una bellissima giornata. Tutto bene?? L xxx

Sono talmente scioccata che per un attimo non riesco a muovermi. Hanno vinto? Come cavolo hanno fatto?

«Chi ti ha mandato il messaggio?» Richard mi ha visto leggere. «Lottie?»

«Ehm... sì.» Ho i riflessi troppo rallentati per mentire.

«Che cosa dice? Si è resa conto di aver commesso un errore?» La sua espressione speranzosa mi fa sentire male. «Chissà che figuraccia hanno fatto al gioco delle coppie, eh?»

«Veramente, hanno vinto.»

Ci rimane malissimo. «Hanno vinto?»

«A quanto pare.»

«Ma credevo che non sapessero nulla l'uno dell'altra.»

«Infatti è così!»

«Avevi detto che sarebbe stato un disastro» borbotta Richard in tono accusatorio.

«Lo so anch'io!» ribatto irritata. «Senti, sono sicura che ci sia una spiegazione. Deve esserci stata un'interferenza. Adesso le telefono.» Premo il tasto di chiamata e mi giro dall'altra parte.

«Fliss?» Quell'unica sillaba mi fa capire che è in fibrillazione.

«Congratulazioni!» Cerco di imitare il suo tono di voce. «Avete... avete vinto?»

«Incredibile, vero?» dice esultante. «Avresti dovuto vederci, Fliss. Abbiamo interpretato due personaggi! Eravamo Dirk e

Sally, hai presente quelli della serie televisiva che guardavamo sempre?»

«Ah, sì» dico frastornata. «Wow.»

«Adesso stiamo festeggiando e ho appena mangiato le tartine all'aragosta più buone del mondo e bevuto champagne. E domani torniamo alla vecchia pensione. E Ben mi ha scritto una poesia d'amore in francese...» Sospira estasiata. «È una luna di miele perfetta.»

Fisso il telefono sempre più inorridita. Champagne? Poesie d'amore in francese? Una luna di miele perfetta???

«Bene.» Cerco di rimanere calma. «È... davvero sorprendente.»

Che cavolo ha combinato Nico? È andato a dormire?

«Sì, infatti prima è stato orribile!» Lottie ride felice. «Non ci potevamo credere, non abbiamo neppure... hai presente... fatto nulla. Ma, chissà come, non importa.» La sua voce assume un tono dolce e amorevole. «È come se tutti questi disastri assurdi avessero rafforzato la nostra unione.»

I disastri hanno rafforzato la loro unione? Io ho rafforzato la loro unione???

«Fantastico!» Ho la voce stridula. «Grandioso! Insomma, hai fatto bene a sposare Ben?»

«Sì, ne sono sicura al mille per mille» risponde Lottie euforica.

«Wow, meraviglioso!» Faccio una smorfia, chiedendomi come procedere. «Solo che... sai, stavo pensando a Richard. Chissà come sta adesso. Sei in contatto con lui?»

«Con *Richard*?» Per poco non mi stacca un orecchio con la sua voce al vetriolo. «Perché dovrei essere in contatto con Richard? È uscito dalla mia vita e spero di non rivederlo mai più!»

«Ah.» Mi strofino il naso, cercando di non guardare Richard. Mi auguro che non senta niente.

«Ti rendi conto che stavo per attraversare l'Atlantico per lui? Lui per me non avrebbe mai fatto uno sforzo del genere. Mai.» Il suo rancore mi dà i brividi. «Quell'uomo non ha neppure una briciola di romanticismo!»

«Io invece sono sicura che ce l'abbia eccome!» mi sfugge, prima che riesca a trattenermi.

«No, invece» ribatte lei decisa. «Sai che cosa penso? Secondo me, non mi ha mai amato. Probabilmente, si è già dimenticato di me.»

Guardo Richard – così accaldato, sudato e risoluto – e mi viene voglia di urlare. Se solo lei sapesse.

«Be', comunque, Fliss, credo davvero che sia di cattivo gusto da parte tua parlare di Richard» aggiunge arrabbiata.

«Scusa» batto subito in ritirata. «Stavo solo pensando ad alta voce. Sono felice che stiate trascorrendo un bel momento.»

«Un momento fantastico» replica con enfasi. «Abbiamo parlato, insomma, ci siamo sintonizzati, e abbiamo fatto progetti... Ah, a proposito, il tizio con cui sei stata, quel Lorcan...»

«Sì? Qual è il problema?»

«Pare che sia una persona orribile, dovresti evitarlo. Non l'hai più rivisto, vero?»

Guardo istintivamente Lorcan, in piedi davanti al nastro trasportatore con Noah sulle spalle.

«Ehm... non molto» mento. «Perché?»

«È l'uomo più odioso e arrogante che si possa immaginare. Sai che lavora nell'azienda di Ben? Be', praticamente ha convinto il padre di Ben a offrigli un lavoro, e adesso è lì che fa una vita comoda e cerca di avere il controllo su tutto, persino su Ben.»

«Oh» dico stupita. «Non ne avevo idea, credevo fossero amici.»

«Be', anch'io, ma Ben in realtà lo odia. A quanto pare, una volta gli ha requisito il cellulare davanti a tutti!» Alza la voce indignata. «Neanche fosse una specie di maestro di scuola. Non ti pare una cosa terrificante? Ho detto a Ben che dovrebbe denunciarlo per vessazioni! E potrei raccontarti tante altre cose. Quindi promettimi che non ti invaghirai di lui eccetera eccetera.»

Resisto alla tentazione di fare una risata sprezzante. Figurarsi.

«Farò del mio meglio» dico. «E tu promettimi di... ehm... continuare a divertirti alla grande.» È un vero strazio per me pronunciare queste parole. «Quali programmi avete per dopo?»

«Massaggio di coppia sulla spiaggia» risponde felice.

Ogni fibra del mio corpo si irrigidisce.

«Ah.» Deglutisco. «Ma dove, di preciso?»

Sto già pensando alla sfuriata da fare a Nico. Che cosa succede? Come ha potuto essere tanto negligente? Perché bevono champagne e mangiano aragoste? Perché ha permesso a Ben di scriverle una poesia d'amore in francese? Avrebbe dovuto fare un blitz e strappargli la matita di mano.

«Fra mezz'ora andiamo» dice Lottie. «Ti spalmano l'olio

dappertutto e poi ti concedono un po' di intimità. Te lo giuro, Fliss, io e Ben non stiamo più nella pelle.»

Ho un diavolo per capello; tutto questo non era previsto. Sono bloccata in questa città della malora, mentre lei e Ben stanno per concepire un bambino sulla spiaggia, che chiameranno sicuramente "Spiaggia" e che poi, quando il matrimonio andrà a rotoli, si contenderanno ferocemente in tribunale. Saluto mia sorella e chiamo Nico.

«Allora?» Richard comincia subito a fare domande. «Com'è la situazione?»

«La situazione è... sotto controllo» taglio corto quando scatta la segreteria telefonica. «Ciao, Nico, sono Fliss. Dobbiamo parlare al più presto possibile. Chiamami.»

«Insomma che cosa ha detto Lottie?» mi chiede, appena chiudo la comunicazione. «Hanno vinto loro?»

«A quanto pare, sì.»

«Bastardo.» Ha il respiro pesante. «Che cosa sa di lei che io non so? Che cos'ha che io non ho? A parte, naturalmente, la casa principesca...»

«Richard, smettila!» gli urlo esasperata. «Non è una gara!»

«Nella vita di un uomo *tutto* è una gara!» sbotta perdendo il controllo. «Non te ne rendi conto? Da quando hai tre anni, ti metti a pisciare contro il muro con gli amici e l'unica cosa che ti interessa è: "Sono più grosso di lui? Più alto? Ho più successo? Mia moglie è più figa?". Quindi se uno stronzo con un jet privato fugge con la ragazza che ami, certo che è una gara.»

«Non sai se abbia un jet privato o no» dico, dopo un momento di pausa.

«Tiro a indovinare.»

Cala il silenzio. Mio malgrado, li metto a confronto mentalmente. Richard secondo me vincerebbe, ma bisogna dire che non ho conosciuto Ben.

«Okay, va bene, supponiamo che tu abbia ragione» dico alla fine. «Che cosa significa vincere? Dov'è la linea del traguardo? Lei è sposata con un altro, quindi significa che hai già perso?»

Non voglio essere dura, ma è la realtà dei fatti.

«Quando avrò detto a Lottie quello che provo veramente... e lei mi avrà rifiutato lo stesso, allora sì che avrò perso» ribatte lui risoluto.

Mi si stringe il cuore, tanto mi fa tenerezza. Si sta mettendo completamente in gioco: non si può certo dire che stia scegliendo la via più semplice.

«Okay» annuisco. «Be', tu sai bene per chi voterei.» Gli stringo la spalla.

«Adesso che cosa stanno facendo?» Dà un'occhiata al mio telefono. «Dimmi che cosa stanno facendo. Te l'avrà detto di sicuro.»

«Hanno appena fatto uno spuntino a base di champagne e aragoste» dico controvoglia. «E Ben le ha scritto una poesia in francese.»

«In francese?» Richard ha l'aria di uno che ha appena ricevuto una ginocchiata nello stomaco. «Ruffiano di merda.»

«E domani intendono andare a visitare la pensione» gli dico, proprio quando arriva Lorcan. Lui e Noah stanno trascinando tre trolley in due. «Bravissimi! Non ci sono più bagagli.»

«Dammi un cinque» Noah dice a Lorcan solenne e gli batte il palmo aperto con la manina.

«Alla pensione?» Richard sembra molto turbato. «La pensione dove si sono conosciuti?»

«Esatto.»

Si incupisce ancora di più. «Non fa altro che parlare di quel posto. I calamari diversi da tutti gli altri calamari del mondo e la spiaggetta isolata, la più bella del creato. Una volta l'ho portata a Kos e lei continuava a dire che lì non era bello come alla pensione di Ikonos.»

«Oddio, la pensione» interviene Lorcan. «Odio quel posto. Se solo sento dire un'altra volta che quel tramonto era come un trip psichedelico...»

«Anche Lottie non la finiva mai di parlare del tramonto» concorda Richard.

«E di come si alzavano tutti all'alba per andare a fare quel fottutissimo yoga.»

«... e la gente...»

«... l'atmosfera...»

«E il mare: il più limpido, il più turchese, il più perfetto del mondo» aggiungo io, alzando gli occhi al cielo. «Cioè, voglio dire, andiamo oltre.»

«Che posto di merda» dice Lorcan.

«Magari l'incendio l'avesse distrutto completamente» aggiunge Richard.

Ci guardiamo tutti in faccia, immensamente risollevati. Non c'è niente come avere un nemico comune.

«Be', adesso dobbiamo andare» dice Lorcan. Mi porge il manico del mio trolley e, appena prima che l'afferri, mi squilla il telefono. È Nico. Finalmente.

«Nico! Ma dove eri finito?»

«Fliss! So a che cosa stai pensando e sono mortificato...» Comincia a dilungarsi in scuse e io lo interrompo.

«Non abbiamo tempo da perdere. Stanno per rimanere soli sulla spiaggia. Devi muoverti in fretta. Ascoltami.»

17

LOTTIE

Questo è lo sfondo *ideale* per una prima notte di nozze. Cioè, voglio dire, la nostra spiaggia privata! Che figata è?

Siamo in una baietta tranquilla separata dalla spiaggia principale da un gruppo di scogli, su uno dei quali è attaccato il cartello "Non disturbare". Ci hanno portato qui in processione le nostre due massaggiatrici, mentre Georgios e Hermes chiudevano il corteo con scorte di champagne e ostriche, che ora ci aspettano nel ghiaccio. Adesso siamo distesi su un enorme materasso, mentre le due massaggiatrici, Angelina e Carissa, spalmano olio sui nostri corpi. Lunghe tende bianche si gonfiano intorno a noi, garantendo la privacy più assoluta. Il cielo è di quell'azzurro intenso che si vede solo a un certo punto del tardo pomeriggio, e le candele profumate piantate nella sabbia emanano un aroma dolce. Gli uccelli volteggiano lanciando i loro richiami, le onde si frangono lievi sulla spiaggia e nell'aria aleggia un profumo di sale. È tutto così scenografico che mi sembra di essere in una specie di video pop artistico.

Ben mi prende la mano e io gliela stringo, facendo una smorfia quando Carissa manipola un punto particolarmente contratto del mio collo. Mmh. Io e Ben e un letto a baldacchino sulla spiaggia, che poi avremo tutto per noi per due ore intere. Le terapiste l'hanno sottolineato più volte. "Due ore" continuava a dire Angelina. "Un bel po' di intimità, potrete rilassarvi come coppia... Tutti i sensi saranno stimolati... Nessuno vi disturberà, questo è garantito."

Ci mancava solo che ci facesse l'occhiolino. Naturalmente

questo è il "servizio sesso all'aria aperta", che si vergognano a pubblicizzare sulla brochure.

Carissa ha finito con il mio collo. Lei e Angelina si posizionano dietro le nostre teste e cominciano un massaggio sincronizzato. Mi sto rilassando sempre di più, anzi è probabile che mi addormenterei se non stessi anche smaniando di eccitazione. Mi è bastata la vista del corpo nudo e oliato di Ben accanto a me. Giuro che ci godremo ogni singolo istante di queste due ore di sesso. Ce le siamo guadagnate. Appena mi tocca, esplodo...

Ting!

Vengo risvegliata dai miei sogni a occhi aperti. Angelina e Carissa hanno estratto chissà da dove due campanellini e li hanno fatti tintinnare sulle nostre teste come per officiare una specie di rito.

«Finito» bisbiglia Carissa e mi avvolge nel lenzuolo. «Adesso rilassatevi. Prendetevela comoda.»

Sì! Hanno finito! Ci siamo. Con gli occhi socchiusi guardo Angelina e Carissa uscire dalle tende, che ondeggiano dolcemente al vento. Fisso il cielo blu, incapace di proferire parola, sopraffatta come sono dal torpore e dal desiderio. Credo che sia lo stato di beatitudine più intenso che abbia mai provato in vita mia: post massaggio, pre sesso.

«Eccoci qua.» Ben mi stringe di nuovo la mano. «Finalmente.»

«Finalmente.» Sto per sporgermi per baciarlo, ma lui mi precede. Ancor prima che me ne renda conto, è sopra di me, con una bottiglietta d'olio. Deve averlo portato di nascosto. Pensa proprio a tutto!

«Non mi piace che ti massaggino altre persone.» Mi versa l'olio sulle spalle. Ha un odore muschiato, sensuale e favoloso. Lo aspiro voluttuosamente, mentre lui me lo spalma dappertutto con gesti fermi e ampi che mi procurano brividi in tutto il corpo.

«Lo sa, signor Parr, che lei è un uomo molto talentuoso?» dico, la voce fremente di desiderio. «Potrebbe aprire un centro benessere.»

«Voglio una sola cliente.» Comincia a spalmarmi olio sui capezzoli, sulla pancia, giù in basso. D'un tratto, mi sfugge un gemito. L'ho desiderato tanto...

«Ti piace?» Mi fissa intensamente.

«Ho i brividi ovunque, non ce la faccio più.»

«Anch'io.» Si china per baciarmi, allungando le mani deciso fra le mie cosce...

«Oddio.» Mi manca il respiro. «Mi formicola davvero la pelle.»

«Anche a me.»

«Ahi!» Faccio una smorfia mio malgrado.

«Lo so che ti piace essere maltrattata un po'.» Lui si mette a ridacchiare, ma non sono sicura di poter condividere la sua ilarità. Il formicolio è troppo forte, c'è qualcosa che non va.

«Possiamo fermarci un attimo?» Lo spingo via, mi sembra di avere la pelle ricoperta di insetti. «Sono un po' infiammata.»

«Infiammata?» Nei suoi occhi brilla una luce ironica. «Amore, non abbiamo neppure cominciato.»

«Non c'è niente da ridere! Mi fa male!» Mi guardo angosciata il braccio, è diventato rosso, perché? Ben mi assale di nuovo, e io faccio del mio meglio per gemere di piacere mentre le sue labbra mi lambiscono il collo, ma a dire il vero sono gemiti di dolore.

«Basta!» dico alla fine disperata. «Time out! Mi sembra di aver preso fuoco!»

«Anche a me» dice lui ansimando.

«Ma letteralmente! Non ce la faccio! Guardami!»

Alla fine Ben arretra un po' e mi guarda da cima a fondo con gli occhi annebbiati dal desiderio. «Sei stupenda» dice in fretta. «Sei uno schianto.»

«No, non è vero! Sono tutta rossa.» Mi guardo le braccia sempre più allarmata. «E mi sto gonfiando! Guarda!»

«Queste sì che sono gonfie.» Ben mi accarezza un seno, ammirato. Non mi sta ascoltando?

«Ahia!» Gli allontano il braccio bruscamente. «Dico sul serio, ho avuto una reazione allergica. Che cosa c'è in quell'olio? Non olio di arachidi, vero? Lo sai che sono allergica alle arachidi.»

«È solo olio» risponde evasivo. «Non so che cosa ci sia dentro.»

«Ma devi pur saperlo! Devi pur aver guardato l'etichetta quando l'hai comprato.» Segue un breve silenzio. Ben ha un'espressione un po' imbronciata, come se l'avessi colto in fallo.

«Non l'ho comprato» dice alla fine. «Me l'ha dato Nico come omaggio dell'hotel. È la famosa miscela dell'albergo, o qualcosa del genere.»

«Ah.» Non posso fare a meno di rimanere delusa. «E non hai controllato? Anche se sapevi che sono allergica?»

«Me n'ero dimenticato, va bene?» Ben sembra sconcertato. «Non posso ricordare ogni minimo dettaglio.»

«Non credo proprio che l'allergia di tua moglie sia "un minimo dettaglio"!» ribatto infuriata, provando lo strano istinto di picchiarlo. Stava andando tutto alla grande: perché cavolo gli è venuto in mente di spalmarmi quel maledetto olio di arachidi?

«Senti, magari se troviamo l'angolazione giusta non ti fa così male.» Ben si guarda intorno disperato e apre le tende. «Prova a metterti in piedi su quegli scogli.»

«Okay.» Desidero quanto lui che le cose funzionino. Se minimizziamo i contatti... Mi arrampico sugli scogli cercando di non sussultare troppo. «Ahia...»

«No, non così...»

«Ahia, smettila!»

«Prova dall'altra parte...»

«Se potessi girarti un pochino... Uff!»

«Che cos'era, la tua narice?»

«Non funziona» dico, dopo essere scivolata dagli scogli per la terza volta. «Se solo avessimo qualcosa da mettere sotto, potrei provare a inginocchiarmi sulle rocce...»

«O sul bordo del letto...»

«Io vado sopra... No! Ahi! Scusa, ma mi fa troppo male.»

«Riesci a metterti una gamba dietro la testa?»

«No, non ci riesco» rispondo risentita. «E tu?»

L'atmosfera si è ormai completamente disintegrata, mentre proviamo una posizione acrobatica dopo l'altra. Respiro affannosamente, e non in senso buono. A questo punto ho la pelle orribilmente infiammata. Ho urgentissimo bisogno di una crema lenitiva, ma ho anche bisogno di fare sesso. È intollerabile. Mi viene da piangere per la frustrazione.

«Coraggio!» mi dico rabbiosa. «Ho subito un intervento ai canali radicolari, ce la posso fare.»

«Un intervento ai canali radicolari?» Ben sembra mortalmente offeso. «Fare sesso con me è come un intervento ai canali radicolari?»

«Non intendevo dire questo!»

«Hai evitato di fare sesso con me per tutta la vacanza» ringhia, perdendo improvvisamente le staffe. «Insomma, che cavolo di luna di miele è questa?»

È un'accusa talmente ingiusta che balzo all'indietro scioccata.

«Non ho evitato di fare sesso con te!» urlo. «Lo desidero quanto te, ma... mi fa troppo male.» Mi giro intorno disperatamente. «Potremmo tentare il sesso tantrico?»

«Sesso tantrico?» Ben ha un tono sprezzante.

«Be', quello funziona per Sting.» Ho quasi le lacrime agli occhi per la delusione.

«Ti fa male anche la bocca?» domanda Ben vagamente speranzoso.

«Sì, mi è arrivato dell'olio sulle labbra. Mi fanno un male terribile.» Ho colto l'allusione. «Mi dispiace.»

Ben si stacca da me e si abbandona sul letto con le spalle curve. Mio malgrado, provo un grande sollievo quando smette di strusciarsi contro di me. Era una tortura vera e propria.

Per un po' rimaniamo lì, tristi e immobili. Sono gonfia e rossissima. Sembrerò di sicuro un'enorme ciliegia sotto spirito. Mi scende una lacrima sulla guancia, poi un'altra.

Non mi ha neppure chiesto se l'allergia è pericolosa. Okay, non lo è, ma comunque... non è esattamente preoccupato per me. La prima volta che Richard ha visto la mia reazione alle arachidi voleva portarmi al pronto soccorso, ed è sempre scrupoloso nella scelta dei menu e dei cibi pronti. Ha tanti pensieri gentili...

«Lottie.» La voce di Ben mi fa scattare come una molla per il senso di colpa: come posso pensare al mio ex fidanzato in luna di miele?

«Sì?» Mi giro subito, per paura che abbia indovinato i miei pensieri. «Stavo pensando a... niente di particolare.»

«Scusami.» Ben allarga le mani. «Non volevo, è solo che ti desidero pazzamente.»

«Anch'io.»

«Abbiamo avuto sfortuna.»

«Mi sa che ne abbiamo un po' troppa, di sfortuna» dico tristemente. «Come fa una coppia ad avere una sfilza così disastrosa di incidenti?»

«Più che una luna di miele, mi sembra una luna di fiele.»

Sorrido, un po' ammorbidita dalla debole battuta. Almeno ci ha provato.

«Forse è il destino» dico, anche se non lo penso davvero, ma Ben coglie la palla al balzo.

«Forse hai ragione. Pensaci, Lottie. Domani torniamo alla pensione. Forse è lì che dobbiamo consumare il nostro matrimonio.»

«Sarebbe molto romantico.» L'idea mi entusiasma sempre di più. «Potremmo trovare quel punto della caletta...»

«Ricordi?»

«Non dimenticherò mai quella notte» dico con trasporto. «È uno dei ricordi più belli che conservo.»

«Be', magari possiamo fare una replica» dice Ben, ritrovando il buon umore. «Per quanto tempo rimarrai fuori uso?»

«Non lo so.» Guardo la mia pelle color aragosta. «La reazione è abbastanza violenta. Probabilmente fino a domani.»

«Okay, allora mettiamo tutto in pausa. D'accordo?»

«D'accordo» rispondo felice. «Per il momento mettiamo tutto in pausa.»

«E domani schiacciamo "play".»

«E poi "rewind" e di nuovo "play".» Gli faccio un sorriso malizioso. «E poi ancora e ancora.»

Vedo che il piano ci ha tirati su di morale. Rimaniamo seduti a guardare il mare e lo sciabordio regolare delle onde, inframmezzato dalle grida degli uccelli e dal pulsare lontano della musica proveniente dalla spiaggia principale, mi rasserena a poco a poco. Stasera suonerà un gruppo. Magari più tardi andiamo da quelle parti, ci prendiamo un cocktail e ascoltiamo un po' di musica.

A quanto pare abbiamo fatto pace. Mentre ce ne stiamo lì seduti, Ben allunga il braccio con cautela dietro la mia schiena e poi fa il gesto di cingermi le spalle senza toccarle veramente. È come il fantasma di un abbraccio. La mia pelle reagisce con un leggero fremito, ma non importa. Tutto il risentimento è svanito, anzi, non capisco neppure perché l'abbia provato.

«Domani» dice. «Niente olio di arachidi, niente maggiordomi, niente arpe. Solo noi.»

«Solo noi» annuisco. Forse Ben ha ragione: forse era destino che lo facessimo alla pensione. «Ti amo» aggiungo d'impulso. «Ancora più di prima.»

«Anch'io.» Appena mi sfodera quel sorriso sghembo, mi si apre il cuore: nonostante la pelle irritata, la frustrazione sessuale e la storta alla caviglia che mi sono procurata sugli scogli, mi sento quasi euforica. Perché in fin dei conti siamo qui, di nuovo a Ikonos, dopo tanti anni. E domani il cerchio si chiude. Domani torniamo nel posto più importante della nostra vita: la pensione. Il luogo dove abbiamo trovato l'amore e fatto esperienze straordinarie, e i nostri destini sono cambiati per sempre.

Ben solleva la mano come per prendere la mia e io ci infilo sotto le dita senza toccarlo (anche le mani sono gonfie). Non ho bisogno di dirgli quanto sia importante per me questa visita alla pensione. Lui mi capisce, come nessun altro al mondo. Ecco perché è destino che noi due stiamo insieme.

18
FLISS

No. Nooo! Ma che cavolo sta dicendo?

> Ben mi capisce a un livello profondo. Pensa che sia destino, e anch'io. Abbiamo fatto tanti progetti per il futuro: lui vuole fare le stesse cose che voglio fare io. Probabilmente andremo a vivere in una casa di campagna in Francia...

Apro e leggo in fretta gli altri tre SMS, sempre più sconcertata.

> ... un'atmosfera fantastica, tende bianche in riva al mare, e sì, va bene, non ha funzionato, ma non è importante...

> ... non ci toccavamo, ma io lo SENTIVO, è una specie di telepatia, hai presente?...

> ... mai stata tanto felice in vita mia...

Non hanno fatto sesso, eppure non è mai stata tanto felice in vita sua. Insomma, se ho cercato di allontanarli l'uno dall'altra, ho fallito alla grande. Sono riuscita a rinsaldare la loro unione. Complimenti, Fliss, ottimo lavoro.

«Tutto bene?» domanda Lorcan, osservando la mia espressione.

«Una meraviglia» ribatto quasi ringhiando e giro bruscamente le pagine del menu dei cocktail rilegato in pelle.

Da quando siamo atterrati a Sofia il mio umore non è mai stato esattamente alle stelle. Adesso rischia di precipitare. Tutto mi si è ritorto contro, sono sfinita, nel mio minibar non c'era acqua tonica e ora sono circondata da prostitute bulgare.

Okay, magari non sono proprio tutte prostitute bulgare, lo ammetto, dando un'altra occhiata alle persone che mi circondano nel bar sul tetto dell'albergo. Forse alcune sono top model, altre addirittura donne d'affari. La luce è soffusa, ma riflette tutti i diamanti, i denti e le fibbie di Louis Vuitton in mostra. Non è proprio un posticino alla mano, questo City Heights. Bisogna dire però che conoscevano il mio nome, e non mi hanno neppure chiesto una stella in più. È da un bel po' di tempo che non alloggio in una suite così appariscente, completa di due camere da letto enormi, un salotto con home cinema e un enorme bagno stile Art Déco. Forse dopo non potrò resistere alla tentazione di mostrarlo a Lorcan.

Il pensiero mi inquieta. Non so bene come vadano le cose tra noi due. Con un paio di drink forse lo scoprirò. Anche il bar fa la sua parte, con le vetrate panoramiche che danno direttamente su una piscina lunga e stretta rivestita di piastrelle nere, snobbata da questa bellissima gente, top model o donne d'affari che siano. Noah, invece, continua a saltare e a chiedere di poter fare il bagno.

«Il costume è in fondo alla valigia» ripeto per la quinta volta.

«Fallo nuotare in mutande» propone Lorcan. «Perché no?»

«Sì!» urla Noah entusiasta. «In mutande! In mutande!» Sgambetta su e giù, il viaggio in aereo l'ha reso ipercinetico. Forse, in fin dei conti, una bella nuotata non gli farebbe male.

«Okay» concedo. «Puoi fare il bagno in mutande, ma senza disturbare. Non schizzare nessuno.»

Noah comincia a spogliarsi entusiasta, lanciando i vestiti in giro.

«Per piacere, stai attenta a questo» dice con meticolosità da adulto e mi consegna il portafoglio regalatogli dalla hostess. «Voglio delle carte di credito da metterci dentro» aggiunge.

«Non sei abbastanza grande per avere delle carte di credito» dico, piegando i suoi pantaloni e posandoli con cura su una panca rivestita di velluto.

«Eccone una» dice Lorcan e gli passa una carta di Starbucks. «Scaduta» aggiunge, rivolto a me.

«Figo!» esclama Noah estasiato e la infila attentamente nel portafoglio. «Voglio che sia pieno come quello di papà.»

Sto per fare una battuta pungente sul portafoglio strapieno di papà, ma mi trattengo appena in tempo. Sarebbe un commento acido, e io ho rinunciato all'acredine a favore della dolcezza e della luce.

«Papà lavora sodo per guadagnare tanti soldini» dico in tono zuccheroso. «Dobbiamo essere orgogliosi di lui, Noah.»

«Caricaaa!» Noah sta correndo verso la piscina. Un attimo dopo si tuffa a bomba, sollevando schizzi poderosi. L'acqua investe una bionda in miniabito che si trova nelle vicinanze e arretra inorridita, cercando di asciugarsi le gambe con le mani.

«Mi scusi tanto» grido allegra. «Rientra nei rischi occupazionali di bere vicino a una piscina!»

Noah si esibisce in una versione estremamente chiassosa dello stile libero, attirando gli sguardi inquieti della bella gente radunata lì intorno e del personale non meno avvenente.

«Scommetti che Noah è la prima persona che abbia mai nuotato in questa piscina?» dice Lorcan divertito.

Mentre lo guardiamo, Richard entra nel bar insieme a un gruppo di viaggiatori che ricordo di aver visto sull'aereo. Sembra più stanco di prima e mi fa una pena terribile.

«Ciao» ci saluta, abbandonandosi sulla panca. «Altre novità da Lottie?»

«Sì, e la buona notizia è che non l'hanno ancora fatto!» dico, per tirarlo su di morale.

«Non ancora?» Lorcan sbatte incredulo il bicchiere sul tavolo. «Che cos'hanno che non va, quei due?»

«Problema allergico.» Scrollo distrattamente le spalle. «Hanno spalmato olio di arachidi, o qualcosa di simile, sul corpo di Lottie, e lei si è gonfiata.»

«Olio di arachidi?» Richard alza lo sguardo, improvvisamente preoccupato. «Be', ma sta bene? Hanno chiamato un dottore?»

«Credo che stia bene, davvero...»

«Reazioni del genere possono essere pericolose. Ma perché cavolo hanno usato l'olio di arachidi? Non li aveva avvisati?»

«Non... lo so» rispondo evasiva. «Che cos'è quello?» dico per cambiare discorso, accennando con la testa al foglietto che ha in mano.

«Ah, niente» risponde Richard sulla difensiva, mentre Noah arriva di corsa avvolto in un asciugamano nero molto chic. «Niente di che.»

«Deve pur essere qualcosa.»
«Be', sì, okay.» Richard lancia a me e a Lorcan occhiate minacciose, come per prevenire le nostre risate. «Ho cominciato una poesia in francese. Per Lottie.»
«Ma bene!» dico incoraggiante. «Mi fai vedere?»
«Ci sto ancora lavorando.» Controvoglia, mi consegna il foglio, io lo apro e mi schiarisco la voce.
«*"Je t'aime, Lottie, plus qu'un zloty."*» Esito un attimo, non sapendo bene che cosa dire. «Be', è un inizio...»
«"Ti amo, Lottie, più di uno zloty?"» traduce incredulo Lorcan. «Stai scherzando, vero?»
«È difficile trovare una rima con Lottie!» ribatte Richard sulla difensiva. «Provaci tu!»
«Potresti mettere "orsacchiotti"» suggerisce Noah. «Ti amo, Lottie, come i miei orsacchiotti.»
«Grazie, Noah» replica Richard un po' offeso. «Molto gentile.»
«Molto bravo» mi affretto a dire. «Comunque, è il pensiero che conta.»
Richard si riprende il foglio e afferra il menu del bar. Sulla prima pagina si legge "Gustose specialità bulgare" e dentro ci sono liste di "spuntini e pasti leggeri".
«Buona idea. Mangia qualcosa» gli dico rassicurante. «Ti sentirai meglio.»
Richard dà un'occhiata sbrigativa al menu, poi chiama una cameriera, che si avvicina sorridendo.
«Signore, desidera qualcosa?»
«Vorrei avere dei chiarimenti sulle vostre "gustose specialità bulgare"» esordisce, fissandola inesorabile. «L'insalata tricolore è una specialità bulgara?»
La cameriera sorride ancora di più. «Signore, vado a controllare.»
«E il korma di pollo è una specialità bulgara?»
«Signore, controllo anche quello.» La ragazza sta scrivendo in fretta sul suo blocchetto.
«Richard.» Gli do un calcio sotto il tavolo. «Piantala.»
«Il club sandwich» insiste lui. «Anche quello è una specialità bulgara?»
«Signore...»
«I riccioli di patate da che parte della Bulgaria provengono?»

La ragazza ha smesso di scrivere e lo sta guardando perplessa.
«Smettila!» bisbiglio e poi sorrido alla cameriera. «Grazie mille, ci dia ancora qualche minuto di tempo.»
«Stavo solo facendo delle domande» dice Richard, quando la ragazza si allontana. «Volevo solo chiarire delle cose, è un mio diritto, o no?»
«Non è proprio il caso di sfogarsi con una povera cameriera innocente solo perché non sai scrivere poesie in francese» ribatto severa. «Comunque, guarda qui: "Meze platter". Questa sì che è una specialità bulgara.»
«No, greca.»
«Anche bulgara.»
«Parla la grande esperta.» Guarda pensoso il menu, poi lo richiude. «Mi sa che me ne vado a dormire.»
«Non mangi niente?»
«Mi faccio portare qualcosa in camera. Ci vediamo domani mattina.»
«Sogni d'oro!» gli grido, e lui mi fa un cupo cenno di saluto senza voltarsi.
«Poverino» dice Lorcan, quando Richard è uscito dal nostro campo visivo. «La ama sul serio.»
«Credo di sì.»
«A nessuno verrebbe in mente di scrivere una poesia del genere, a meno che l'amore non gli abbia temporaneamente offuscato le facoltà mentali.»
«"Più di uno zloty"» cito, e d'un tratto mi viene la ridarella. «Zloty?»
«"Orsacchiotti" era meglio.» Lorcan alza le sopracciglia. «Noah, forse hai un futuro come poeta.»
Noah prende di nuovo la rincorsa per tuffarsi in piscina e per un attimo lo osserviamo sguazzare in acqua.
«Che bambino simpatico» dice Lorcan. «Intelligente, equilibrato.»
«Grazie.» Non posso fare a meno di sorridere per il complimento. È vero che Noah è intelligente, anche se non sono sicura che sia "equilibrato". I bambini equilibrati si vantano di finti trapianti al cuore?
«Sembra molto felice» continua prendendo una manciata di arachidi. «L'affidamento è stato consensuale?»

La parola "affidamento" accende il mio radar interiore e il cuore comincia a battere forte, pronto alla battaglia. Ho il corpo pieno di adrenalina. Traffico nervosamente con la chiavetta USB. Ho in mente una serie di discorsi, lunghi, eruditi e devastanti. Inoltre ho voglia di tirare un pugno a qualcuno.

«Perché, sai, ho degli amici che hanno dovuto combattere aspre battaglie legali per l'affido» aggiunge Lorcan.

«Eh, già.» Sto cercando di ricompormi. «Eh, già. Non ne dubito.»

"Aspre?" vorrei esclamare. "Vuoi sentire qualcosa di aspro?"

Allo stesso tempo, però, la voce di Barnaby mi risuona nelle orecchie come un campanello d'allarme: "Hai promesso che, qualsiasi cosa fosse successa, non saresti diventata acida".

«Ma non hai sofferto?» domanda Lorcan.

«Per niente.» Chissà come, riesco a sfoderare un sorriso molto rilassato e sereno. «Davvero, è stato tutto semplice e tranquillo. E veloce» aggiungo per ogni evenienza. «Molto veloce.»

«Sei fortunata.»

«Molto fortunata» annuisco. «Fortunatissima.»

«E tu e il tuo ex andate d'accordo?»

«Siamo così.» Intreccio le dita.

«Incredibile!» dice Lorcan entusiasta. «Sei sicura di voler divorziare da lui?»

«Sono solo supercontenta che adesso sia felice con un'altra donna.» Sorrido ancora più dolcemente. La mia capacità di mentire inquieta persino me. In pratica, sto dicendo l'esatto contrario della verità. È quasi un gioco.

«E vai d'accordo con la sua nuova compagna?»

«L'adoro!»

«E Noah?»

«Siamo tutti una grande famiglia!»

«Hai voglia di un altro drink?»

«No, per niente!» Di colpo, mi ricordo che Lorcan ignora che sto facendo il giochetto del contrario. «Anzi, sì, volentieri» mi correggo.

Mentre lui chiama un cameriere, mangio qualche nocciolina e cerco di inventare altre bugie sul divorzio, ma persino mentre le penso – "Giochiamo tutti insieme a ping-pong! Daniel darà il mio nome alla bambina in arrivo!" – mi sento ronzare la testa.

Sempre più agitata, traffico ancora un po' con la chiavetta appesa al collo. Questo gioco non mi piace più. La fatina buona che vive dentro di me sta perdendo il suo splendore. Quella cattiva fa irruzione e vuole dire la sua.

«Insomma, tuo marito deve essere un uomo fantastico» dice Lorcan dopo aver fatto le ordinazioni. «Se riuscite ad avere un rapporto così speciale.»

«Lui è il migliore!» annuisco a denti stretti.

«Non ne dubito.»

«È così pieno di pensieri gentili!» Stringo i pugni lungo i fianchi. «È così carismatico, affascinante, premuroso, per niente egoista...» Mi interrompo. Respiro affannosamente. Fare i complimenti a Daniel nuoce alla mia salute: non ce la faccio più. «Lui è un... un... un...» È come uno starnuto, deve venire fuori per forza. «Bastardo.»

C'è un attimo di silenzio. Alcuni uomini seduti ai tavoli vicini ci guardano incuriositi.

«Bastardo in senso buono?» butta là Lorcan. «Oppure... Oh.» Nota la mia espressione.

«Ti ho raccontato un sacco di balle. Daniel è l'incubo più terrificante che una donna divorziata possa sopportare, e io sono piena di acredine, okay? Sono acida!» Dirlo mi fa sentire meglio. «Ho le ossa acide, il cuore acido, il sangue acido.» Mi viene in mente una cosa. «Aspetta: hai fatto sesso con me, lo sai che sono acida.»

È impossibile che non se ne sia accorto durante la notte trascorsa insieme. La tensione era palpabile. Mi sa che ho imprecato parecchio.

«Sì, infatti, mi era venuto il dubbio.» Lorcan inclina la testa a mo' di conferma.

«Forse quando ho gridato: "'fanculo, Daniel!" mentre venivo?» dico mio malgrado e poi alzo una mano: «Perdonami la battuta di cattivo gusto».

«Non hai niente di cui scusarti.» Lorcan rimane impassibile. «L'unico modo di sopravvivere a un divorzio è fare battutacce. Che cosa fai se la tua ex moglie ti manca? Non farti beccare neanche la prossima volta.»

«Perché il divorzio è così caro?» ribatto automaticamente. «Perché vale ogni centesimo che costa.»

«Perché gli uomini divorziati si sposano di nuovo? Pessima memoria.»

Si aspetta che rida, ma io sono assorta nei miei pensieri. La furia adrenalinica è passata, lasciando strascichi di vecchi pensieri ultranoti.

«Il fatto è...» Mi strofino forte il naso. «Il fatto è che io non sono sopravvissuta al divorzio. "Sopravvivenza" non dovrebbe implicare che sono rimasta la stessa persona?»

«Allora chi sei adesso?» domanda Lorcan.

«Non lo so» rispondo dopo una lunga pausa. «Mi sento completamente bruciata dentro, tipo ustioni di terzo grado. Solo che nessuno le vede.»

Lorcan trasalisce, ma rimane in silenzio. È una di quelle rare persone che sanno aspettare e ascoltare.

«Ho cominciato a chiedermi se per caso non stessi impazzendo» dico, fissando il bicchiere. «Possibile che Daniel vedesse il mondo in quella maniera? Possibile che dicesse certe cose orribili e la gente gli credesse? E la cosa peggiore è la completa solitudine in cui ti trovi. Il divorzio è come un'esplosione controllata. Tutti quelli che ne rimangono fuori non si fanno male.»

«Tutti quelli che ne rimangono fuori.» Lorcan annuisce energicamente. «Non detesti tutte quelle persone? Quelli che ti dicono di non pensarci?»

«Sì!» confermo, rendendomi conto di quanto abbia ragione. «E ti dicono: "Su con la vita! Almeno non sei rimasta orribilmente sfigurata in un incidente in fabbrica".»

Lorcan scoppia a ridere. «Conosciamo la stessa gente.»

«Vorrei così tanto che uscisse dalla mia vita.» Sospiro, portandomi le mani alla fronte. «Vorrei che si potesse fare, che ne so, un'operazione laparoscopica per asportare un ex marito senza lasciare cicatrici.» Lorcan sorride comprensivo e io bevo un sorso di vino. «E tu?»

«È stato abbastanza triste» dice annuendo. «Ci sono stati litigi sgradevoli per i soldi, ma non avevamo bambini, perciò è stato più facile.»

«Sei fortunato a non avere bambini.»

«Veramente, no» ribatte lui inespressivo.

«Invece sì» insisto. «Voglio dire, quando si comincia a parlare di affido, è tutt'altra...»

«No, davvero, non sono fortunato.» C'è una punta di acidità nella sua voce che non avevo mai colto prima, e d'un tratto mi rendo conto di quanto poco sappia della sua vita privata. «Non potevamo averne» aggiunge. «O meglio, io non posso averne. E direi che questo ha contribuito alla fine del nostro matrimonio più o meno all'ottanta per cento, anzi, diciamo pure al cento per cento.» Beve un lungo sorso di whisky.

Mi ha lasciato basita. In pochissime parole ha delineato un quadro così triste da farmi sentire subito in colpa per essermi lamentata dei miei problemi. Perché io almeno ho Noah.

«Mi dispiace» balbetto alla fine.

«Sì, anche a me.» Mi fa un sorriso ironico, gentile, e vedo che ha capito che mi sento in colpa. «Anche se, come dici tu, la presenza di figli avrebbe complicato ulteriormente le cose.»

«Non volevo...» comincio. «Non mi rendevo conto...»

«Non importa.» Solleva una mano. «Fa niente.»

Riconosco il tono di voce: lo uso anch'io. Non è vero che non fa niente, ma non ci si può fare nulla.

«Mi dispiace sul serio» ripeto debolmente.

«Lo so.» Annuisce. «Grazie.»

Per un po' rimaniamo in silenzio. Ho la testa piena di pensieri, che però non ho il coraggio di condividere con lui. Non lo conosco abbastanza bene. Rischierei di fargli del male inavvertitamente.

Alla fine torno nel territorio sicuro e accantonato per un po' di Lottie e Ben.

«È che io...» sospiro. «Insomma, io voglio evitare che mia sorella soffra quanto abbiamo sofferto noi. Per questo sono qui.»

«Posso sollevare una piccola obiezione?» dice Lorcan. Sorride, e capisco che desidera rasserenare un po' l'atmosfera. «Non hai mai neppure visto Ben.»

«Non ne ho bisogno» ribatto. «Tu non sai che questa storia ha dei precedenti. Tutte le volte che Lottie si lascia con qualcuno compie un gesto stupido, folle e avventato a cui poi deve rimediare. Le chiamo le sue scelte infelici.»

«"Scelte infelici". Che bell'espressione.» Lorcan alza un sopracciglio. «Insomma, credi che Ben sia la sua scelta infelice?»

«Be', tu no? Cioè, voglio dire... sposarsi dopo cinque minuti, progettare di andare a vivere in una casa in campagna in Francia, in una *gîte*...»

«Una *gîte*?» Lorcan sembra sorpreso. «Chi l'ha detto?»

«Lottie! È tutta presa dall'idea. Alleveranno capre e polli, e noi tutti dovremo andarli a trovare e mangiare baguette.»

«Non mi sembra per niente una cosa da Ben» dice Lorcan. «Polli? Sei sicura?»

«Sicurissima! Mi pare un'idea strampalata e ridicola. E finirà in niente, lei divorzierà, si inacidirà, proprio come me e...» Quando ormai è troppo tardi, mi rendo conto di stare urlando. Gli uomini seduti al tavolo vicino mi guardano di nuovo. «Proprio come me» ripeto a voce più bassa. «E sarebbe un disastro.»

«Ti stai facendo del male inutilmente» dice Lorcan. Credo che stia cercando di essere gentile, ma non sono in vena di complimenti.

«Sai benissimo a che cosa mi riferisco.» Mi sporgo in avanti. «Augureresti a una persona cara di soffrire per un divorzio? O cercheresti di prevenirlo?»

«Insomma, piomberai lì di punto in bianco, le dirai di fare annullare il matrimonio e di sposare Richard. Credi che ti darà retta?»

Scuoto la testa. «No, non è così. È vero che secondo me Richard è un uomo fantastico e perfetto per Lottie, ma non ho intenzione di militare nella squadra di Richard. Lui giocherà da solo. Io sono della squadra "non ti incasinare la vita".»

«È stato provvidenziale che abbiano avuto una luna di miele da incubo» dice Lorcan, alzando un sopracciglio.

C'è un momento di pausa carico di tensione, in cui mi chiedo se sia il caso o meno di informarlo della mia operazione segreta, poi decido di non farlo.

«Sì» dico con tutta la nonchalance di cui sono capace. «È stata una vera fortuna.»

Noah torna a passetti veloci, lasciando impronte bagnate sulla moquette grigio scuro. Viene a raggomitolarsi sulle mie ginocchia e io mi sento più leggera. Noah è circondato da un'aura di speranza, che in parte assorbo a ogni contatto con lui.

«Qui!» All'improvviso fa un cenno con la mano. «Questo tavolo!»

«Prego.» Compare una cameriera con un vassoio d'argento su cui è posata una coppa di gelato. «Per il soldatino coraggioso. Sarà orgogliosissima di suo figlio, signora» aggiunge, rivolta a me.

Oddio, no. Sorrido, attenta a mantenere un'espressione vaga per cercare di nascondere l'imbarazzo. Non so proprio che cosa possa aver raccontato. Potrebbe essere un trapianto al cuore, o di midollo osseo. O un nuovo cucciolo di cane.

«Tre ore al giorno di allenamenti!» Stringe la spalla di Noah. «Ammiro la tua determinazione! Suo figlio mi ha parlato della ginnastica artistica» spiega. «Stai pensando alle Olimpiadi del 2024, eh?»

Rimango lì con il sorriso stampato in faccia. Ginnastica artistica? Ormai non posso più rimandare: farò il "discorsone" adesso, in questo preciso istante!

«Grazie» dico. «Splendido, grazie mille.» Appena la cameriera se ne va, mi rivolgo a Noah. «Tesoro, ascoltami, è importante. Sai distinguere la verità dalle bugie, vero?»

«Sì» risponde lui sicuro.

«E sai anche che non devi dire le bugie?»

«Solo quelle gentili» aggiunge Noah. «Tipo: "Certo che mi piace il tuo vestito!".»

L'osservazione deriva da un altro "discorsone" che gli avevo fatto circa due mesi fa, dopo che lui se ne era uscito con un commento disastrosamente sincero sulla cucina di sua nonna.

«Sì, ma in generale...»

«E "Che buona la torta di mele!"» Noah comincia a prenderci gusto. «E "Ne prenderei volentieri un'altra fetta, ma sono pieno!"»

«Sì! D'accordo, ma il punto è che il più delle volte dobbiamo dire la verità, e non, per fare un esempio, raccontare che abbiamo subito un trapianto al cuore, quando invece non è vero.» Lo sto osservando attentamente per vedere la sua reazione, ma lui sembra impassibile. «Tesoro, non hai subito un trapianto al cuore, giusto?» gli dico con dolcezza.

«No» concorda lui.

«Però l'hai raccontato al personale della compagnia aerea. Perché?»

Noah riflette un attimo. «Perché è interessante.»

«Okay, va bene. Allora cerchiamo di dire cose interessanti, ma anche vere, d'accordo? Da ora in poi, voglio che tu dica la verità.»

«Okay.» Noah scrolla le spalle come se fosse una cosa da nulla. «Adesso posso cominciare a mangiare il gelato?» Prende il cucchiaino e lo infila nella crema, spandendo granella di cioccolato dappertutto.

«Gliel'hai detto bene» dice Lorcan sottovoce.

«Non lo so» sospiro. «Il fatto è che non capisco perché... tiri fuori certe storie.»

«Ha una immaginazione molto vivida.» Lorcan alza le spalle. «Io non mi preoccuperei, sei una buona madre» aggiunge. «Gli hai fatto un discorso così chiaro e diretto che mi viene il dubbio di aver sentito male.»

«Oh.» Non so bene come reagire. «Grazie.»

«E sei come una madre anche per Lottie, immagino...» È un uomo piuttosto perspicace, questo Lorcan.

Annuisco. «Nostra madre non era un granché come genitore. Ho sempre dovuto badare io a lei.»

«I conti tornano.»

«Mi capisci?» alzo lo sguardo, d'un tratto desiderosa di sapere come la pensa veramente. «Capisci quello che sto facendo?»

«Che cosa, in particolare?»

«Tutto quanto.» Allargo le braccia. «Questo: il mio tentativo di salvare mia sorella dall'errore più grande della sua vita. Ho ragione o sono pazza?»

Lorcan rimane zitto per un po'. «Secondo me, sei molto affezionata a tua sorella e molto protettiva nei suoi confronti e ti rispetto per questo. E sì, credo che tu sia pazza.»

«Taci!» Gli do una spinta.

«Me l'hai chiesto tu.» Lui mi spinge a sua volta e io avverto una leggera scossa, abbinata a un flashback della notte trascorsa insieme. L'immagine è così vivida da togliermi il fiato. Da come stringe le labbra, mi sa che sta ricordando la stessa identica cosa.

Pensando a quel che abbiamo già fatto e a quello che ci aspetta, ho la pelle d'oca. Rieccoci insieme, in un albergo. È semplicissimo. Il fatto è che l'intesa sessuale è un dono di Dio che bisognerebbe sfruttare al massimo. Io almeno la penso così.

«Allora hai una grande suite?» domanda Lorcan, come se mi leggesse nel pensiero.

«Due camere da letto» rispondo con noncuranza. «Una per me e una per Noah.»

«Ah.»

«Un sacco di spazio.»

«Ah.» Mi fissa negli occhi in modo allusivo e io vengo scossa da un brivido involontario, anche se non possiamo correre di sopra e strapparci i vestiti di dosso. C'è un piccolo dettaglio di cui tenere conto, e cioè che qui seduto accanto a me c'è mio figlio di sette anni.

«Allora... mangiamo?» propongo.

«Sì!» Mentre finisce la sua coppa di gelato, Noah si inserisce nella conversazione con puntualità ineccepibile. «Io voglio hamburger e patatine fritte.»

Un'ora dopo, in tre abbiamo mangiato un club sandwich, un hamburger, una ciotola di normali patatine fritte, una ciotola di patatine fritte dolci, un piatto di tempura di gamberetti, tre tortine al cioccolato e un cestino di pane. Noah è mezzo addormentato sulla panca accanto a me. Si è dato molto da fare a correre per tutto il bar e a fare amicizia con tutte le prostitute bulgare, guadagnandosi bicchieri di Coca-Cola e pacchetti di patatine e persino del denaro bulgaro che, con suo grande disappunto, è stato costretto a restituire.

Adesso sta suonando un complesso di sei musicisti e tutti sono assorti nell'ascolto, le luci sono ancora più soffuse di prima e io mi sento abbastanza felice. Tre bicchieri di vino mi hanno raddolcito. La mano di Lorcan continua a sfiorare la mia: ci aspetta una notte molto piacevole. Mentre prelevo l'ultima patatina dolce dalla ciotola, intravedo il prezioso portafoglio della compagnia aerea sulla sedia vicino a Noah. È pieno zeppo di carte di credito, o qualcosa di simile. Dove diavolo è andato a pescarle?

«Noah?» lo sospingo leggermente per svegliarlo. «Tesoro, che cos'hai messo nel portafoglio?»

«Carte di credito» risponde con voce assonnata. «Le ho trovate.»

Ha rubato la carta di credito a qualcuno? Mi sento raggelare il sangue nelle vene. Oddio, ha rubato delle carte di credito? Afferro il portafoglio, lo apro costernata, poi mi accorgo che in realtà non sono carte di credito, ma...

«Chiavi elettroniche!» esclama Lorcan, mentre io ne estraggo circa sette in una volta sola. Il portafoglio è pieno zeppo di chiavi elettroniche. Saranno una ventina.

«Noah!» Lo scuoto di nuovo per svegliarlo. «Tesoro, dove hai preso queste?»

«Te l'ho già detto, le ho trovate!» dice risentito. «La gente le posa sui tavoli e in giro. Io volevo delle carte di credito per il mio portafoglio...» Gli si chiudono le palpebre.

Guardo Lorcan, le mani piene di chiavi elettroniche aperte a ventaglio come carte da gioco.

«E adesso che cosa faccio? Le devo restituire.»

«Sono tutte uguali» osserva Lorcan e scoppia improvvisamente a ridere. «Buona fortuna!»

«Non ridere! Non è divertente! Quando la gente si accorgerà di essere rimasta chiusa fuori dalle proprie camere, scoppierà il finimondo...» Guardo di nuovo le chiavi elettroniche e, d'un tratto, viene da ridere anche a me.

«Rimettile dov'erano» propone Lorcan deciso.

«Ma dove?» Guardo i tavoli pieni di bella gente elegante che si gode la musica senza badare alla mia agitazione. «Non so di chi sono le chiavi e non posso scoprirlo senza andare alla reception...»

«Ascolta, facciamo così» dice Lorcan determinato. «Le spargiamo in giro come uova di Pasqua. Tutti stanno guardando il complesso musicale. Non se ne accorgerà nessuno.»

«Ma come facciamo a sapere di chi sono le chiavi? Sono identiche!»

«Tireremo a indovinare. Useremo la telepatia. Io ne prendo metà» aggiunge, e comincia a prelevare chiavi elettroniche dal portafoglio.

Con cautela, ci alziamo dal tavolo. Le luci sono soffuse, il gruppo sta suonando una cover dei Coldplay e tutti ascoltano rapiti. Lorcan si dirige al bar con aria autorevole, si china leggermente a sinistra e posa una chiave sul bancone.

«Mi scusi» lo sento dire garbatamente. «Ho perso l'equilibrio.»

Seguendo il suo esempio, mi avvicino a un altro gruppo, fingo di osservare una lampada e lascio cadere tre chiavi sulla superficie a specchio del tavolo. Il rumore dell'atterraggio è coperto dalla musica e nessuno ci fa caso.

Lorcan sta seminando chiavi sul bancone del bar. Si muove rapidissimo, protendendo la mano fra gli sgabelli e dietro le schiene.

«Credo le sia caduta questa» dice, quando una ragazza si volta a guardarlo con espressione interrogativa.

«Ah, grazie!» Lei prende la chiave e io sento una stretta allo stomaco. Sono leggermente spaventata e al tempo stesso divertita dalla situazione, che ha tutta l'aria di una burla in grande stile. È impossibile che la chiave apra la stanza della ragazza. Più tardi ci sarà un po' di gente inferocita nell'albergo...

Ora Lorcan è vicino al palco, si sporge sopra a un tavolo dove è seduta una bionda e vi posa sfacciatamente una chiave. Lei incrocia il mio sguardo e mi fa l'occhiolino, e a me scappa da ridere. Mi sbarazzo delle chiavi restanti più in fretta che posso e torno di corsa da Noah, che a questo punto dorme profondamente. Chiamo un cameriere e metto una firma veloce sul conto, poi prendo Noah in braccio e aspetto che arrivi anche Lorcan.

«Se mi scoprono, la mia reputazione sarà rovinata per sempre» bisbiglio.

«Rovinarsi la reputazione in un paese di sette milioni e mezzo di abitanti come la Bulgaria è come rovinarsela a Bogotá.»

«Be', non mi andrebbe di rovinarmela neppure a Bogotá.»

«E perché? Che ne sai, magari te la sei già rovinata... Sei mai stata a Bogotá?»

«Eh, sì, guarda un po'...» lo informo. «E ti assicuro che lì la mia reputazione è intatta.»

«Forse te lo lasciano credere per gentilezza.»

È una conversazione talmente assurda che non posso fare a meno di sorridere.

«Dài, andiamo. Meglio scappare prima di essere assaltati da una massa di proprietari di chiavi infuriati.»

Mentre usciamo dal bar, Lorcan tende le braccia.

«Se vuoi, porto io Noah. Sembra pesante.»

«Non preoccuparti.» Sorrido automaticamente. «Sono abituata.»

«Questo non significa che non sia pesante.»

«Be', allora va bene.»

Passare Noah a Lorcan mi fa uno strano effetto. A dire il vero, però, ho la spalla un po' indolenzita e provo un certo sollievo. Arriviamo alla mia suite e Lorcan posa Noah direttamente sul suo letto. Mio figlio sta dormendo come un sasso e non fa una piega. Gli tolgo solo le scarpe. Domani sera, se vorrà, potrà lavarsi i denti e mettersi il pigiama.

Spengo la luce, vado alla porta e per un attimo io e Lorcan ci fermiamo a guardarlo insieme, proprio come farebbero due genitori.

«Eccoci qua» dice Lorcan alla fine, e sento nuovamente crescere in me il desiderio. Il mio corpo si sta riscaldando: percepisco un lavorio di muscoli che non vedono l'ora di essere usati. D'un tratto un pensiero mi attraversa la mente: "Sul fronte sessuale, me la sto cavando meglio di Lottie". Mi sento subito in colpa, ma non molto: è tutto a fin di bene. Potrà fare un'altra luna di miele più avanti.

«Vuoi un drink?» propongo, non perché ne abbia veramente voglia, ma solo per prolungare il momento. La suite, con tutti i suoi maliziosi specchi fumé, la sua moquette morbida e sensuale e le fiamme nel camino (finto) che divampano dietro la grata, è lo sfondo ideale per una notte di fuoco. Ho anche notato alcuni pezzi di arredamento ben posizionati allo scopo.

Dopo aver versato un whisky a Lorcan, prendo un bicchiere di vino e mi siedo su una poltrona rivestita di velluto scuro. Questo splendido esempio di design ha ampi braccioli arricciati, il sedile profondo e una curva sensuale nello schienale. Spero di fare la mia bella figura mentre mi abbandono all'indietro senza preoccuparmi del vestito che si solleva e mi appoggio a un bracciolo in modo provocante. Sono scossa da fremiti gradevoli e pressanti, ma non ho fretta. Prima possiamo parlare. (O guardarci negli occhi pieni di desiderio disperato. È bello anche così.)

«Chissà che cosa stanno combinando Ben e Lottie.» Lorcan rompe il silenzio. «Presumibilmente nulla...» Alza le spalle in modo eloquente.

«No.»

«Poveri ragazzi. Checché tu ne pensi, hanno avuto una sfortuna terribile.»

«Immagino di sì» dico io senza sbilanciarmi e bevo un sorso di vino.

«Cioè, voglio dire, non fare sesso in luna di miele...»

«Terribile» annuisco. «Poverini.»

«E avevano pure aspettato, vero?» Fa una smorfia. «Accidenti, uno si immaginerebbe che lo facessero in bagno e buonanotte.»

«Ci hanno provato, ma li hanno scoperti.»

«Nooo!» Mi guarda sbalordito. «Veramente?»

«A Heathrow. Nella sala d'attesa della business class.» Lorcan inclina la testa indietro e scoppia a ridere.

«Lo prenderò in giro fino allo sfinimento. Insomma, tua sorella ti dice tutto, eh? Ti parla anche della sua vita sessuale?»

«Siamo abbastanza unite.»

«Povera ragazza. L'hanno beccata persino nei bagni di Heathrow. Che sfiga.»

Non rispondo subito. Il vino che sto bevendo adesso è più forte di quello servito al piano di sotto e mi sta dando alla testa. Mi sta facendo perdere il controllo. Ho una specie di vortice nel cervello. Lorcan continua a parlare di "sfortuna", ma si sbaglia. La sfortuna non c'entra niente. Ben e Lottie non hanno consumato il loro matrimonio grazie a me. Grazie al mio potere. E d'un tratto sento l'urgenza di confessarglielo.

«Non è una questione di fortuna o sfortuna...» Lascio la frase in sospeso e, proprio come mi aspettavo, Lorcan drizza subito le antenne.

«In che senso?»

«Non è un caso che Ben e Lottie non l'abbiano ancora fatto. È stato tutto pianificato. Da me. Ho controllato tutto io.» Mi lascio andare all'indietro orgogliosa, sentendomi la regina delle lune di miele telecomandate, seduta sul trono dell'imperatrice onnipotente.

«Che cosa?» Lorcan sembra preso alla sprovvista. Sento di nuovo una punta d'orgoglio.

«Ho un agente sul campo che mi aiuta» spiego. «Io impartisco gli ordini, lui esegue.»

«Ma che cavolo stai dicendo? Un agente?»

«Un membro del personale dell'albergo. Impedisce a Ben e a Lottie di fare l'amore in attesa che arrivi io. Abbiamo agito in squadra. E ha funzionato! Non ce l'hanno fatta.»

«Ma come... che cosa...» Si gratta la testa sconcertato. «Ma come si fa a impedire a una coppia di fare l'amore?»

Però, è proprio ottuso.

«È facile. Fai un po' di casino con i letti, correggi i loro drink, li segui dappertutto. E poi c'è stato l'olio di arachidi per il massaggio...»

«Sei stata tu?» Sembra sbigottito.

«Sono stata sempre io! Ho orchestrato ogni cosa!» Tiro fuori il telefono e lo agito. «È tutto qui dentro. Tutti i messaggini, tutte le istruzioni. Ho diretto tutto io.»

Segue un lungo silenzio. Mi aspetto che mi faccia i complimenti e invece ha l'aria sconvolta.

«Hai sabotato la luna di miele di tua sorella?» Nella sua espressione c'è qualcosa che mi mette un po' a disagio, per non parlare del verbo "sabotare".

«Era l'unico modo! Che cos'altro avrei dovuto fare?» Qualcosa sta andando storto. Non mi piace la sua espressione, e neppure la mia. So che sembro sulla difensiva, che non è un bel modo di presentarsi. «Tu lo capisci, no?, che dovevo fermarli? Una volta consumato il matrimonio, non si può più ottenere l'annullamento. Dovevo fare qualcosa, e questo era l'unico modo...»

«Ma sei pazza? Sei fuori di testa?» Lo dice con un tono di voce così forte da farmi sobbalzare per lo choc. «No, che non era l'unico modo!»

«Be', era il modo migliore» replico sporgendo il mento in avanti.

«No, che non era il modo migliore. Neanche per sogno. E se viene a saperlo?»

«Non lo saprà.»

«Magari sì.»

«Be'...» dico, deglutendo a fatica. «E allora? L'ho fatto per il suo bene...»

«Facendola massaggiare con l'olio di arachidi? E se avesse avuto una reazione imprevista e fosse morta?»

«Piantala» dico a disagio. «Non è andata così.»

«Però adesso sei contenta che passi la notte a soffrire.»

«Non sta soffrendo.»

«Come fai a saperlo? Oddio.» Per un attimo si prende la testa fra le mani e mi guarda. «Ripeto, e se viene a saperlo? Sei pronta a rinunciare al rapporto che hai con tua sorella? Perché succederà di sicuro.»

Nella suite cala il silenzio, anche se le dure parole d'accusa di Lorcan sembrano rimbalzare da uno specchio fumé all'altro. L'atmosfera sensuale si è disintegrata. Non so come controbattere. Avrei qualcosa da dire, ma le frasi sono nascoste da qualche parte nel mio cervello e io sono lenta e un po' stordita. Pensavo di fare colpo su di lui, pensavo che avrebbe capito. Pensavo...

«E tu parli di scelte infelici?» dice Lorcan all'improvviso. «Ma come diavolo la chiami questa?»

«Che cosa vuoi dire?» Lo fisso risentita. Non è autorizzato a parlare di scelte infelici, sono una cosa mia.

«Siccome hai sofferto per il divorzio, ti precipiti a salvare tua sorella dallo stesso destino, boicottando la sua luna di miele. Questa sì che mi sembra una scelta decisamente infelice.»

Mi manca quasi il respiro tanto sono scioccata. Eh? Che cosa?

«Taci!» riesco solo a dire infuriata. «Non ne sai niente, ho fatto male a parlartene.»

«La vita è sua.» Mi fissa con uno sguardo implacabile. «*Sua*. E immischiandoti hai fatto un grave errore. Un errore di cui potresti pentirti per il resto dei tuoi giorni.»

«Amen» dico io sarcastica. «Finito il sermone?»

Lorcan si limita a scuotere la testa. Beve il whisky rimasto in due sorsate e io capisco che è la fine. Se ne va. Si dirige alla porta, poi si ferma. Vedo che ha la schiena in tensione. Credo che sia in imbarazzo quanto me.

Pensieri sgradevoli mi tormentano. Sento un rimescolio doloroso in fondo allo stomaco. Assomiglia un po' al senso di colpa, anche se non lo ammetterei mai di fronte a lui. Ma c'è una cosa che devo dire, mettere bene in chiaro.

«Casomai avessi qualche dubbio...» Aspetto che giri la testa. «Io voglio molto bene a Lottie. Molto bene.» Mi trema pericolosamente la voce. «Non è solo mia sorella, ma anche mia amica. E io ho fatto tutto questo *per lei*.»

Per un attimo Lorcan mi fissa con un'espressione indecifrabile.

«Lo so che credi di agire per una causa giusta» dice alla fine. «Lo so che hai sofferto molto e che vuoi risparmiare a Lottie lo stesso destino. Ma è sbagliato, completamente sbagliato. E lo sai benissimo anche tu, Fliss.»

La sua espressione si è raddolcita. D'un tratto, mi rendo conto di fargli pena. Non lo sopporto.

«Be', buonanotte» taglio corto.

«Buonanotte» risponde lui con lo stesso tono di voce, ed esce dalla stanza senza aggiungere altro.

19

LOTTIE

Era destino! Questo è il mio splendido sogno dorato! Io e Ben, di nuovo insieme su una barca, che scivoliamo sulle onde dell'Egeo verso la beatitudine assoluta.

Grazie a Dio, ce ne siamo andati dall'Amba Hotel. Lo so che è di lusso e ha cinque stelle, ma non è la vera Ikonos. Non è *noi*. Dall'istante in cui ci hanno accompagnato al porticciolo affollato per la gita giornaliera, ho sentito risvegliarsi in me ricordi a lungo sopiti. Questa è la Ikonos che ricordavo. Casette bianche con le imposte, stradine ombreggiate, donne anziane vestite di nero sedute agli angoli delle vie e la banchina del traghetto. Il porto era pieno di pescherecci e taxi d'acqua e l'odore penetrante di pesce mi ha inebriato i sensi. Ricordo questo odore. Ricordo tutto.

Il cielo del mattino è dello stesso azzurro intenso e il sole mi abbaglia proprio come allora. Sono distesa sul taxi d'acqua come facevo quando avevo diciotto anni. Ho appoggiato i piedi sulle ginocchia di Ben e lui sta giocherellando distrattamente con le mie dita: tutti e due abbiamo una cosa sola in mente.

La mia pelle è perfettamente guarita dalla reazione allergica e stamattina Ben voleva a tutti i costi fare una sveltina, ma io l'ho convinto ad aspettare ancora. Come potevamo consumare il nostro matrimonio su un noioso letto d'albergo quando invece avremmo potuto farlo nella caletta, come quella prima volta tanti anni fa? È una prospettiva così romantica che mi viene voglia di abbracciarmi da sola. Rieccoci qui, dopo tanti anni! Stiamo tornando alla vecchia pensione! Sposati! Chissà se ci sarà ancora Arthur e se ci riconoscerà? Secondo me, non siamo cambiati poi così tanto. Indosso persino quei pantaloncini minuscoli tinti a nodi che portavo a diciott'anni, pregando con tutte le mie forze che non si strappino.

La barca procede sulle onde sollevando schizzi di schiuma sul mio viso e io mi lecco le labbra deliziosamente salate. Vedo sfilare tutti i paesini sulla costa che avevamo esplorato allora, con i loro stretti vicoli acciottolati e i loro tesori inattesi, come quel cavallo di marmo semidistrutto che avevamo trovato al centro di una piazza deserta. Alzo lo sguardo per condividere il ricordo con Ben, ma lui è tutto preso ad ascoltare musica rap dal suo iPad. Provo una leggera irritazione: deve proprio ascoltare quella roba adesso?

«Secondo te, c'è ancora Arthur?» chiedo cercando di attirare la sua attenzione. «E quella vecchia cuoca?»

«No, non è possibile.» Ben alza un attimo lo sguardo. «Mi chiedo che fine abbia fatto Sarah.»

Di nuovo Sarah. Almeno la conosco, questa ragazza?

La musica sembra sempre più forte, e adesso si è messo pure a cantare come un rapper. No, non può comportarsi così. Cioè, voglio dire, io faccio la mogliettina amorevole e appassionata e lui si mette a fare lo stronzo?

«Com'è bello e silenzioso questo posto, eh?» dico in tono allusivo, ma lui non capisce l'antifona. «Magari non è che si può spegnere un attimo la musica?»

«È DK Cram, bellezza» ribatte lui e alza il volume. *Fuck Yo Brudder* rimbomba sullo splendido mare e io faccio una smorfia infastidita.

È un imbecille egoista.

Il pensiero mi attraversa la mente senza preavviso e mi manda un po' nel panico. No, non intendevo dire egoista. Né imbecille. È tutto bello, meraviglioso.

Comunque, la musica rap non mi dispiace. Insomma, possiamo discuterne.

«Non mi sembra vero che stiamo tornando nel posto che mi ha cambiato per sempre» dico, adottando una nuova tattica. «Quell'incendio ha segnato, come dire, una svolta nella mia vita.»

«Ma la smetti di menarla con questo stupido incendio?» sbotta Ben irritato, e io lo fisso basita e offesa.

In realtà, non dovrei essere poi così sorpresa. A Ben non è mai fregato molto dell'incendio. Quand'era successo, era andato a pescare spugne dall'altra parte dell'isola per un paio di giorni, quindi si è perso tutto, e la cosa l'ha sempre indispettito un po'. Comunque, non c'è bisogno di essere così aggressivi, e poi sa bene quanto sia importante per me.

«Ehi!» esclama all'improvviso. Sta guardando il suo iPad e vedo che ha appena ricevuto un SMS. Siamo abbastanza vicini alla costa, quindi ci sarà un po' di campo.

«Di chi è?»

Ben sembra davvero orgoglioso ed entusiasta. Avrà vinto qualcosa? «Mai sentito parlare di un certo Yuri Zhernakov? Vuole vedere solo me in privato.»

«Yuri Zhernakov?» Rimango a bocca aperta. «Perché?»

«Vuole comprare l'azienda.»

«Wow! E tu vuoi vendere?»

«Perché no?»

Sto già viaggiando con la mente. Sarebbe fantastico! Ben incasserebbe un mucchio di soldi e noi potremmo comprare una vecchia fattoria in Francia...

«Yuri vuole parlare con *me.*» Ben sembra gasatissimo. «Ha chiesto di parlare proprio con me. Ci incontreremo sul suo megayacht.»

«Fantastico!» Gli stringo il braccio.

«Sì, lo so, è fantastico. E Lorcan può andare...» Si blocca. «Ma chi se ne frega» dice imbronciato.

Capto strane vibrazioni che non capisco, ma non mi importa. Ci trasferiamo in Francia! E fra poco faremo finalmente sesso! Ho già dimenticato l'irritazione precedente. Sono di nuovo superfelice. Mentre sorseggio allegramente la mia Coca-Cola, d'un tratto mi ricordo una cosa che avevo in mente di dirgli da giorni.

«Ehi, l'anno scorso ho conosciuto degli scienziati dell'Università di Nottingham che stavano facendo ricerche su un nuovo modo di produrre la carta. Un modo più ecologico. Si trattava di un processo di filtraggio di qualche tipo, ne hai mai sentito parlare?»

«No» Ben scrolla le spalle. «Lorcan forse sì, però.»

«Be', dovresti metterti in contatto con loro. Fare un finanziamento congiunto o qualcosa del genere. Ma se vuoi vendere l'azienda...» Scrollo a mia volta le spalle.

«Non importa. È una buona idea.» Ben mi dà una spinta. «Ti vengono sempre buone idee come questa?»
«Milioni.» Sorrido.
«Adesso lo dico a Lorcan.» Ben comincia a digitare sull'iPad. «Quello parla sempre di ricerca e sviluppo. Secondo lui, non mi interessano queste cose: balle.»
«Digli anche dell'incontro con Zhernakov» suggerisco. «Magari ti saprà dare qualche buon consiglio.» Le sue dita si bloccano all'istante e lui si chiude a riccio.
«Non ci penso nemmeno» dice alla fine, lanciandomi uno sguardo minaccioso. «E tu non dire niente a nessuno. Neanche una parola.»

20

FLISS

Il mattino dopo è sempre terrificante.

A Sofia, in Bulgaria, dopo troppi bicchieri di vino, un doloroso battibecco e una notte di frustrazione sessuale, il mattino raggiunge inediti livelli di orrore.

A giudicare dalla sua espressione, mi sa che Lorcan si sente allo stesso modo. Appena siamo entrati nella sala da pranzo, Noah è corso a salutarlo allegramente, ecco perché sono seduta al tavolo con lui, non per mia scelta. Lui sta imburrando brutalmente una fetta di pane tostato e io sto disintegrando un croissant. Dalla nostra conversazione molto frammentaria si è capito che abbiamo dormito tutti e due malissimo, che il caffè fa schifo, che una sterlina equivale a 2,4 leva bulgari e che il volo per Ikonos di oggi non è stato rimandato, almeno da quel che si può evincere dalle informazioni sul sito della compagnia aerea.

Abbiamo accuratamente evitato di parlare di tutto quello che riguarda: Ben, Lottie, il loro matrimonio, il loro comportamento sessuale, la politica bulgara, l'economia mondiale, il mio tentativo di sabotare la luna di miele di mia sorella e il conseguente rischio di rovinare per sempre il nostro legame. Fra le altre cose.

Il ristorante si trova di fianco al bar in cui ci siamo seduti ieri sera, e io vedo un inserviente pulire l'acqua cristallina della piscina con una rete filtrante. Non capisco proprio perché si prendano la briga di farlo. Mi sa che quest'anno ci ha nuotato solo Noah. A essere sinceri, però, non è affatto escluso che ci abbia anche fatto la pipì dentro.

«Posso fare il bagno?» mi chiede, come se mi stesse leggendo nel pensiero.

«No» rispondo seccamente. «Fra poco prendiamo l'aereo.»

Lorcan ha di nuovo il cellulare all'orecchio. È tutta la mattina che tenta di telefonare, ma non è ancora riuscito a mettersi in contatto con la persona che cerca. Credo di indovinare di chi si tratti, poi lui me lo conferma dicendo: «Oh, Ben, finalmente» e si alza. Leggermente risentita, lo vedo allontanarsi verso il bordo della piscina e fermarsi davanti all'entrata della sauna. Adesso come faccio a origliare?

Cerco di ignorare la mia tensione tagliando una mela per Noah. Quando Lorcan ritorna, mi costringo a non afferrarlo per il bavero per avere notizie. Mi limito a domandare in tono moderatamente ansioso: «Allora, l'hanno fatto?».

Lorcan mi lancia un'occhiata incredula. «Pensi solo a quello?»

«Sì» rispondo con aria di sfida.

«Be', no. Sono appena arrivati alla vecchia pensione. Immagino che abbiano in mente di farlo lì.»

«La pensione?» Lo fisso inorridita. Laggiù non li posso controllare. Là non c'è Nico, è fuori dalla mia zona di influenza. *Merda*. Arriverò troppo tardi...

«Tua sorella è un tipo veramente in gamba» continua Lorcan infervorato. «Ha avuto un'idea grandiosa per l'azienda. Siamo di gran lunga troppo deboli sul fronte della ricerca e dello sviluppo, ed era un bel po' che me ne rendevo conto. Lei ci ha suggerito di metterci in contatto con un gruppo di ricercatori di Nottingham. È un team relativamente piccolo, per questo non avevo mai sentito parlare di loro, ma a quanto pare si stanno occupando di temi che ci interessano direttamente. Potremmo mettere in piedi un finanziamento congiunto. È un'idea brillante.»

«Eh, sì» dico, ancora preoccupata. «Lei se ne intende di quelle cose, lavora per una ditta farmaceutica e conosce tanti ricercatori.»

«Di che cosa si occupa esattamente?»

«Reclutamento.»

«Reclutamento?» Alzo la testa e vedo che gli brillano gli occhi. «Abbiamo bisogno di un responsabile delle risorse umane. Perfetto!»

«Eh?»

«Potrebbe dirigere l'ufficio delle risorse umane, continuare ad avere buone idee, occuparsi di tutta la proprietà...» Vedo che sta già viaggiando con la mente. «È proprio la donna che ci voleva per Ben! Una moglie che possa essere allo stesso tempo un socio in affari, un'assistente, una persona che stia al suo fianco...»

«Fermo lì!» Batto la mano sul tavolo. «Non ti permetterò di abbindolare mia sorella, convincendola ad andare a giocare alla famiglia felice nello Staffordshire.»

«Perché no?» domanda Lorcan. «Che problema hai?»

«Il mio problema è che è un'idea assurda! Ridicola!»

Per un attimo Lorcan mi fissa in silenzio e il suo sguardo mi procura un leggero brivido.

«Certo che sei un bel tipo» dice alla fine. «Come fai a essere tanto sicura di non rovinare il grande amore di tua sorella? Come fai a essere tanto sicura che non le si offra l'opportunità di avere una vita fantastica?»

«Ma dài.» Scuoto la testa spazientita. «È una domanda talmente stupida che non ti rispondo neanche.»

«Secondo me, Ben e Lottie hanno tutte le possibilità di essere felici» aggiunge deciso. «E per quanto mi riguarda, ho intenzione di incoraggiarli.»

«Non puoi cambiare bandiera!» lo guardo infuriata.

«Non sono mai stato dalla tua parte» ribatte Lorcan. «La tua è la parte dei fuori di testa.»

«La parte dei fuori di testa.» Per Noah è una trovata divertentissima. «La parte dei fuori di testa!» Si sbellica dalle risate. «La mamma è dalla parte dei fuori di testa!»

Fisso Lorcan ancora più duramente, mescolando il caffè con furia. Traditore.

«Buongiorno a tutti.» Alzo gli occhi e vedo Richard avvicinarsi al tavolo. Sembra più o meno allegro quanto noi, cioè sull'orlo del suicidio.

«Buongiorno» rispondo. «Dormito bene?»

«Da schifo.» Si versa il caffè accigliato, poi dà un'occhiata al mio telefonino. «Allora, l'hanno fatto o no?»

«Ma per piacere!» Sfogo tutto il mio risentimento su di lui. «Sei proprio ossessionato!»

«Da che pulpito» mormora Lorcan.

«Perché continuate a chiedere se l'hanno fatto?» domanda Noah attentissimo.

«Be', non sei anche tu ossessionata?» ribatte Richard.

«No, io non sono ossessionata. E no, non l'hanno fatto.» Il suo umore migliora all'istante.

«Fatto che cosa?» domanda Noah.

«Messo la salsiccia nella pagnotta» risponde Lorcan, finendo il caffè.

«Lorcan!» ribatto seccamente. «Non dire certe cose!»

Noah scoppia a ridere. «La salsiccia nella pagnotta!»

Meraviglioso. Fulmino Lorcan con lo sguardo, che mi fissa impassibile. E comunque "la pagnotta"... mi giunge proprio nuova.

«Credi di essere molto spiritoso, eh?» Richard se la prende con Lorcan. «Per te è tutto uno scherzo, vero?»

«Per piacere, dacci un taglio, Lancillotto.» Lorcan perde la pazienza. «Non è ora di togliersi dalle scatole? A questo punto dovresti arrenderti. Nessuna donna al mondo merita tutte queste sceneggiate.»

«Lottie merita eccome tutte queste "sceneggiate", come dici tu.» Lo guarda con il mento sollevato. «E non mi arrendo proprio adesso che mancano solo sei ore. Ho calcolato tutto alla perfezione.» Prende una fetta di pane tostato. «Fra sei ore potrò rivederla.»

«Scusa un attimo.» Poso la mano sulla sua. «Ti devo avvisare che saranno più di sei. Non sono più all'Amba, sono andati alla vecchia pensione.»

Richard strabuzza gli occhi inorridito. «Maledizione» dice alla fine.

«Eh, sì.»

«E lì scoperanno di sicuro.»

«Forse no» dico, desiderosa di convincere me stessa quanto lui. «E stai attento a come parli, per favore. C'è qualcuno che ascolta.» Indico Noah.

«Lo faranno.» Richard china il capo avvilito. «Quel posto è il luogo dei sogni di Lottie. È la sua strada di mattoni gialli. Ovvio che...» Si frena appena in tempo. «Metteranno la salsiccia nel panino.»

«Nella pagnotta» lo corregge Lorcan.

«*Zitti!*» dico esasperata.

Mentre siamo tutti seduti in silenzio, una cameriera si avvicina al tavolo con un album da disegno per Noah e lui lo prende felice.

«Puoi disegnare tua mamma o tuo papà» suggerisce, tirando fuori una scatola di matite colorate.

«Mio papà non è qui» spiega Noah gentile e indica Lorcan e Richard. «Nessuno di loro è mio papà.»

Fantastico. Che idee si farà la ragazza?

«È un viaggio d'affari» dico con un sorrisetto.

«Mio papà vive a Londra» dice Noah ciarliero. «Ma fra poco si trasferisce a Hollywood.»

«Hollywood?»

«Sì, va a vivere vicino alle stelle del cinema.»

Ho una stretta allo stomaco. Oddio, adesso ricomincia. Anche dopo il "discorsone". Appena la cameriera si è allontanata, gli rivolgo la parola cercando di nascondere l'agitazione.

«Noah, tesoro, ti ricordi che avevamo detto di dire la verità?»

«Sì» risponde tranquillamente.

«Allora perché hai detto che papà sta per trasferirsi a Hollywood?» Comincio a perdere il mio aplomb, è più forte di me. «Non puoi metterti a raccontare storie del genere, Noah! La gente poi ti crede.»

«Ma è vero.»

«No, che non è vero. Papà non va a vivere a Hollywood!»

«Sì, invece. Guarda, questo è il suo indirizzo. C'è scritto Beverly Hills. Papà dice che è come Hollywood. Avrà una piscina e io ci potrò nuotare!» Noah infila la mano in tasca e tira fuori un foglietto. Lo fisso incredula. È la scrittura di Daniel.

NUOVO INDIRIZZO
Daniel Phipps e Trudy Vanderveer
5406 Aubrey Road
Beverly Hills
CA 90210

Disorientata, sbatto le palpebre un po' di volte. Beverly Hills? Cosa? Voglio dire: *cosa*?

«Scusa un attimo, Noah» dico con una voce che non sembra neppure la mia. Mi sto già alzando per andare a chiamare Daniel.

«Fliss» risponde con la sua voce irritante «io stavo facendo yoga e tu?»

«Che cos'è questa storia di Beverly Hills?» chiedo impappinandomi. «Vai a vivere a Beverly Hills?»

«Calmati, ragazza» dice.
Ragazza?
«Come faccio a calmarmi? È vero o no?»
«Allora Noah te l'ha detto.»
Sento un tuffo al cuore. È vero. Se ne va a Los Angeles e non mi dice niente.
«È per via del lavoro di Trudy» sta dicendo adesso. «Sai che si occupa di diritto dei media? Insomma, è saltata fuori una grande opportunità per lei, e io comunque ho la doppia nazionalità...»
Continua a parlare, ma le sue parole sfumano fino a diventare suoni senza significato. Per qualche motivo mi viene in mente il giorno del nostro matrimonio. Era stato molto bello, pieno di sorprese allegre e idee divertenti, come i cocktail fatti su misura. Ci tenevo così tanto a far contenti gli ospiti che mi ero dimenticata un piccolo dettaglio, e cioè di accertarmi che l'uomo che stavo sposando fosse quello giusto per me.
«... agente immobiliare favolosa ci ha trovato questa casa sottocosto...»
«Ma Daniel» lo interrompo a metà frase. «E Noah?»
«Noah?» Sembra sorpreso. «Noah può venire a trovarci.»
«Ha sette anni e va a scuola.»
«Durante le vacanze, allora.» Daniel sembra tranquillissimo. «Troveremo qualche soluzione.»
«Quando partite?»
«Lunedì.»
Lunedì?
Chiudo gli occhi respirando affannosamente. Sento un dolore indescrivibile per Noah. È un dolore fisico che mi fa venire voglia di raggomitolarmi su me stessa. Daniel va a vivere a Los Angeles senza farsi troppi problemi su come potrà mantenere un rapporto con il suo unico figlio. Nostro figlio. Il nostro splendido bambino tanto precoce e fantasioso. In un batter d'occhio, si troverà a ottomila chilometri di distanza da lui.
«Okay.» Cerco di ricompormi. Non ha senso aggiungere altro. «Daniel, devo andare. Ci sentiamo presto.»
Chiudo la chiamata e mi giro di scatto, decisa a raggiungere gli altri, ma mi sta succedendo una strana cosa. Ho una sensazione sconosciuta e spaventosa. D'un tratto mi sfugge un suono dalle labbra. Una specie di guaito, come quello che potrebbe fare un cane.

«Fliss?» Lorcan si è alzato dalla sedia. «Stai bene?»

«Mamma?» Noah ha il faccino preoccupato.

I due uomini si scambiano un'occhiata e Richard fa un cenno di assenso.

«Ehi, ragazzino» dice disinvolto Richard a Noah. «Andiamo a comprarci delle gomme da masticare per l'aereo.»

«Gomme da masticare!» urla Noah entusiasta e lo segue.

Faccio un altro guaito involontario e Lorcan mi stringe le braccia.

«Fliss... stai piangendo?»

«No!» dico all'improvviso. «Non piango mai di giorno. È la mia regola, non piango mai-iii.» La parola si disintegra in un terzo guaito stridulo e bizzarro. Ho una cosa bagnata in faccia. È una lacrima?

«Che cos'ha detto Daniel?» mi chiede Lorcan con dolcezza.

«Si trasferisce a Los Angeles. Ci lascia...» Vedo della gente seduta ai tavoli girarsi verso di noi. «Oddio.» Mi prendo la testa fra le mani. «Non posso, devo smetterla...»

Mi sfugge un quarto guaito, che assomiglia più a un singhiozzo. È come se mi stesse sgorgando fuori qualcosa: una cosa violenta, inarrestabile, rumorosa.

«Hai bisogno di un posto appartato» dice Lorcan in fretta. «Stai per avere un collasso. Dove andiamo?»

«Ho già consegnato le chiavi della mia stanza» farfuglio ansimando. «Dovrebbero avere una stanza per piangere, tipo sala fumatori.»

«Ce l'ho io.» Lorcan mi afferra per il braccio e mi trascina verso la piscina, passando in mezzo ai tavoli. «La sauna.» Non aspetta la mia risposta, apre la porta e mi spinge dentro.

L'aria è così densa che devo cercare a tastoni una sedia. L'atmosfera è satura di vapori e si sente un delicato profumo erbaceo.

«Piangi» dice Lorcan in mezzo alla nebbia. «Non ti vede e non ti sente nessuno. Piangi, Fliss.»

«Non ci riesco.» Deglutisco rumorosamente. Tutto in me resiste. Mi sfugge ancora qualche guaito ogni tanto, ma non riesco a lasciarmi andare.

«Allora parla. Daniel va a vivere a Los Angeles» mi incita.

«Sì, non vedrà più Noah e non gliene importa nulla...» Un brivido mi squassa il corpo. «Non me l'ha neanche detto.»

«Ma non desideravi che sparisse dalla tua vita? L'hai detto tu stessa.»

«Sì, infatti» confermo, momentaneamente confusa. «Sì, infatti. Credo di sì. Ma è un gesto così definitivo, è un rifiuto nei confronti di tutti e due...» Sento di nuovo qualcosa crescermi dentro, qualcosa di potente e vorticoso. Mi sa che potrebbe essere dolore. «È finita. La nostra famiglia è finiiitaaa...» E ora il vortice minaccia di distruggermi. «Tutta la nostra famiglia è finiiitaaa...»

«Vieni qui, Fliss» dice Lorcan sottovoce. Io mi ritraggo immediatamente.

«Non posso piangerti addosso» dico con voce tremula. «Non guardare.»

«Certo che mi puoi piangere addosso.» Ride. «Abbiamo fatto sesso insieme, ricordatelo.»

«Era solo sesso, questo è molto più imbarazzante.» Singhiozzo. «Non guardare. Vai via.»

«Io non guardo niente» dice deciso. «E non vado da nessuna parte. Su, vieni.»

«Non posso» dico disperatamente.

«Su, forza, stupida donna che sei.» Tende il braccio avvolto nella manica della giacca resa perlacea dal vapore. Alla fine, con sollievo, mi abbandono contro di lui scoppiando in un pianto vulcanico.

Rimaniamo così per un po' di tempo: io continuo a rabbrividire, singhiozzare e a tossire, mentre Lorcan mi accarezza la schiena. Chissà perché continuo a ricordare la nascita di Noah. Avevano dovuto farmi un taglio cesareo d'emergenza e io ero terrorizzata, ma per tutto il tempo Daniel era rimasto accanto a me in camice verde, tenendomi la mano. All'epoca non dubitavo mai di lui. All'epoca non dubitavo mai di niente. E questo mi fa di nuovo venire voglia di piangere.

Alla fine alzo gli occhi e mi scosto i capelli dal viso sudato. Ho il naso e gli occhi gonfi. Probabilmente non piangevo in questo modo da quando avevo più o meno dieci anni.

«Scusami» comincio, ma Lorcan alza una mano.

«No, non scusarti di niente.»

«Ma il tuo abito!» Comincio a rendermi conto di quello che stiamo facendo. Siamo seduti in una sauna, tutti e due completamente vestiti.

«Tutti i divorzi lasciano vittime sul campo» dice Lorcan con calma. «Pensa al mio abito come a una vittima del tuo. Inoltre» aggiunge «il vapore fa bene ai vestiti.»

«Almeno avremo la pelle pulita» dico.

«Esatto, ci sono un mucchio di vantaggi.»

Una bocchetta nascosta in un angolo sta sbuffando altro vapore nello stanzino e l'aria sta diventando ancora più opaca. Sollevo i piedi sulla panca rivestita di piastrelle a mosaico e mi stringo forte le ginocchia, sentendomi avvolta dal vapore come da una barriera protettiva. È un posto intimo, e anche appartato.

«Quando mi sono sposata, sapevo che la vita non sarebbe stata perfetta» dico immersa nella nebbia. «Non mi aspettavo solo rose e fiori. E neppure quando ho divorziato mi aspettavo di trovare un giardino fiorito, ma almeno, che ne so, un cortiletto.»

«Un cortiletto?»

«Hai presente, un posticino con un po' di piante da curare, dove regnasse un po' di ottimismo e amore. Invece mi ritrovo in una zona post guerra nucleare.»

«Bella questa.» Lorcan fa una risatina.

«E tu dove vivi? Non hai un bel giardino fiorito?»

«In una specie di territorio alieno» dice, dopo un momento di pausa. «Tipo paesaggio lunare.»

Ci guardiamo negli occhi nell'atmosfera nebulosa della sauna e non abbiamo bisogno di dire altro. Ci capiamo.

Il vapore continua a spandersi e ad avvolgerci. Sembra avere un potere terapeutico. È come se si portasse via i pensieri inquietanti, lasciando una specie di limpidezza dietro di sé. E più rimango lì seduta, più mi sembra di vederci chiaro. Ho una specie di peso sullo stomaco. Lorcan aveva ragione, non solo adesso, ma anche ieri sera. Aveva ragione, è stato tutto un errore.

Devo rinunciare alla missione immediatamente. Mi vedo scorrere una scritta nel cervello, come un titolo della televisione: "Lascia perdere, lascia perdere". Non posso continuare, non posso rischiare di perdere Lottie.

Sì, voglio proteggere la mia sorellina dal dolore che ho patito io. Ma la vita è sua, non posso prendere decisioni al suo posto. Se lei e Ben si lasciano, pazienza. Se dovrà divorziare, pazienza. Se il loro matrimonio durerà settant'anni e avranno venti nipoti, buon per lei.

Ho l'impressione di essere stata portata fuori strada da una specie di follia. Pensavo veramente a Lottie, o solo a me e a Daniel? Lorcan ha ragione? Questa è stata la mia scelta infelice? Oddio, che cosa ho fatto?

D'un tratto, mi accorgo di aver biascicato le ultime parole ad alta voce. «Scusa» aggiungo. «Mi sono appena... resa conto...» Alzo la testa sconsolata.

«Hai fatto del tuo meglio per aiutare tua sorella» dice Lorcan quasi dolcemente. «Adottando metodi assurdi, illegittimi e fuori di testa.»

«Che cosa...» Mi porto la mano alla bocca. «Oddio, e se mi scopre?» Provo un orrore tale al pensiero che mi sento svenire. Ero così determinata a riuscire nel mio intento da non riflettere neppure sulle conseguenze negative. Sono stata un'idiota.

«Non è per niente detto che ti scopra se adesso fai dietrofront, torni a casa e tieni la bocca sigillata. Io non dirò niente.»

«Neppure Nico parlerà. È il mio referente dell'albergo.» Ho il fiatone, come se avessi scampato un pericolo. «Credo sia tutto sotto controllo. Non lo saprà mai.»

«Allora la campagna di sabotaggio della luna di miele è finita?»

«Da questo preciso istante» annuisco. «Telefono a Nico, sarà un bel sollievo per lui.» Guardo Lorcan. «Non mi intrometterò mai più nella vita di mia sorella» dico risoluta. «Aiutami tu. Aiutami a mantenere la mia promessa.»

«D'accordo» annuisce serio. «E adesso che cosa fai?»

Scuoto la testa. «Non lo so. Vado all'aeroporto. Ricomincio da lì.» Mi sposto i capelli bagnati dal viso e mi ricordo di essere in una sauna completamente vestita. «Sarò una meraviglia da vedere.»

«Sì, infatti» dice Lorcan serio. «Non puoi salire su un aereo conciata così. Ti conviene fare prima la doccia fredda.»

«La doccia fredda?» Lo guardo incredula.

«Chiude i pori. Stimola la circolazione, toglie le tracce di muco e lacrime.»

Credo che mi stia prendendo in giro. O no?

«Perché no?» Si stringe nelle spalle. Mi scappa da ridere. Non possiamo pensare di fare una cosa simile.

«Okay, prego.» Apro la porta e gliela tengo cortesemente aperta. Vedo già gli ospiti dell'hotel strabuzzare gli occhi e darsi di gomito vedendo un uomo e una donna che escono dalla sauna completamente vestiti, lui in giacca e cravatta.

«Dopo di te.» Lorcan indica gentilmente la doccia. «Se vuoi, ti apro il rubinetto.»

«Su, forza.» Vado sotto ridendo. Un attimo dopo vengo investita da una cascata di acqua gelata e lancio un gridolino.

«Mamma!» Una vocina acuta mi chiama entusiasta. «Hai fatto la doccia vestita!» Noah mi sta osservando dal tavolo a cui è seduto insieme a Richard, il faccino illuminato dall'incredulità.

Ora tocca a Lorcan prendere il mio posto sotto la doccia fredda.

«Ecco fatto» mi dice quando ha finito. «Vero che è rinfrescante? Vero che la vita sembra più bella?» Scuote la manica bagnata della giacca.

Mi fermo un attimo a riflettere, perché desidero dare una risposta sincera. «Sì» dico alla fine. «Molto più bella, grazie.»

21

LOTTIE

Non so bene come reagire. Eccoci qui. Siamo tornati alla pensione ed è tale e quale a com'era un tempo. Più o meno.

Appena siamo scesi dal taxi acquatico, Ben ha risposto a una telefonata di Lorcan, cosa che mi ha dato veramente fastidio. Cioè, voglio dire, questo è il nostro grande momento romantico e lui risponde a una telefonata? È come se Humphrey Bogart dicesse: "Avremo sempre... Scusa un attimo, amore, devo rispondere al telefono".

Be', comunque. Sii positiva, Lottie, goditi l'attimo. Sono quindici anni che penso a questo posto, ed eccomi qui.

In piedi sul molo di legno, attendo di essere inghiottita da ondate di nostalgia e ispirazione. Mi aspetto di piangere, e che magari mi venga in mente qualche frase emozionante da dire a Ben. Ma stranamente non ho nessuna voglia di piangere: mi sento un po' vuota.

Dal punto in cui mi trovo intravedo appena la pensione in alto. Vedo le familiari pietre ocra coperte di polvere e un paio di finestre. È più piccola di come la ricordavo e ha un'imposta mezza rotta. Abbasso lo sguardo verso lo scoglio. Lì ci sono i gradini scavati nella roccia che si biforcano a metà strada. Una scalinata porta al molo dove siamo noi adesso, l'altra alla spiaggia principale. Ci hanno messo dei corrimano di metallo, che rovinano un po' la vista, e una ringhiera in cima. E un cartello di sicurezza. Un cartello? Non c'era mai stato.

Be', comunque sii positiva.

Ben ritorna da me e io gli prendo la mano. La spiaggia si

trova dietro un blocco di scogli, perciò non posso vedere se è cambiata. Ma come fa a cambiare una spiaggia? Una spiaggia è una spiaggia.

«Che cosa facciamo prima?» gli domando dolcemente. «Pensione? Spiaggia? O caletta segreta?»

Ben mi stringe forte la mano. «Caletta segreta.»

Finalmente mi sento fremere di eccitazione. La caletta segreta: il posto dove per la prima volta ci siamo spogliati a vicenda, tremando di torrido e insaziabile desiderio adolescenziale. Il posto dove lo facevamo tre, quattro, cinque volte al giorno. Sono così eccitata all'idea di rivisitarlo – in tutti i sensi – che vengo scossa da un brivido.

«Dobbiamo noleggiare una barca.»

Mi porterà alla baia con una barchetta a vela, come faceva sempre all'epoca, mentre io tenevo i piedi appoggiati al bordo. Trascinavamo la barca sulla spiaggia sabbiosa, cercavamo un punto riparato e...

«Prendiamoci una barca.» Ben ha la voce roca e si capisce che è eccitato quanto me.

«Credi che le noleggino ancora sulla spiaggia?»

«C'è solo un modo per scoprirlo.»

Con improvvisa euforia, lo trascino verso gli scalini. Andremo dritti alla spiaggia, prenderemo una barca, finalmente succederà...

«Dài, vieni!» Comincio a salire di corsa gli scalini di roccia, con il cuore in tumulto per l'emozione. Siamo quasi arrivati al bivio: da un momento all'altro vedremo la splendida distesa di sabbia dorata che ci ha aspettato per tutto questo tempo...

Oh, mio Dio.

Sto fissando la spiaggia scioccata. Che cosa le hanno fatto? Chi è tutta quella gente?

Quando stavamo alla pensione, la spiaggia sembrava un enorme spazio vuoto. Alloggiavamo lì in venti persone al massimo e non ci ammassavamo mai in un punto solo, per evitare di darci fastidio a vicenda. Quella che sto vedendo adesso mi sembra una zona occupata. Ci saranno circa settanta persone, distribuite in gruppi disordinati, alcune ancora nei sacchi a pelo. Vedo i rimasugli di un fuoco, un paio di tende. Sembrano per lo più studenti. O forse eterni studenti.

Mentre rimaniamo lì a guardare incerti, un ragazzo con il pizzetto ci raggiunge a metà scala e ci saluta con accento sudafricano.

«Ciao, sembrate un po' persi.» Io mi sento davvero persa, vorrei ribattere, e invece sorrido.

«Stavamo solo... guardando.»

«Siamo tornati a visitare questo posto» dice Ben disinvolto. «Ci eravamo venuti anni fa... È cambiato.»

«Ah.» L'espressione del ragazzo muta di colpo. «Siete anche voi due di quelli. Quelli dell'età dell'oro.»

«L'età dell'oro?»

«Li chiamiamo così.» Scoppia a ridere. «Tante persone della vostra età tornano a dirci com'era prima che costruissero l'ostello. La maggior parte non la smette mai di lagnarsi di come abbiano rovinato questo posto. Venite giù?»

Mentre lo seguiamo, mi innervosisco un po' pensando alle sue parole. "Lagnarsi" è un termine aggressivo. E "della vostra età"? Che cosa significa? Cioè, è chiaro che siamo un po' più grandicelli di lui, ma siamo ancora giovani! Faccio ancora parte della stessa categoria.

«Quale ostello?» domanda Ben quando arriviamo alla spiaggia. «Non soggiornate nella pensione?»

«In pochi ci vanno.» Il ragazzo alza le spalle. «È un posto abbastanza squallido. Mi sa che il vecchio l'ha appena venduta. No, noi stiamo all'ostello. È a qualche centinaio di metri verso l'entroterra. Devono averlo costruito una decina di anni fa. Avevano fatto una grande campagna pubblicitaria. Ha funzionato benissimo, il posto è fantastico» aggiunge, mentre si allontana da noi. «Ci sono dei tramonti incredibili. Statemi bene.»

Ben sorride, ma io mi sento esplodere di rabbia. Non posso credere che abbiano costruito un ostello. Sono furibonda. Era il nostro posto. Come hanno osato snaturarlo?

E guarda come lo trattano. C'è immondizia dappertutto. Vedo lattine, pacchetti di patatine e persino un paio di preservativi usati. A guardarli mi viene la nausea. Hanno fatto sesso su tutta la spiaggia. Che volgarità.

Cioè, anche noi facevamo sesso sulla spiaggia, ma era diverso: per noi era romantico.

«Dov'è il tipo delle barche?» domando, guardandomi intorno. Un tempo c'era un uomo simile a una lucertola che ogni giorno noleggiava le sue due barchette, ma non lo vedo da nessuna parte. C'è un tizio alto e robusto che spinge un'imbarcazione nell'acqua, e io mi metto a correre sulla sabbia verso il mare.

«Ciao! Scusa, aspetta un attimo!» Lui si gira sfoderando un sorriso scintillante che risalta sul volto abbronzato, e io afferro il bordo del suo dinghy.

«Sai se noleggiano ancora barche da queste parti? Questa è noleggiata?»

«Sì» annuisce. «Ma bisogna arrivare presto, sono già tutte prenotate. Potete provare domani? La lista delle prenotazioni è all'ostello.»

«Ah, d'accordo.» Faccio una pausa e aggiungo lamentosa: «Il problema è che io e mio marito stiamo qui solo oggi. Siamo in luna di miele e desideravamo così tanto una barca».

Cerco di convincerlo silenziosamente a essere galante e a offrirci il suo dinghy. Lui però continua a spingerlo in acqua e mi dice allegramente: «Che peccato».

«Il fatto è che è un momento molto speciale per noi» spiego, correndogli dietro e schizzando acqua ovunque. «Desideravamo così tanto andare in barca a vela. Volevamo andare a vedere una caletta segreta che conoscevamo...»

«Quella lì dietro?» Indica oltre il promontorio.

«Sì!» rispondo. «La conosci?»

«Non c'è bisogno di prendere la barca per raggiungerla.» Sembra sorpreso. «Ci si può arrivare con la passerella.»

«La passerella?»

«È più in là, verso l'entroterra.» Indica con il dito. «È una grossa passerella di legno. L'hanno costruita qualche anno fa; ha reso accessibile tutta la zona.»

Lo fisso inorridita. Hanno costruito una passerella per raggiungere la caletta segreta? È un sacrilegio, una presa in giro. Scriverò una lettera di fuoco a... qualcuno. Era il nostro segreto. Avrebbe dovuto rimanere segreta. E adesso come facciamo a fare sesso lì?

«Allora ci vanno tutti?»

«Eh, sì, è abbastanza apprezzata.» Sorride. «Detto fra noi, è il posto dove vanno a farsi le canne.»

Canne? Lo fisso ancora più inorridita. La nostra baia perfetta, romantica, idilliaca è diventata una centrale per lo spaccio di droga?

Mi strofino la faccia, cercando di adattarmi alla triste realtà.

«Quindi ci sarà della gente adesso?»

«Credo di sì, ieri sera c'è stata una festa. Adesso staranno dormendo tutti. Ci vediamo.» Spinge la barca in mare e alza la vela.

Allora è finita, tutto il piano è rovinato. Torno verso la spiaggia per raggiungere Ben.

«Era così perfetta» dico disperata. «E adesso l'hanno rovinata, è intollerabile. Cioè, ma guarda qua!» Mi metto a gesticolare concitatamente. «È orribile! Una bolgia infernale!»

«Cazzo, Lottie!» dice Ben un po' spazientito. «Adesso esageri. Anche noi facevamo feste sulla spiaggia, ricordi? E lasciavamo immondizia in giro. Arthur si lamentava sempre.»

«Non preservativi usati.»

«Probabilmente anche quelli.» Si stringe nelle spalle.

«No, non è vero!» ribatto indignata. «Io prendevo la pillola!»

«Ah.» Si stringe di nuovo nelle spalle. «Me n'ero dimenticato.»

Se n'era dimenticato? Come si fa a dimenticare se usavi il preservativo o no con la donna della tua vita?

Vorrei dirgli: "Se mi amassi davvero, ti ricorderesti che non usavamo il preservativo", ma mi mordo la lingua. In luna di miele non è proprio il caso di litigare sull'uso dei profilattici. Mi limito a incurvare le spalle e a guardare sconsolata il mare.

Mi viene da piangere per la delusione. È tutto così diverso da come me lo ricordavo. A essere sincera, mi sa che avevo immaginato di non trovare niente sulla spiaggia, che fosse lì, tutta per noi. Che ci saremmo messi a correre sulla distesa di sabbia, saltando fra le onde spumose e abbracciandoci di slancio accompagnati da un sottofondo di violini. Forse era una visione un tantino irrealistica, ma questo è l'estremo opposto.

«Be', allora che cosa facciamo?» domando alla fine.

«Possiamo ancora divertirci.» Ben mi stringe a sé e mi bacia. «È comunque bello essere tornati, no? È sempre la stessa sabbia, lo stesso mare.»

«Sì.» Mi abbandono felice al suo bacio.

«Sempre la stessa Lottie, gli stessi pantaloncini sexy.» Mi afferra il sedere con una mano e io sento l'urgenza improvvisa di reclamare almeno una parte delle mie fantasie.

«Ricordi questo?» Gli passo la borsa. Prendo un profondo respiro per prepararmi, faccio un saltello leggero e mi appresto a compiere quella che dovrebbe essere una serie perfetta di ruote sulla spiaggia.

Oh, no.

Ahi! La mia testa.

Non so che cosa sia successo, so solo che le mie braccia hanno ceduto, intorno a me si sono levate urla d'allarme e io ho battuto forte la testa. Adesso sono goffamente accasciata sulla sabbia e sto ansimando per lo spavento.

Ho il braccio dolorante per la botta e la mente dolorante per l'umiliazione. Non sono più capace di fare la ruota? Quando è successo?

«Tesoro.» Ben si avvicina con aria imbarazzata. «Non farti male.» Abbassa gli occhi sui pantaloncini. «Temo che ci sia stato un piccolo incidente...»

Seguo il suo sguardo e ho un'altra fitta di sconforto. C'è uno strappo nei pantaloncini. Li ho spaccati a metà, nel punto peggiore che si possa immaginare. Vorrei morire.

Ben mi aiuta ad alzarmi e io mio strofino il braccio con una smorfia di dolore. Mi sa che me lo sono slogato.

«Tutto bene?» dice una ragazza in shorts di jeans e reggiseno del costume che dimostra più o meno quindici anni. «Devi darti più spinta. Così.» Si slancia leggera sulla sabbia e fa una ruota perfetta, seguita da un salto mortale all'indietro. Stronza.

«Grazie» borbotto. «Lo terrò a mente.» Mi riprendo la borsa e fra me e Ben cala un silenzio penoso. «Allora... che cosa facciamo?» chiedo alla fine. «Andiamo a vedere la caletta?»

«Ho bisogno di un caffè» dice Ben deciso. «E voglio vedere la vecchia pensione. Tu no?»

«Ma certo!» Sento un ultimo barlume di speranza. Anche se la spiaggia è rovinata, la pensione magari è rimasta come prima. «Però, sali prima tu le scale» aggiungo.

Se ho i pantaloncini strappati a metà, non voglio che mi stia dietro.

Non so se sia per via dell'incidente con la ruota, o se il cardiofrequenzimetro della palestra mi abbia mentito, fatto sta che non sono in forma come pensavo, e centotredici gradini sono tanti da fare. Mi ritrovo a salire aggrappata al corrimano e sono felice che Ben non possa vedermi. Ho la faccia in fiamme, i capelli spettinati e continuo a sbuffare in modo per niente sexy.

Il sole comincia a battere forte, perciò evito di guardare in alto, ma quando ci avviciniamo alla cima, alzo lo sguardo e sbatto le palpebre per la sorpresa. In cima allo scoglio si staglia una figura. Una ragazza.

«Ciao!» grida con accento inglese. «Siete ospiti?»

Via via che salgo, mi accorgo che è stupenda, e che ha un seno davvero straordinario. Mi vengono in mente i soliti cliché. Le sue tette sono come due lune brune, che tendono il tessuto elastico della canotta. No, due vivaci cucciolotti marroni. Persino io vorrei toccarle, tanto sono colpita. Si china per salutarci mentre arranchiamo in salita e io vedo le profondità abissali della sua scollatura.

Il che significa che le vede anche Ben.

«Bravi!» dice ridendo quando arriviamo finalmente in cima. Il fiatone mi impedisce di parlare. Anche a Ben manca il respiro, eppure sembra ansioso di dire qualcosa a me... o forse a questa ragazza strepitosa?

Alla ragazza strepitosa.

«Oh, cazzo!» riesce finalmente a dire, e pare davvero stupito. «Sarah!»

22

LOTTIE

Mi gira la testa, non so su che cosa concentrarmi, non so neppure da dove cominciare. Innanzitutto, la pensione: come fa a essere tanto diversa da come la ricordavo? Tutto è più piccolo e trasandato, insomma, come dire, meno scenografico. Siamo seduti in veranda, che è molto meno suggestiva di quella dei miei ricordi e pitturata di un beige orrendo e scrostato. L'uliveto è solo un pezzo di terreno spelacchiato con qualche albero qua e là. La vista è bella, ma non diversa da quella di qualsiasi altra isola greca.

E Arthur. Perché mai ero rimasta tanto colpita da lui? Perché mi sedevo ai suoi piedi per ore, a sorbirmi le sue perle di saggezza? Non è un uomo saggio, per niente. È uno sporcaccione di settant'anni suonati che ha già tentato due volte di palpeggiarmi.

«Non tornate indietro» sta dicendo, agitando il suo giornale arrotolato. «Ve lo dico sempre, a voi giovani. Non tornate a visitare il posto. La giovinezza è ancora là dove l'avete lasciata e là deve rimanere. Che cosa venite a fare? Tutto quel che valeva la pena di portare con sé nel viaggio della vita, ve lo siete già preso.»

«Papà.» Sarah alza gli occhi al cielo. «Piantala. Ormai sono tornati e mi fa molto piacere.» Sorride a Ben. «Siete arrivati appena in tempo, abbiamo venduto tutto. Ce ne andiamo il mese prossimo. Un altro caffè?»

Mentre si china per versare il caffè, non posso fare a meno di guardarla. Vista da vicino, non è meno strepitosa. Tutto in lei è luminoso e vellutato e i suoi seni tendono il tessuto della canotta come se si stessero gonfiando superbamente davanti a tutti durante una lezione di yoga per i pettorali.

E questo è un altro motivo per cui mi gira la testa. In effetti, di motivi ce ne sono diversi. Primo: è stupenda. Due: è chiaro che lei e Ben hanno avuto una storia qui alla pensione prima che arrivassi io. Continuano a fare allusioni, a ridere e a cambiare discorso. Tre: fra loro c'è ancora attrazione. Se me ne accorgo io, figurarsi se non se ne accorgono loro, no? Figurarsi se non la sentono. Che cosa significa?

Che cosa significa?

Con le mani che mi tremano afferro il caffè che Sarah mi sta porgendo. Pensavo che tornare alla pensione sarebbe stato il finale glorioso della nostra luna di miele, dove tutti i pezzi del puzzle si sarebbero ricomposti a formare un bel quadro. Invece ho l'impressione che siano spuntati dal nulla pezzi di ogni genere e colore, che non combaciano per niente con gli altri. Soprattutto Ben. Sembra che si stia allontanando da me. Evita il mio sguardo, e quando ho cercato di cingerlo con un braccio, si è divincolato. Sarah se n'è accorta, lo so, perché si è garbatamente girata dall'altra parte.

«Più si invecchia» Arthur sta ancora facendo la sua tirata «più la vita intralcia i sogni e i sogni intralciano la vita. È sempre stato così. Qualcuno vuole uno scotch?» D'un tratto, si illumina in viso. «È quasi l'ora di pranzo.»

«Io mi prendo uno scotch» dice Ben, lasciandomi basita. Che cosa fa? Sono le undici del mattino. Non voglio che cominci a ingollare un bicchiere di scotch dopo l'altro. Lo guardo come a dire: "È proprio il caso, tesoro?", e lui mi lancia un'occhiataccia che ho l'orribile sensazione significhi: "Fatti i cazzi tuoi e piantala di cercare di controllare la mia vita".

Di nuovo, Sarah distoglie garbatamente lo sguardo.

Oddio, è una tortura. Vedere altre donne distogliere garbatamente lo sguardo durante uno scambio di occhiatacce fra te e tuo marito è l'esperienza più umiliante che ci sia, a pari merito con quella dei pantaloncini che si strappano mentre fai la ruota.

«Bravo! Vieni a scegliere un single malt.» Arthur lo fa entrare nei recessi della pensione e io rimango con Sarah in veranda. Fra noi c'è tensione e non so da dove cominciare. Desidero disperatamente... che cosa, di preciso?

«Il caffè è molto buono.» Mi rifugio nella cortesia.
«Grazie.» Mi sorride, poi sospira. «Lottie, voglio solo dire...» Allarga le mani. «Non so se lo sai, ma io e Ben...»
«Non lo sapevo» dico, dopo un attimo di pausa. «Ma adesso lo so.»
«È stata un'avventura brevissima. Ero venuta a trovare papà e ci siamo incontrati. È durata un paio di settimane, al massimo. Ti prego di non pensare...» Si blocca di nuovo. «Non vorrei che tu...»
«Non stavo pensando proprio a niente!» la interrompo allegramente. «Niente!»
«Bene.» Sorride di nuovo, mettendo in mostra i suoi denti perfetti. «È molto bello che siate ritornati. Avete tanti bei ricordi, spero...»
«Sì, tantissimi.»
«È stata un'estate grandiosa.» Sorseggia il suo caffè. «L'anno in cui è venuto Big Bill. Lo conoscevi?»
«Sì, conoscevo Big Bill.» Mi rilasso un po'. «E Pinky.»
«E i due Ned? Una notte che c'ero anch'io qui li hanno arrestati» dice sorridendo. «Li hanno messi dentro e papà è dovuto andare a pagare la cauzione.»
«Ne avevo sentito parlare.» Drizzo le spalle, d'un tratto divertita dalla conversazione. «Avevi saputo del peschereccio affondato?»
«Dio mio, sì.» Annuisce. «Me l'ha raccontato papà. Fra quello e l'incendio, è stata proprio l'estate delle tragedie. Persino il povero Ben si era preso l'influenza. Era stato veramente malissimo.»
Che cos'ha detto? L'influenza?
«L'influenza?» ripeto con voce strozzata. «Ben?»
«È stato terribile.» Si porta le ginocchia al petto, appoggiando i piedi abbronzati sulla sua sedia. «Ero molto preoccupata per lui, delirava, ho dovuto vegliarlo per una notte intera. Gli cantavo le canzoni di Joni Mitchell.» Ride.
Mi prende un panico tale che mi sento ronzare il cervello. Era stata Sarah a vegliare su di lui quando aveva l'influenza. Era stata Sarah a cantare per lui.
E lui crede che sia stata io.
E quello è stato il momento in cui "si è reso conto di amarmi". L'ha detto davanti a un sacco di gente.

«Ah!» dico, cercando di avere un tono rilassato. «Wow, sei stata brava.» Deglutisco. «Ma non ha senso rimanere ancorati al passato, eh? Be', adesso... Quanti ospiti avete al momento?»

Voglio cambiare argomento al più presto, prima che torni Ben. Sarah però non mi dà retta.

«Diceva cose buffissime mentre delirava» ricorda. «Voleva andare a volare, e io: "Ben, sei malato, stai giù!". E poi ripeteva continuamente che ero il suo angelo custode.»

«Chi è il tuo angelo custode?» La voce di Ben giunge in veranda. Ha un bicchiere in mano. «Ah, tuo padre è al telefono. Chi è il tuo angelo custode?» ripete.

Mi sento ribollire lo stomaco. Devo mettere fine al discorso immediatamente.

«Guarda quell'olivo!» esclamo con voce stridula, ma Ben e Sarah non fanno caso a me.

«Non ti ricordi, Ben?» Sarah ride disinvolta, gettando indietro la testa. «Quando ti era venuta l'influenza e io ti avevo curato per tutta la notte? Dicevi che ero il tuo angelo custode. L'infermiera Sarah.» Lo spinge scherzosamente con un piede. «Ricordi l'infermiera Sarah? Ricordi le canzoni di Joni Mitchell?»

Ben sembra quasi raggelato. Mi guarda intensamente, poi torna a fissare Sarah e di nuovo me. Ha la fronte aggrottata, un'espressione confusa in viso.

«Ma... ma eri stata tu a vegliarmi, Lottie.»

Ho le guance in fiamme. Non so che cosa dire. Perché mi sono presa il merito di averlo curato? Perché?

«Lottie?» domanda Sarah sorpresa. «Ma se non era ancora arrivata! Sono stata io, e me lo merito io il premio! Sono stata io a rinfrescarti la fronte fino all'alba. Non mi dirai che te n'eri dimenticato» aggiunge, con aria di scherzoso rimprovero.

«No, non me n'ero dimenticato» dice Ben, la voce d'un tratto piena di emozione. «Certo che non me ne ero dimenticato! Ho ricordato quella notte per tutta la vita, ma in modo sbagliato. Pensavo che fosse...» Mi lancia un'occhiata accusatoria.

Mi sento formicolare tutto il corpo. Devo parlare. Stanno aspettando che lo faccia.

«Forse mi sono confusa... con... un altro episodio.»

«Quale altro episodio?» domanda Ben. «Ho avuto l'influenza solo una volta e adesso salta fuori che non sei stata tu a curarmi, ma Sarah. Questo sì che mi confonde.» Ha la voce dura e implacabile.

«Mi dispiace.» Sarah ci guarda in faccia, come se avesse colto la tensione fra noi. «Non è nulla.»

«Invece sì!» Ben si batte il pugno sulla testa. «Ti rendi conto? Sei stata *tu* a salvarmi. Eri *tu* il mio angelo custode, Sarah. Questo cambia...» si ferma.

Lo guardo indignata. Che cosa cambia? Fino a tre minuti fa ero io il suo angelo custode: non è che puoi cambiare angelo custode quando ti gira.

«Non ricominciare!» Sarah scuote la testa sorridendo. «Te l'avevo detto» aggiunge, rivolta a me, come per cercare di alleggerire l'atmosfera. «Tirava fuori un mucchio di cose assurde sugli angeli. Be', comunque...» Adesso è chiaro che anche lei desidera cambiare discorso. «Allora, come vi guadagnate da vivere voi due?»

Ben mi guarda malissimo, poi beve un sorso di scotch. «Produco carta» comincia.

Mentre parla della sua cartiera, sorseggio il mio caffè tiepido, tremando leggermente. Non posso credere che la mia stupida bugia a fin di bene sia stata scoperta, ma non posso neppure credere che Ben stia prendendo la cosa così sul serio. Insomma, chi se ne frega di chi ha curato chi? Sono talmente distratta che mi isolo completamente dalla conversazione, poi mi riscuoto quando gli sento dire "trasferire all'estero". Sta parlando della Francia?

«Anch'io! Probabilmente farò un giro dei Caraibi in barca a vela» sta dicendo Sarah. «Insegnerò per guadagnare qualche soldo. Vedrò un po' come va...»

«Anch'io voglio fare così» dice Ben annuendo energicamente. «La vela è la mia passione. Se c'è una cosa che voglio fare nei prossimi due anni è trascorrere più tempo in barca.»

«Hai mai attraversato l'Atlantico in barca a vela?»

«Voglio farlo.» Gli occhi di Ben si illuminano. «Voglio mettere insieme un equipaggio. Vieni anche tu?»

«Certo! E poi facciamo una stagione in giro per i Caraibi?»

«Affare fatto!»

«Siamo d'accordo.» Si danno un cinque ridendo. «Tu fai vela?» mi chiede cortesemente Sarah.

«Veramente no.» Sto fissando Ben furente. Non mi aveva

mai parlato di attraversare l'Atlantico in barca a vela. E come si concilia con l'idea della fattoria in Francia? E che cos'è tutto 'sto darsi un cinque da amiconi? Vorrei spiattellargli tutto in faccia, ma non posso farlo davanti a Sarah.

D'un tratto rimpiango di essere venuta. Aveva ragione Arthur. Non bisogna tornare indietro.

«Allora vendete tutto?» domando a Sarah.

«Già.» Sarah annuisce. «È un peccato, ma ormai la festa è finita, l'ostello ci ha portato via tutti i clienti. Comprano la terra per costruire altre dépendance.»

«Bastardi!» dice Ben arrabbiato.

«Forse.» Sarah scrolla le spalle ottimista. «A essere sinceri, gli affari non sono più andati molto bene dopo l'incendio. Non so come papà abbia fatto a tirare avanti per così tanto tempo.»

«È stato un incendio terribile» intervengo io, felice di passare a un argomento su cui sono ferrata. Spero che qualcuno ricorderà come ho preso brillantemente in mano la situazione e ho salvato tante persone, ma Sarah si limita a dire: «Sì, una tragedia».

«Era stato provocato da un fornello mal funzionante, vero?» domanda Ben.

«Oh, no.» Sarah scuote la testa facendo tintinnare leggermente gli orecchini. «Così si era pensato all'inizio, ma poi si è scoperto che erano state le candele di qualcuno. Hai presente, in una camera da letto. Candele profumate.» Guarda l'orologio. «Devo spegnere il fuoco sotto la pentola. Scusate.»

Quando se n'è andata, Ben beve un sorso di scotch, poi mi guarda e cambia espressione.

«Che cosa c'è?» Si acciglia. «Lottie? Stai bene?»

No, che non sto bene. Sono a pezzi. La realtà dei fatti è talmente orribile che faccio fatica a digerirla.

«Sono stata io» bisbiglio alla fine, con un senso di nausea.

«In che senso sei stata tu?» mi chiede senza capire.

«Tenevo sempre candele profumate nella mia stanza!» bisbiglio freneticamente. «Ricordi le mie candele? Devo averle lasciate accese. Nessun altro le aveva. L'incendio è scoppiato per colpa mia!»

Ho le lacrime agli occhi tanto sono sconvolta e addolorata. Il mio grande momento di trionfo... è svanito nel nulla. Non sono l'eroina positiva della storia, ma quella negativa, stupida e incosciente.

Mi aspetto che Ben mi getti le braccia al collo, che esclami qualcosa o faccia altre domande, insomma che reagisca in qualche modo. Lui invece sembra indifferente.

«È successo molto tempo fa» dice alla fine. «Ormai non ha più importanza.»

«Come non ha più importanza?» Lo fisso incredula. «Certo che ha importanza! Ho rovinato l'estate a tutti! Ho rovinato i suoi affari! È orribile!»

Mi sento male, terribilmente in colpa. E, ancor peggio, sento di aver travisato ogni cosa come una scema per tutto questo tempo. Tutti questi anni. Ho custodito il ricordo sbagliato. Sì, quella notte ho cambiato il corso degli eventi, ma in modo catastrofico. Avrei potuto causare la morte di una persona, di molte persone. Non sono la donna che pensavo di essere. *Non sono la donna che pensavo di essere.*

Mi sfugge un singhiozzo improvviso. Ho l'impressione che sia andato tutto a catafascio.

«Dovrei dirglielo? Dovrei confessare tutto?»

«Per l'amor di Dio, Lottie» risponde Ben in tono insofferente. «Certo che no. Non ci pensare più, è successo quindici anni fa. Non si è fatto male nessuno, non frega niente a nessuno.»

«A me sì!» ribatto scioccata.

«Be', dovresti finirla. Non la smetti mai di parlare di quel cavolo di incendio...»

«Non è vero!»

«Sì, invece.»

Mi scatta qualcosa dentro.

«Be', e tu non la smetti mai di parlare di vela!» urlo, offesa. «Da dove sono usciti tutti quei discorsi?»

Ci fissiamo negli occhi con una specie di incertezza sconvolgente. È come se ci stessimo soppesando l'un l'altro prima di una gara, ma non fossimo sicuri delle regole. Alla fine Ben si lancia all'attacco.

«Non sei stata tu a curarmi quando avevo l'influenza, ma mi hai lasciato credere il contrario.» Il suo sguardo è implacabile. «Perché fare una cosa simile?»

«Ero... confusa.» Deglutisco. «Mi dispiace, va bene?»

L'espressione di Ben non cambia. Adesso lo stronzo si mette a fare il santarellino.

«Okay, va bene.» Vado al contrattacco. «Visto che siamo in vena di tirare fuori verità scomode, posso chiederti come mai stai progettando di trascorrere una stagione in barca a vela in giro per i Caraibi, visto che andiamo a vivere in Francia?»

«Forse andiamo a vivere in Francia» ribatte scocciato. «Forse no. Erano solo idee campate per aria!»

«No, non erano "solo idee campate per aria"!» Lo fisso inorridita. «Erano progetti! Io ho fondato tutta la mia vita su quei progetti.»

«Tutto bene?» Sarah torna in veranda e Ben sfodera subito il suo sorriso più accattivante.

«Benissimo!» dice, come se non fosse successo niente. «Ci stiamo rilassando.»

«Volete un altro caffè o scotch?»

Non riesco a risponderle. L'orribile realtà dei fatti mi si para davanti agli occhi: sto basando tutta la mia vita su questo tizio seduto davanti a me. Questo tizio disinvolto dal sorriso accattivante che d'un tratto mi sembra un alieno, un perfetto sconosciuto e, insomma, sbagliato. Non solo non lo conosco, ma non lo capisco nemmeno, e temo addirittura che non mi sia neppure tanto simpatico.

Mio marito mi è antipatico.

È come un suono sgradevole che mi rimbomba nelle orecchie. Una campana a morto. Ho commesso un errore colossale, monumentale, terrificante.

Sento una disperata nostalgia di Fliss. Mi viene istintivo, ma allo stesso tempo mi rendo conto che non potrò mai confessarglielo, mai e poi mai. Dovrò rimanere sposata con Ben e fingere che vada tutto bene fino alla fine dei miei giorni, sennò sarebbe troppo imbarazzante. Bene, allora questo è il mio destino. Sono abbastanza calma: ho sposato l'uomo sbagliato e devo semplicemente accettare la mia triste sorte per sempre. Non c'è via di scampo.

«... bellissimo posto per trascorrere la luna di miele» dice Sarah mentre si siede. «Vi state divertendo?»

«Oh, sì!» risponde Ben sarcastico. «Alla grande!» Mi lancia un'occhiata di sfida che mi fa inviperire.

«Che cavolo vuoi insinuare?»

«Be', non è che ci stiamo godendo i tipici piaceri della luna di miele, o sbaglio?»

«Non è colpa mia!»
«Chi mi ha respinto stamattina?»
«Aspettavo di andare nella caletta! Avremmo dovuto farlo nella caletta!»
Vedo che Sarah è in imbarazzo, ma non riesco a fermarmi, sto perdendo le staffe.
«Hai sempre una scusa» ringhia Ben.
«Non sono scuse!» esclamo, livida di rabbia. «Perché, credi davvero che non voglia... Eh?»
«Non so che cosa pensare!» ribatte Ben infuriato. «Ma non abbiamo fatto niente e non sembri neppure preoccupartene! Vedi un po' tu!»
«Sì, che sono preoccupata!» urlo. «Certo che lo sono!»
«Un attimo» dice Sarah, guardando con cautela prima Ben poi me. «Non avete ancora...?»
«Non ne abbiamo avuto l'opportunità» risponde Ben a denti stretti.
«Cavolo.» Sarah ha l'aria incredula. «È un po' strano per una luna di miele.»
«La nostra stanza era incasinata» spiego in breve. «Ben si è ubriacato ed eravamo perseguitati dai maggiordomi, poi ho avuto una reazione allergica e insomma...»
«È stato un incubo.»
«Un incubo.»
Incurviamo tutti e due le spalle avviliti, ormai privi di energia.
«Be'» dice Sarah con uno scintillio negli occhi. «Di sopra abbiamo delle camere vuote. Letti, persino preservativi.»
«Davvero?» Ben alza la testa. «C'è un letto di sopra? Un letto matrimoniale disponibile? Non hai idea di quanto abbiamo desiderato sentire queste parole.»
«Ne abbiamo tanti. La pensione è mezza vuota.»
«Ma è fantastico! Grandioso!» L'umore di Ben è salito alle stelle. «Lo possiamo fare qui, nella pensione! Dove ci siamo conosciuti! Su, vieni, signora Parr, che adesso ti stupro.»
«Mi tapperò le orecchie» scherza Sarah.
«Puoi venire anche tu, se vuoi!» dice Ben, poi si affretta ad aggiungere, rivolto a me: «Scherzo, scherzo».
Mi porge la mano, sfoderando il suo sorriso più accattivante. La magia però non funziona, l'incantesimo è svanito.

Cala un silenzio che pare infinito. I pensieri si rincorrono impazziti nella mia testa. Che cosa voglio? *Che cosa voglio?*

«Mah, non so» dico dopo una lunga pausa, e sento Ben sospirare forte.

«Non lo sai?» Sembra al limite della sua capacità di sopportazione. «Cazzo, cos'è che non sai?»

«Devo... andare a fare due passi.» All'improvviso, prima che lui abbia il tempo di dire altro, sposto indietro la sedia e me ne vado.

Vado dietro la pensione e risalgo la collina coperta di arbusti. Vedo il nuovo ostello: un blocco di vetro e cemento costruito in uno spiazzo dove un tempo i ragazzi andavano a giocare a calcio. Ci passo davanti e continuo a camminare finché non lo vedo più. Sono scesa in un piccolo avvallamento circondato da ulivi dove c'è ancora una baracca abbandonata che ricordo vagamente di aver visto quindici anni fa. Anche qui è pieno di rifiuti: vecchie lattine, pacchetti di patatine e avanzi di pita. Osservo tutta quella spazzatura con un accesso d'odio per chiunque l'abbia lasciata lì. D'impulso, giro intorno alla radura per raccogliere energicamente tutta quella roba. Visto che non ci sono cestini, la raduno contro un grande masso. La mia vita sarà terribilmente incasinata, ma almeno posso mettere a posto un fazzoletto di terra.

Quando ho finito, mi siedo e guardo avanti, rifiutandomi di ascoltare i miei pensieri. Mi confondono troppo e mi fanno paura. Il sole mi batte sulla testa e ascolto le capre che belano lontane. Mi ricordo anche quelle e sorrido: certe cose sono rimaste uguali a prima.

Dopo un po', sento un respiro affannoso e giro la testa. Una bionda con un vestitino rosa sta risalendo la collina. Appena mi vede sul masso, sorride e mi raggiunge contenta.

«Ciao» mi dice. «Posso...»

«Prego.»

«Fa caldo.» Si deterge la fronte.

«Molto caldo.»

«Sei venuta a vedere le rovine? Le rovine antiche?»

«No» rispondo con aria contrita. «Stavo solo facendo un giro. Sono in luna di miele» aggiungo.

Ricordo vagamente alcuni ragazzi che parlavano delle rovine durante l'anno sabbatico. Avevamo tutti intenzione di andarle a vedere, prima o poi, ma alla fine nessuno si era mai dato la pena di farlo.

«Anche noi siamo in luna di miele.» Si illumina in viso. «Siamo all'Apollina, ma mio marito mi ha trascinato qui a vedere queste rovine. Gli ho detto che avevo bisogno di sedermi e che l'avrei raggiunto subito.» Tira fuori una bottiglia d'acqua e ne beve un sorso. «È fatto così. L'anno scorso siamo andati in Thailandia e per poco non mi faceva schiattare. Alla fine ho scioperato e gli ho detto: "Non voglio più vederne nemmeno uno di quei maledetti templi. Voglio stare in spiaggia". Cioè, che cosa c'è di male a rilassarsi sulla spiaggia?»

«Sono d'accordo» annuisco. «Noi siamo andati in Italia ed era un continuo visitare chiese.»

«Chiese!» Alza gli occhi al cielo. «Non me ne parlare! A Venezia non facevamo altro. Gli ho detto: "Vai mai in chiesa in Inghilterra? Come mai questo interesse improvviso, solo perché siamo in vacanza?".»

«Anch'io ho detto la stessa identica cosa a Richard!» esclamo entusiasta.

«Anche mio marito si chiama Richard!» dice la donna. «Strano, vero? Richard come?»

Mi sorride, ma io la guardo sbigottita. Che cosa ho detto? Perché ho pensato subito a Richard, e non a Ben? Che cosa mi prende?

«Veramente...» Mi strofino la faccia, cercando di placare i miei pensieri. «Veramente, mio marito non si chiama Richard.»

«Ah.» Sembra presa alla sprovvista. «Scusa, credevo avessi detto...»

Sconcertata, mi osserva con attenzione. «Tutto bene?»

Oddio. Non so che cosa mi prende. Le lacrime mi sgorgano dagli occhi. Tante lacrime. Ma le asciugo in fretta e cerco di sorridere.

«Scusami. Poco fa mi sono lasciata con il mio ragazzo. Non mi sono ancora ripresa.»

«Il tuo ragazzo?» La donna mi fissa perplessa. «Mi pareva che avessi detto che eri in luna di miele...»

«Sì, infatti» singhiozzo. «Sono in luna di miele!» Adesso

sto piangendo sul serio, con enormi singhiozzi strazianti da bambina.

«Allora chi dei due è Richard?»

«Non è mio marito!» La mia voce si trasforma in un gemito angosciato. «Richard non è mio marito! Non mi ha mai chiesto di sposarlo! Non me l'ha mai chiestoooo!»

«Ti lascio un po' da sola» dice la donna a disagio e si allontana. Mentre scompare in fretta dal mio campo visivo, mi abbandono al pianto più forte e incontrollato che mi sia mai concessa.

Ho nostalgia di casa, di Richard. Mi manca moltissimo. Quando ci siamo lasciati è come se mi avesse strappato un pezzo di cuore. Per un po' mi sono lasciata trasportare dall'adrenalina generata dalla situazione, ma ora mi rendo conto di quanto sono ferita. Mi duole tutto il corpo, e sono molto lontana dalla guarigione.

Mi manca, mi manca, mi manca.

Mi mancano il suo humour e il suo buon senso. Mi manca il suo corpo accanto a me nel letto. Mi mancano le occhiate che ci lanciavamo a certe feste, sapendo che stavamo pensando alla stessa cosa. Mi manca il suo odore: un odore da uomo. Mi mancano la sua voce, i suoi baci e persino i suoi piedi. Mi manca tutto.

E sono sposata con un altro.

Singhiozzo disperata. Perché mi sono sposata? Che cosa mi è saltato in testa? So che Ben è figo, simpatico e affascinante, ma d'un tratto mi sembra che non significhi proprio niente. Mi sembra tutto fasullo.

E adesso che cosa faccio? Mi prendo la testa fra le mani e il mio respiro si calma gradualmente. Continuo a rigirarmi l'anello intorno al dito. Non mi sono mai sentita tanto terrorizzata in vita mia. Non è il primo errore che faccio, ma non avevo mai preso una cantonata di queste proporzioni. E con tali conseguenze.

"Non ci posso fare niente" mi sta dicendo il cervello. "Sono fregata, in trappola, ed è colpa mia."

Il sole mi batte forte sulla testa. Dovrei davvero scendere da questo masso e andare all'ombra, ma non riesco a muovermi, non riesco a muovere un solo muscolo, almeno finché non avrò riflettuto e preso delle decisioni.

Quando mi muovo, è passata quasi un'ora. Salto giù dal masso, mi ripulisco i vestiti e torno spedita alla pensione. Mi rendo conto che Ben non si è neppure preso la briga di venirmi a cercare per vedere se stavo bene, ma non me ne importa più nulla.

Li vedo prima che si accorgano di me. Ben è accanto a Sarah in veranda, le cinge la spalla con un braccio e giocherella con la spallina del suo reggiseno. Quello che sta accadendo è così evidente che mi viene voglia di urlare. Invece mi avvicino di soppiatto, silenziosa come una gatta.

Baciatevi, li incito mentalmente. Baciatevi. Confermatemi quel che in cuor mio so già.

Aspetto con il fiato sospeso, gli occhi fissi su di loro. È come guardare me e Ben quando ci siamo incontrati al ristorante chissà quanti giorni fa. Stanno ricordando la loro avventura adolescenziale. È più forte di loro. Emanano ormoni così forti da risultare quasi visibili. Sarah ride per qualcosa che sta dicendo Ben, che ora sta giocherellando con i suoi capelli, e hanno quell'aria eccitata di due persone che stanno per...

Houston, contatto avvenuto.

Le loro labbra sono appiccicate, la mano di Ben sta esplorando l'interno della canotta di lei. Prima che possano andare oltre, mi dirigo decisa verso la veranda, sentendomi come un'attrice di soap opera un po' in ritardo sulla sua battuta d'entrata.

«Come avete potuto?» Mentre urlo la frase, mi rendo conto che nasconde un tormento vero. Come ha potuto portarmi qui, sulla scena della sua altra avventura adolescenziale, quella precedente alla mia e di cui non aveva mai fatto parola? Avrebbe dovuto immaginare di trovare Sarah qui. Avrebbe dovuto prevedere che gli ormoni adolescenziali si sarebbero risvegliati. L'ha fatto apposta? È tutto un gioco?

Almeno li ho disturbati. Saltano su come due molle, Ben sbatte la caviglia contro la panca e impreca.

«Ben, dobbiamo parlare» dico decisa.

«Sì.» Mi fissa rabbioso come se fosse colpa mia, e io mi trattengo. Sarah si infila con discrezione in casa e io raggiungo Ben in veranda.

«Ecco, vedi, non sta funzionando.» Distolgo lo sguardo da lui e fisso il mare, tutto il corpo penosamente in tensione. «E comunque ora è chiaro che preferisci un'altra.»

«Ma cazzo!» dice irritato. «Per un bacio...»

«È la nostra luna di miele!»

«Appunto!» ribatte furente. «Mi hai rifiutato! Che cosa dovrebbe fare un uomo?»

«Non ti ho rifiutato» replico, rendendomi subito conto che invece l'ho rifiutato eccome. «Okay» faccio marcia indietro. «Be', mi dispiace, solo che...»

Non volevo farlo con te. Volevo farlo con Richard. Perché è lui che amo. Richard, il mio amato Richard. Ma non lo rivedrò mai più. E adesso sto per scoppiare di nuovo a piangere...

«Non è facile ammetterlo» dico alla fine, piangendo. «Ma credo che il nostro matrimonio sia stato un passo avventato. Abbiamo fatto tutto troppo in fretta. Mi sa che...» Mi sfugge un sospiro tremante. «Mi sa che abbiamo... sbagliato. Ed è colpa mia. Mi ero appena lasciata con il mio ragazzo. Era troppo presto.» Apro le mani. «È colpa mia, mi dispiace.»

«No» dice Ben all'improvviso. «È colpa mia.»

Mentre metabolizzo le sue parole, cala il silenzio fra noi. Insomma, tutti e due pensiamo che sia stato un errore. Un enorme senso di fallimento mi si allarga nel petto, insieme al sollievo. Mi attraversa la mente il pensiero "aveva ragione Fliss" e sussulto. È qualcosa di troppo doloroso per farci i conti adesso.

«Io non voglio andare a vivere in Francia» dice Ben di punto in bianco. «Odio quel paese di merda. Non avrei dovuto lasciarti credere che le mie intenzioni fossero serie.»

«Be', e io non avrei dovuto insistere» dico, determinata a essere obiettiva. «E non avrei dovuto farti partecipare al gioco delle coppie.»

«Non avrei dovuto bere la prima notte di nozze.»

«Io avrei dovuto fare l'amore con te alla pensione» dico piena di rimorso. «Sono stata sgarbata, scusa.»

«Non preoccuparti.» Ben alza le spalle. «Tanto quei letti cigolano.»

«Insomma... è finita?» Riesco appena a pronunciare le parole. «Ci lasciamo senza rancore?»

«Potremmo candidarci al premio per il "divorzio più veloce del mondo"» dice Ben con espressione impassibile. «Magari battiamo il record mondiale.»

«Allora, diciamo a Georgios di evitare di preparare l'album della luna di miele?» Faccio una risatina quasi dolorosa.

«E la serata di karaoke in luna di miele? La facciamo lo stesso?»
«Abbiamo vinto al gioco delle coppie» gli ricordo. «Magari potremmo annunciare il nostro divorzio al ricevimento per la consegna dei premi.» Lo guardo negli occhi e all'improvviso scoppiamo tutti e due a ridere in modo isterico, incontrollabile.
Bisogna ridere, sennò l'alternativa qual è?
Quando ci siamo calmati un po', mi abbraccio le ginocchia e lo guardo bene in faccia. «Questo matrimonio ti è mai sembrato una cosa reale?»
«Boh, non lo so.» Fa una smorfia come se l'avessi punto nel vivo. «In questi ultimi due anni, niente mi sembra reale. La morte di mio padre, l'azienda, la rinuncia alla carriera di comico... Mi sa che devo darmi una regolata.» Si colpisce la testa con il pugno.
«Neppure a me sembrava vero» dico con sincerità. «Mi sembrava una fantasia. Stavo malissimo, poi ti sei fatto vivo tu, ed eri così figo...»
È ancora figo. È magro, tonico e abbronzato, ma ha perso fascino ai miei occhi. Ha qualcosa di finto, come una bibita gassata all'arancia rispetto a un vero succo fresco. Sa di arancia, ha le bollicine e ti disseta, ma lascia un retrogusto amaro. E non fa bene alla salute.
«Che cosa facciamo?» Tutta la mia ilarità è svanita, e anche la rabbia. Mi sento stranamente distaccata. È una situazione assurda: il matrimonio è finito prima ancora di cominciare. E non abbiamo neppure fatto sesso. Cioè, è davvero ridicolo. Quale tiro crudele e contorto ci ha giocato il destino? La nostra luna di miele è stata un disastro incredibile, come se qualcuno lassù non volesse che stessimo insieme.
«Non lo so. Finiamo la vacanza? Decidiamo cosa fare?» Ben guarda il suo cellulare. «Ho un appuntamento con Yuri Zhernakov. Sai che è venuto qui in barca solo per vedere me?»
«Wow!» Lo guardo con stupore.
«Eh, sì.» Si rianima un pochino. «Voglio vendere. È una mossa saggia. Lorcan non è d'accordo» aggiunge. «Motivo in più per farlo.»
Assume un'espressione contrariata che ormai conosco bene. L'ho già sentito sfogarsi dicendo che Lorcan è un fanatico del controllo e un cinico manipolatore; una volta ha persino detto – così, a caso – che è anche un pessimo giocatore di ping-pong.

Non muoio esattamente dalla voglia di sentire un'altra tirata, perciò mi affretto a continuare il discorso.

«Insomma, smetti completamente di lavorare?» A me non sembra affatto una buona idea, ma a chi può fregare della mia opinione? Sono solo la sua futura ex moglie.

«Certo che non smetto» dice Ben, con aria leggermente offesa. «Yuri dice che mi terrà come consulente speciale. Avvieremo insieme progetti nuovi. Svilupperemo nuove idee. Yuri è un grande: vuoi vedere il suo yacht?»

«Certo che sì.» Finché posso, tanto vale approfittare dei vantaggi di essere sua moglie. «E dopo? Che cosa farete tu e la tua ragazza?» Accenno con la testa alla pensione e Ben assume un'aria contrita.

«Non so che cosa sia successo. Mi dispiace.» Scuote la testa avvilito. «Di colpo, ci è sembrato di avere di nuovo diciott'anni, tutti i ricordi sono riaffiorati...»

«Non importa» dico intenerita. «Lo so, è successa la stessa cosa a noi, rammenti?»

Mi sembra impossibile che abbiamo combinato così tanti guai solo per aver incontrato una vecchia fiamma. La gente non dovrebbe mai rivedere i propri primi amori, decido. Dovrebbe esserci una forma ufficiale di quarantena. La regola dovrebbe essere questa: una volta che lasci il tuo amore adolescenziale, è finita per sempre. Uno dei due deve emigrare.

«Puoi fare quello che vuoi con lei, per me non c'è problema» dico. «Scopate come ricci, divertitevi.»

«Davvero?» Mi fissa. «Dici sul serio? Ma siamo... sposati.»

Se c'è una cosa che non sono è ipocrita.

«Forse lo siamo sulla carta» dico. «Magari abbiamo firmato dei documenti e ci siamo scambiati degli anelli. Ma tu non ti sei veramente impegnato con me né io con te. Non l'abbiamo fatto come si deve, ragionandoci su.» Faccio un sospiro profondo. «Non ci siamo neppure frequentati abbastanza. Non vedo perché io debba avere qualche potere su di te.»

«Cavolo.» Sembra incredulo. «Lottie, sei una persona fantastica, così generosa... aperta di vedute... straordinaria.»

«Boh, vedi tu.» Scrollo le spalle.

Per un po' rimango in silenzio. Saprò anche mantenere la calma davanti a Ben, ma dentro mi sento a pezzi. Vorrei piagnucolare sulla spalla di qualcuno. Tutte le mie convinzioni si sono disintegrate. Il mio matrimonio è finito. Sono stata io a causare l'incendio. Sono un fallimento unico.

Me ne sto seduta qui con tutto il corpo contratto dalla tensione. Ho l'impressione che il mio cervello sia una nuvola confusa e vorticosa, attraversata da pochi raggi di luce. È come se qualcuno mi stesse delicatamente sospingendo in una certa direzione. Il fatto è...

Insomma, Ben è molto figo ed è anche molto ricco, e io sono assolutamente disperata. Forse non mi farebbe male dimenticare per un attimo di aver rischiato di uccidere dei ragazzi innocenti.

Anche Ben è taciturno: sta fissando l'arido uliveto e alla fine si gira verso di me con una nuova luce negli occhi.

«Mi è appena venuta un'idea» dice.

«Anche a me, veramente» ribatto.

«Facciamo sesso per la prima e ultima volta? In memoria dei bei tempi andati?»

«Anch'io stavo pensando alla stessa cosa. Ma non qui.» Arriccio il naso. «I materassi sono sempre stati orribili.»

«Torniamo in albergo?»

«Buona idea.» Annuisco e sento una leggera eccitazione, un po' di conforto in circostanze così penose. Ce lo meritiamo. Ne abbiamo bisogno. Primo, sarà un modo per chiudere il cerchio e, secondo, mi distrarrà dal dolore che ho nel petto e, terzo, sono quasi tre settimane che ne ho voglia e, se non lo facciamo, rischio di impazzire.

Se avessimo scopato come dei ricci quando ci siamo incontrati per la prima volta, non sarebbe accaduto nulla di tutto ciò. C'è una lezione da imparare in tutto questo.

«Vado ad avvisare Sarah che ce ne andiamo e a salutarla.» Ben entra nella pensione.

Appena si allontana, tiro fuori il telefonino. Proprio mentre Ben stava parlando, ho avvertito una specie di telepatia con Richard. Mi è sembrato di sentire che stesse pensando a me, ovunque si trovasse. È stata una sensazione così vivida che ora mi aspetto di leggere il suo nome sul cellulare. Schiaccio freneticamente i tasti, il cuore in tumulto per la speranza improvvisa.

Naturalmente, però, non trovo niente. Nessuna chiamata, nessun messaggio, niente, persino dopo aver controllato due volte. Sono un'idiota. Perché dovrebbe esserci qualcosa? Richard sta facendo la sua nuova vita a San Francisco. Può darsi che lui manchi a me, ma io non manco a lui.

Il mio umore precipita così all'improvviso che ho di nuovo le lacrime agli occhi. Perché sto a pensare a Richard? È andato via. *Via*. Non mi manderà nessun messaggio. Non mi chiamerà. Figurarsi se mi raggiungerà dall'altro capo del mondo per dichiararmi il suo amore eterno e per dirmi che in realtà mi vuole sposare (la mia stupida fantasia segreta che non si avvererà mai).

Passo in rassegna tristemente gli altri messaggi, notando che ne ho ricevuti un sacco da Fliss. Solo a vedere il suo nome, rabbrividisco. Mi aveva messa in guardia su questo matrimonio e aveva ragione. Perché ha sempre ragione?

L'idea di dirle la verità è troppo dolorosa, troppo umiliante. Non posso farlo, almeno non subito.

Comincio a scriverle un SMS, sentendo un infantile bisogno di sfidarla, di dimostrarle che aveva torto.

Ciao, Fliss. Qui tutto stupendo. Indovina un po'? Ben vende la sua azienda a Yuri Zhernakov e fra poco andiamo sul suo yacht.

Le parole appena scritte mi sbeffeggiano. Quanta felicità! Quante bugie, bugie, bugie. Le mie dita ne aggiungono un'altra:

Sono così contenta di aver sposato Ben.

Mi cade una lacrima sul telefono, ma la ignoro e continuo a digitare:

Siamo così felici insieme: è perfetto.

Cadono altre lacrime e io mi strofino bruscamente gli occhi. Poi riprendo a digitare e stavolta non riesco a trattenermi:

Immagina il più bel matrimonio del mondo. Il mio è meglio.
Siamo così in sintonia, così proiettati verso il futuro.
Rispetto a Richard, Ben è una meraviglia d'uomo.
Non ho pensato a Richard neanche una volta...

23
FLISS

Non ho mai ricevuto una batosta simile in vita mia. Finalmente vedo la luce, la verità, la realtà dei fatti. Ho sbagliato. Al cento per cento, completamente, inequivocabilmente, assolutamente. Possibile che l'istinto mi abbia tradito fino a questo punto? Come ho fatto a essere così idiota?

Non è una semplice batosta, sono completamente distrutta. Devastata. Qui all'aeroporto di Sofia, sto leggendo l'SMS di Lottie, rabbrividendo al pensiero di quello che le ho fatto passare negli ultimi giorni. Ha trascorso una luna di miele d'inferno, eppure lei e Ben sembrano più uniti che mai.

Tutta questa stupida farsa è stata causata dai precedenti fra me e Daniel. Ho assecondato i miei bisogni. Ho guardato il mondo attraverso lenti deformanti, e Lottie è la mia povera vittima innocente. L'unica consolazione è che non sa quello che ho fatto e, grazie a Dio, non lo saprà mai.

Rileggo l'SMS di mia sorella, ignorando l'annuncio dell'imbarco per Ikonos. Non mi intrometto più nella loro luna di miele. Ho già fatto abbastanza danni. Mi trovo un bel volo diretto a Londra per me e Noah. Questa stupida farsa è finita.

> Immagina il più bel matrimonio del mondo. Il mio è meglio. Siamo così in sintonia, così proiettati verso il futuro. Rispetto a Richard, Ben è una meraviglia d'uomo. Non ho pensato a Richard neanche una volta e non ricordo nemmeno più che cosa mi piacesse in lui. Ben ha così tanti progetti meravigliosi per il futuro!!! Viaggeremo e gireremo per i Caraibi in barca a vela, poi ci compreremo la nostra fattoria in Francia!!! Ben desidera che i nostri figli siano bilingui!!!

Mentre leggo, provo una punta di invidia. Questo Ben sembra Superman. L'opinione che Lorcan ha di lui pare completamente sbagliata.

L'unica cosa triste è successa alla vecchia pensione. A quanto pare, sono stata io a causare l'incendio tanti anni fa. Sono state le mie candele profumate. Per me è stato uno choc. Per il resto, però, è una luna di miele da sogno. Che fortuna!!!

Fisso il telefono sconvolta. È stata lei a causare l'incendio? L'incendio che le ha cambiato la vita? Non posso fare a meno di esclamarlo ad alta voce, e Richard alza la testa di scatto.

«Cosa?»

«Niente» ribatto automaticamente. Non posso leggergli un messaggio personale di Lottie. O sì?

Oh, al diavolo. Devo dirlo a qualcuno in grado di capire.

«È stata Lottie a causare l'incendio» dico in breve. Con mia grande soddisfazione e come prevedevo, lui si rende immediatamente conto della situazione.

«Stai scherzando.» Si incupisce.

«Eh, sì.»

«Ma è gravissimo. Sta bene?»

«Sì, stando a quel che dice lei.» Indico il cellulare, ma lui scuote la testa deciso.

«Starà cercando di farsi coraggio. Sarà sconvolta.» Di colpo, assume un'espressione rabbiosa e protettiva al tempo stesso. «Questo Ben se ne rende conto? Si prenderà cura di lei?»

«Credo di sì.» Alzo le spalle imbarazzata. «Finora se l'è cavata bene.»

«Posso leggere il messaggio?»

Mi blocco un attimo. Ci siamo spinti troppo in là in quest'avventura, per tirarci indietro proprio adesso.

Lui legge in silenzio, ma capisco dalle sue spalle curve quanto sia turbato. Lo vedo rileggere l'SMS una seconda e poi una terza volta. Infine alza lo sguardo.

«È innamorata» dice in tono quasi brutale, come se volesse punire se stesso. «Vero? È innamorata di quell'uomo e io non ho voluto rendermene conto. Sono stato un coglione.»

«Richard...»

«Mi ero messo in testa questa stupida idea di arrivare lì,

dirle che cosa provavo per lei, stringerla a me sollevandola da terra e poi fuggire insieme...» Scuote la testa come se il pensiero stesso gli facesse male. «Su che pianeta vivo? Devo darci un taglio netto.»

Non riesco a tollerare di vederlo gettare la spugna, anche se io stessa sto facendo la medesima cosa.

«Ma non volevi dirle che cosa sentivi veramente per lei? E che cosa mi dici della famosa gara?» Sto cercando di provocarlo, ma lui scuote la testa.

«Mi sa che l'ho persa tanti anni fa, Fliss» dice. «Quindici anni fa, per la precisione. Tu che ne dici?»

«Forse» dico, dopo un attimo di pausa. «Forse hai ragione.»

«È felicemente sposata con l'uomo della sua vita. Buon per lei. Adesso devo darmi una svegliata.»

«Mi sa che dobbiamo farlo tutti e due» dico lentamente. «La colpa è mia quanto tua, visto che ti ho incoraggiato.»

Lo guardo negli occhi e provo un'improvvisa tristezza, rendendomi conto che ci stiamo dicendo addio. Se la storia fra lui e Lottie è finita, è finita anche la nostra, come amici e come cognati.

I passeggeri del volo per Ikonos vengono chiamati di nuovo, ma io non ci faccio caso.

«È ora di andare» dice Lorcan, alzando gli occhi dal suo BlackBerry. È seduto su una sedia dell'aeroporto accanto a Noah, che sta leggendo allegramente un dépliant sulla sicurezza in bulgaro. «Che cosa state facendo voi due?» Nota l'espressione addolorata di Richard. «Che cos'è successo?»

«Sono stato un idiota, ecco che cos'è successo» dice Richard con improvviso fervore. «Finalmente, me ne rendo conto. Finalmente.»

«Anch'io.» Sospiro. «Mi sento proprio come te: finalmente me ne rendo conto.»

«Ce ne rendiamo conto.»

«Tutti e due.»

«Bene.» Lorcan sembra prendere atto della situazione. «Allora... ci vado da solo a Ikonos?»

Richard riflette un attimo, poi prende la sua sacca nuova del City Heights Hotel.

«Magari vengo anch'io. Probabilmente non avrò mai più l'opportunità di visitare Ikonos. Voglio vedere il tramonto: Lottie mi diceva sempre che era il più bello del mondo. Mi trovo un posticino tranquillo per guardarlo e poi torno a San Francisco. Lei non saprà neppure che sono stato lì.»

«E tu e Noah?» Lorcan si gira verso di me. Sto per dirgli che non andrei a Ikonos neppure se fossi inseguita da una mandria di cavalli selvaggi, quando gli squilla il telefonino.

«È Ben. Aspetta un attimo.» Mentre legge l'SMS, gli si disegna una strana espressione in volto. «Non ci posso credere» borbotta alla fine.

«Che cosa c'è?»

Lorcan alza lo sguardo in silenzio. Sembra sinceramente sbigottito.

«Lorcan, che cosa c'è?» Sento una fitta di preoccupazione. «Lottie sta bene?»

«Io Ben non lo capirò mai» dice lentamente, senza rispondere alla mia domanda. «Mai.»

«Lottie sta bene?» insisto. «Che cosa è successo?»

«No, non è successo niente di particolare...» Per un attimo assume un'espressione nauseata. «Non intendo proteggerlo» dice fra sé e sé. «Questa proprio le supera tutte.»

«Parla!» lo incito.

«Okay.» Sospira. «Si è sposato due giorni fa e sta già organizzando un appuntamento con un'altra donna.»

Io e Richard urliamo in coro: «Che cosa?».

«La sua assistente personale è in vacanza, perciò vuole che ci pensi la mia a prenotargli un weekend in albergo in Inghilterra. Per lui e una donna di nome Sarah. Mai sentita prima d'ora. Dice...» Mi passa il cellulare. «Be', leggi tu stessa.»

Afferro il BlackBerry e do un'occhiata al messaggio. Sono talmente sconvolta che capisco una parola su tre, ma il succo è questo: "Ci siamo incontrati dopo tanti anni... un corpo da favola... devi vederla".

«Bastardo!» Il mio grido infuriato riecheggia nell'aeroporto di Sofia. Rischio di bruciare per autocombustione, tanto sono arrabbiata. «La mia sorellina ama quest'uomo! E lui la tratta così!»

«È una mossa abbastanza meschina persino per Ben.» Lorcan scuote la testa.

«Lei gli ha dato il proprio cuore, si è abbandonata a lui anima e corpo.» Tremo di rabbia. «Come si permette? Dove sono adesso?» Rileggo l'SMS. «Ancora alla pensione?»

«Sì, ma a quanto pare se ne vanno dopo pranzo e tornano all'albergo.»

«Okay, Richard.» Mi giro verso di lui. «Dobbiamo salvare Lottie da quest'uomo vile e odioso.»

«Scusa un attimo!» interviene Lorcan. «Ma non eri quella che non voleva più intromettersi nella vita di sua sorella? E io non dovrei invitarti a mantenere fede alla tua promessa?»

«Questo prima» dico io. «Quando mi ero sbagliata.»

«Stai sbagliando ancora!»

«No.»

«Sì, invece. Fliss, adesso non vedi più le cose nella giusta prospettiva. Ci sei riuscita per circa cinque minuti e adesso hai smesso di nuovo.» Lorcan è così calmo e ragionevole da farmi saltare i nervi.

«Io ho capito che il tuo amico è un bastardo che tiene il piede in due scarpe!» Gli lancio uno sguardo accusatorio e lui scuote la testa.

«Non prendertela con me, non è colpa mia.»

«Vuoi leggere questi SMS?» Mi sbatto il cellulare sulla mano per sottolineare quello che dico. «La mia povera e fiduciosa sorella è innamorata persa di Ben. Sta progettando di andare a vivere in Francia con lui. Non ha la minima idea che lui se la stia facendo con una ragazza strepitosa incontrata in passato.» Sto per piangere. «Sono in luna di miele! Quale verme schifoso tradisce la moglie in luna di miele prima ancora di aver consumato il matrimonio?»

«Be', se la metti in questi termini...» concede Lorcan.

«Be', io non lascerò correre. Vado a salvare mia sorella. Richard, sei dei nostri?»

«Come?» Scuote la testa deciso. «No, io non sono un bel niente. Lottie sta facendo la sua vita e non mi vuole. L'ha detto chiaro e tondo.»

«Ma il matrimonio con Ben è andato a catafascio!» urlo frustrata. «Lo capisci o no?»

«Non possiamo esserne tanto sicuri» dice Richard. «E comunque che cosa vuoi che faccia, che vada a raccogliere i cocci? Lottie ha scelto Ben, e io devo mettermi l'animo in pace.» Si carica la borsa in spalla. «Tu fai pure quello che ti pare, ma io me ne vado per conto mio. Aspetterò il tramonto, me lo guarderò e cercherò di trovare un po' di pace interiore.»

Lo fisso incredula. Adesso si mette a fare il Dalai Lama con me?

«E tu?» Mi rivolgo a Lorcan, che a sua volta alza le mani e scuote la testa.

«Non sono affari miei. Sono qui solo per lavoro. Appena firma i documenti per la ristrutturazione dell'azienda, io lo lascio in pace.»

«Insomma, mi piantate in asso tutti e due?» Li fulmino con lo sguardo.

«Okay, va bene. Salverò la situazione da sola.» Tendo la mano. «Vieni, Noah, alla fine andiamo a Ikonos.»

«Okay, allora l'hanno fatto?» aggiunge ciarliero, raccogliendo tutti i volantini bulgari che ha trovato.

«Fatto cosa?» Ho perso momentaneamente il dono della parola.

«Lottie e Ben, hanno messo la salsiccia nella focaccia?»

«Nella ciambella» lo corregge Richard.

«Nella pagnotta» ribatte Lorcan.

«State zitti, voi due!» dico istericamente. Mi sembra di perdere il controllo su tutto. Devo mettermi a fare un discorso di educazione sessuale a mio figlio di sette anni proprio qui, all'aeroporto di Sofia?

E, pensandoci bene, è una buona domanda. L'hanno fatto?

«Non lo so» rispondo alla fine, cingendogli le spalle con un braccio. «Non lo sappiamo, tesoro. Non lo sa nessuno.»

«Veramente io sì.» Lorcan alza lo sguardo dal suo telefono. «Ho appena ricevuto un altro SMS da Ben. A quanto pare, la notte di nozze è in corso. Stanno tornando all'hotel per...» Dà un'occhiata a Noah. «Mettiamola così: la salsiccia è diretta verso la pagnotta.»

«Nooooooooooooo!» Il mio grido di dolore si leva fino al tetto dell'edificio e alcuni passeggeri vicini si girano a guardare. «Ma lei non ha idea di che razza di verme lui sia!» Guardo agitatissima prima uno e poi l'altro. «Li devo fermare!»

«Fliss, calmati» dice Lorcan.

«Fermarli?» Richard sembra scioccato.

«Ha sabotato tutta la loro luna di miele» spiega Lorcan in modo succinto. «Non ti sei chiesto come mai siano stati tanto sfortunati?»

«Oddio, Fliss.» Richard è basito.

«Dobbiamo imbarcarci» dice Noah, tirandomi per la manica, ma tutti e tre lo ignoriamo. La determinazione mi scorre nelle vene come acciaio fuso. Neppure un crociato sarebbe più deciso di me a combattere questa battaglia.

«Quel bastardo non spezzerà il cuore a mia sorella.» Sto chiamando Nico. «Richard, dammi qualche dritta. Tu la conosci più intimamente e puoi aiutarmi. Quali sono le cose che le fanno passare tutta la poesia?

«Dobbiamo imbarcarci» ripete Noah, e noi tre lo ignoriamo di nuovo.

«Non te lo dico!» Richard fa una voce scandalizzata. «Sono cose intime!»

«Lei è mia sorella...» Mi interrompo appena risponde Nico.

«Pronto?» dice con cautela. «Fliss?»

«Nico!» esclamo. «Grazie a Dio ci sei! Dobbiamo fare un salto di qualità, ripeto, un salto di qualità.»

«Fliss!» Nico sembra agitato. «Non posso più assecondare il tuo piano! Il personale si sta facendo delle domande. Si sta insospettendo.»

«Devi farlo» ribatto decisa. «Stanno tornando all'hotel e io arrivo fra poco. Nel frattempo, impedisci loro di andare a letto. Mettilo KO, fai tutto quel che è necessario!»

«Fliss...»

«Dobbiamo salire sull'aereo, mamma...»

«Qualsiasi cosa, Nico! Qualsiasi!»

24

LOTTIE

Non ci posso quasi credere. La nostra suite d'hotel è vuota. Non ci sono inservienti in giro, né maggiordomi o arpe. Mentre osservo il mobilio elegante e silenzioso, capto vibrazioni d'attesa nell'aria. È come se le stanze stessero aspettando che le riempiamo di suoni, calore e un amplesso fantastico.

Appena tornati all'hotel, siamo saliti subito di sopra. Nessuno di noi due ha detto una parola. In questo momento, sono impermeabile a qualsiasi pensiero riguardante il nostro matrimonio, Richard, Sarah. Impermeabile alla vergogna, alla tristezza, alla mia umiliazione... A tutto quanto. L'unica cosa su cui sono concentrata è la vibrazione insistente che continuo a sentire dentro di me da quando ho incrociato lo sguardo di Ben in quel ristorante. Lo desidero. Lui mi desidera. Ce lo meritiamo.

Mi viene incontro fissandomi con occhi sempre più foschi, e mi accorgo che si sente esattamente come me: da dove cominciamo? L'esperienza è lì che ci aspetta come una deliziosa scatola di cioccolatini.

«Hai messo il cartello "Non disturbare"?» mormoro, quando le sue labbra mi sfiorano il collo.

«Certo.»

«Hai chiuso la porta a chiave?»

«Mi hai preso per scemo?»

«Allora sta succedendo davvero.» Gli percorro tutta la schiena con le mani, fin giù in basso, e quando gli stringo le natiche sode penso di sfuggita che piacerebbe anche a me averle così toniche. «Mmh.»

«Mmh.» Si libera dalla mia presa e si toglie la camicia. Dio, come mi piace quest'uomo. Eppure so che è inaffidabile, so che domani correrà dietro a Sarah o persino a un'altra. Ma in questo istante, in questo glorioso istante, è tutto per me.

Sta sbottonando adagio la mia camicetta. Grazie a Dio, indosso un reggiseno frou frou molto costoso. Richard non faceva mai caso alla mia biancheria intima, si limitava a togliermela frettolosamente, poi gli ho detto che la cosa mi offendeva e allora è passato all'estremo opposto, ricordando sempre di mormorare: "Che bel reggiseno" o "Che mutandine sexy". Il caro Richard.

No, piantala, Lottie. Niente pensieri su Richard: sono banditi.

Ben sta lavorando deliziosamente con la lingua nel mio orecchio e io gemo impaziente, afferrandogli la cintura e sbottonandogli i jeans. Pensavo di desiderare un amplesso lento, prolungato ed epico, memorabile, insomma, ma adesso che sta succedendo mi rendo conto che non mi importa che sia lento e prolungato. Lo desidero subito. Subito. Andrà benissimo anche breve ed epico.

Ben sta ansimando, io pure, sento che è disperato quanto me, non ho mai desiderato un uomo così tanto in vita mia...

«Signora? Desidera un drink?»

Ma che cavolo...

Tutti e due facciamo un salto di due metri, come due danzatori irlandesi impegnati in un *pas de deux*.

Sono mezza svestita, Ben anche. E Georgios è a un metro di distanza da noi con una bottiglia di vino e alcuni bicchieri posati su un vassoio d'argento.

«Eh?» Ben sembra incapace di proferire parola. «Che cos'è?»

«Un bicchiere di vino? O acqua con ghiaccio?» domanda Georgios nervosamente. «Omaggio della direzione...»

«Vaffanculo alla direzione! Vaffanculo alla fottutissima direzione!» sbotta Ben. «Ho messo il cartello "Non disturbare". Non sai leggere? Non vedi che cosa stiamo facendo? Qualcuno ti ha mai spiegato il concetto di privacy?»

Georgios è ammutolito. Fa un passo avanti e porge nervosamente il vassoio d'argento.

«Bene!» Ben sembra giunto alla fine della sua capacità di sopportazione. «Rimani pure qui! Guarda!»

«Cosa?»

Lo fissa.

«Non ci vuole lasciare in pace. Okay, che guardi pure. Noi consumiamo il nostro matrimonio» aggiunge, lanciando un'occhiata a Georgios. «Sarà anche divertente.»

Fa per sbottonarmi il reggiseno e io mi copro il petto con le mani. «Ben!»

«Lascia perdere il maggiordomo» dice Ben rabbioso. «Fai finta che sia una colonna.»

Dice sul serio? Pensa di fare sesso con il maggiordomo che guarda? Non è illegale?

Ben affonda la faccia nella mia scollatura e io lancio un'occhiata a Georgios. Si è coperto gli occhi con una mano, ma continua a reggere il vassoio con l'altra.

«Champagne?» ci propone con aria sconvolta. «Preferite dello champagne?»

«Perché non te ne vai e basta?» dico infuriata. «Lasciaci in pace!»

«Non posso!» Ha un tono disperato. «Per piacere, signora, almeno fate una pausa per un rinfresco.»

«Ma che cosa te ne importa?» Sollevo la testa di Ben dal mio seno e mi giro a guardare Georgios. «Voglio dire, hai cercato di fermarci per tutta la luna di miele!»

«Signora!» Un'altra voce ci chiama e io mi giro di scatto, incredula. «È arrivato un messaggio urgente, prego!»

No, non ce la faccio più: è Hermes. Anche lui è a un metro di distanza e mi sta porgendo un foglio. Glielo strappo di mano e leggo: "messaggio urgente".

«Che messaggio urgente?» lo interrogo decisa. «Non ci credo.»

«Vieni qui, Lottie» ringhia Ben, chiaramente fuori di testa. «Ignorali! Noi lo facciamo. Andiamo avanti.» Mi strappa il reggiseno di dosso e io urlo.

«Fermati, Ben!»

«Signora!» urla Georgios impetuoso. «Vengo a salvarla!» Posa il vassoio e afferra Ben con una mossa di wrestling, mentre Hermes ci getta addosso un bicchiere d'acqua con ghiaccio.

«Cazzo, non siamo mica due cani!» urla Ben. «Toglimi le mani di dosso!»

«Non intendevo dire "fermati" nel senso di "fermati"!» urlo io, non meno furente. «Volevo dire: "Fermati, non togliermi il reggiseno davanti ai maggiordomi!".»

Io e Ben stiamo ansimando, ma non in senso buono. Siamo anche bagnati, ma non in senso buono. Georgios lascia andare Ben, che si sfrega il collo.

«Perché state cercando di fermarci?» fisso minacciosa Georgios. «Che cosa sta succedendo?»

«Hai ragione.» Ben d'un tratto sembra lucido. «Tutti questi incidenti non possono essere pure coincidenze. C'è dietro qualcuno?»

Rimango senza fiato. «Qualcuno vi sta dicendo di fare queste cose?» Mi viene subito in mente Melissa. Forse vuole questa suite: è la classica persona disposta a tutto pur di ottenere quello che desidera. «Avete deliberatamente cercato di mandare a monte la nostra prima notte di nozze?» domando.

«Madame. Signore.» Georgios lancia un'occhiata incerta a Hermes. Sembrano due scolaretti colpevoli.

«Rispondeteci!» dice Ben.

«Rispondeteci!» ripeto furente.

«Signor Parr.» La voce familiare di Nico ci interrompe. Si è infilato nella stanza con tale agilità che non mi sono neppure accorta del suo arrivo, ma adesso è qui e non batte ciglio di fronte al mio seno nudo. Porge una busta a Ben. «Un messaggio da Yuri Zhernakov.»

«Zhernakov?» Ben si gira di scatto. «Che cosa dice?» Strappa la busta e tutti aspettiamo con il fiato sospeso, come se dovesse contenere la risposta a tutto.

«Okay, devo andare.» Ben comincia a guardarsi intorno. «Dove sono le mie camicie?» Si rivolge a Hermes. «Dove le hai messe?»

«Le trovo una camicia, naturalmente, signore. Di che colore?» Hermes sembra contento di avere qualcosa da fare.

«Te ne vai?» Lo fisso. «Non puoi andartene!»

«Zhernakov vuole vedermi al più presto sullo yacht.»

«Ma stavamo facendo una cosa!» grido contrariata. «Non mi puoi piantare in asso!»

Ben mi ignora e si avvia con Hermes alla cabina armadio. Tremando di rabbia, lo seguo con lo sguardo. Come può andarsene? Stavamo facendo sesso. Almeno, stavamo per fare sesso. È tale e quale a questi maggiordomi, che continuano a interrompere tutto.

A proposito, dov'è Nico?

Lo intravedo nel corridoio della suite e gli corro incontro, coprendomi il petto con la camicia, anche se con scarso successo. Ho intenzione di fargli un bel discorsetto, ma con mia grande sorpresa lo vedo bisbigliare al telefono nascosto in un angolo.

«Si sono fermati, te lo assicuro, sono separati.»

Mi blocco. Si riferisce a me e Ben? Con chi sta parlando? Con chi diavolo sta parlando? La mia mente comincia a lavorare a mille. Sta parlando con l'artefice di tutto questo. La persona che ha cercato di mandare a rotoli il nostro matrimonio. Lo so che è Melissa.

A scuola ho studiato arti marziali e a volte mi torna utile. Mi avvicino silenziosa alle spalle di Nico, poi allungo la mano, pronta all'azione.

«Sono nelle vicinanze e posso assicurarti che non c'è stato alcun accoppiamento o rapporto di alcun tipo... Oh!» Gli sottraggo facilmente il cellulare e Nico rimane senza fiato. Me lo avvicino all'orecchio, muta, e ascolto più concentrata che posso.

«Sono quasi arrivata, Nico. Stai facendo un ottimo lavoro, tienili separati a tutti i costi.»

Una voce brusca, dispotica ed estremamente familiare mi penetra l'orecchio. Per un attimo penso che sia un'allucinazione. Sono rimasta a bocca aperta, mi gira la testa, non può essere vero. Non può essere vero.

Nico sta cercando di riacciuffare il suo telefono, ma io mi giro di scatto e gli sfuggo.

«Fliss?» dico, sentendomi montare dentro una rabbia terribile. «*Fliss?*»

25
FLISS

Cazzo.
Oh, cazzo.
Ho caldo e freddo al tempo stesso. Non me lo aspettavo, non avrei mai immaginato che Lottie mi avrebbe scoperto proprio all'ultimo momento. Siamo sull'isola. Siamo quasi arrivati. Siamo così vicini...
Siamo fuori dall'aeroporto di Ikonos, i bagagli impilati uno sull'altro. Lorcan è alla fermata dei taxi, alla ricerca di qualcuno che ci porti all'Amba Hotel, e io gli faccio cenno di tenere d'occhio Noah.
«Ciao, Lottie» riesco a dire, ma la mia voce ha smesso di funzionare. Deglutisco un po' di volte, cercando di ricompormi. Che cosa le dico? Che cosa posso dire?
«Sei stata tu.» La sua voce è lacerante. «Hai cercato di impedire a me e a Ben di fare l'amore, vero? C'eri tu dietro i maggiordomi, i letti singoli e l'olio di arachidi. Chi altro poteva sapere della mia allergia, se non tu?»
«Ehm...» Mi strofino la faccia. «Senti, io... io volevo...»
«Perché l'hai fatto? Perché una persona dovrebbe fare una cosa del genere? È la mia luna di miele!» La sua voce si alza fino a mutarsi in un grido stridulo di rabbia e angoscia. «È la mia luna di miele! E tu me l'hai rovinata!»
«Lottie, ascolta... Ho pensato... l'ho fatto a fin di bene. Tu non ti rendi conto...»
«A fin di bene?» urla. «*A fin di bene?*»

Okay, sarà dura spiegarmi nei trenta secondi che mi concede prima di riprendere a gridare.

«So che probabilmente non mi perdonerai mai» comincio in fretta. «Ma tu volevi tentare di avere un figlio in luna di miele e io temevo che sarebbe stato un errore, e so che cosa si prova dopo, dopo il divorzio, intendo, si sta malissimo, e non potevo sopportare che accadesse anche a te...»

«Stavo per fare il sesso più favoloso della mia vita!» urla. «Il sesso più favoloso della mia vita!»

Okay, non ha ascoltato una parola di quello che le ho detto, vero?

«Scusami» dico debolmente, schivando un uomo impegnato a trascinare una valigia enorme avvolta nella rafia.

«Devi sempre intrometterti, Fliss! Credi di sapere tutto tu, sei sempre stata così, da quando sono nata. Hai sempre ficcato il naso nei fatti miei, mi hai sempre detto quello che dovevo fare, comandato a bacchetta...»

All'improvviso le sue parole mi feriscono. Non è che l'abbia fatto per ricavarne qualche vantaggio personale.

«Senti, Lottie, mi spiace di dover essere proprio io a informarti» continuo, con tutta la calma che riesco a trovare. «Ma visto che ormai ci siamo, ti devo dire che Ben non ha intenzione di essere un marito fedele. Ti sta facendo le corna con una ragazza di nome Sarah, me l'ha detto Lorcan.»

Ammutolisce un attimo per lo choc, ma se pensavo che questa notizia l'avrebbe fatta capitolare, mi sbagliavo di grosso.

«E allora?» ribatte lei. «Che cavolo te ne frega? Magari...» Esita un attimo. «Magari il nostro è un matrimonio aperto. Non ti era neanche balenato il dubbio che potesse essere così, vero?»

Rimango a bocca aperta come un pesce. Ha ragione, non mi era neppure balenato il dubbio. Un matrimonio aperto? Caspita... Non avrei mai pensato che Lottie fosse un tipo da matrimonio aperto.

«E poi che cosa ne sa Lorcan?» Lottie comincia un'altra tirata. «Lorcan è un uomo perverso, un fanatico del controllo che sta sgomitando per impadronirsi dell'azienda di Ben.»

«Lottie...» Sono talmente sbalordita da questa sua visione di Lorcan che non so proprio che cosa replicare. «Ne sei proprio sicura?»

«Me l'ha detto Ben. È per questo che adesso vende l'azienda, perché lui gli ha detto di non farlo. Quindi evitiamo di credere a quel che dice Lorcan, okay?» Pronuncia il nome di Lorcan con il massimo disprezzo.

Cala di nuovo il silenzio. Provo così tante emozioni tutte insieme da sentirmi quasi paralizzata. Sono ancora profondamente turbata dalla sua descrizione di Lorcan, ma il sentimento dominante è il rimorso crescente. Ha ragione, non avevo idea della situazione e ho dato per scontate troppe cose.

Forse, dopo tutto, non conosco affatto mia sorella.

«Scusami» dico alla fine a bassa voce, desolata. «Mi dispiace moltissimo, ma temevo potessi essere ancora legata a Richard e che magari ti saresti resa conto di punto in bianco che Ben non era l'uomo giusto per te. Temevo potessi pentirti di averlo sposato, e se per caso le cose si fossero spinte troppo in là e avessi concepito un bambino, sarebbe stato un disastro colossale. Ma mi sono sbagliata, è ovvio. Ti prego, Lottie, mi perdoni?» Il telefono tace. «Lottie?»

26

LOTTIE

La odio. Perché ha sempre ragione? *Perché ha sempre ragione?*

Mi sono venute le lacrime agli occhi. Ho voglia di raccontarle tutta la storia, ho voglia di dirle che in realtà Ben non è l'uomo giusto per me e che non ho dimenticato Richard, e che non mi sono mai sentita così triste in vita mia.

Eppure non posso perdonarla. Voglio che continui a sentirsi in colpa. È la sorella più dispotica e ficcanaso del mondo e merita di essere punita.

«Lasciami in pace!» grido con voce strozzata. «Lasciami in pace una volta per tutte!»

Chiudo la comunicazione. Un attimo dopo Fliss richiama, perciò spengo il telefono e lo restituisco a Nico.

«Ecco qui» dico seccamente. «E adesso la può smettere di rispondere alle telefonate di mia sorella. La può smettere di ficcare il naso nella mia vita. Ci può lasciare tranquillamente in pace.»

«Signora Parr» comincia Nico disinvolto. «In nome dell'intero albergo, desidero chiederle scusa per il lieve trambusto che ha dovuto sopportare durante la sua luna di miele. Per compensare il disagio, le offro un weekend deluxe per due in una delle nostre premium suite.»

«Non ha nient'altro da dire?» Lo guardo incredula. «Dopo tutto quello che abbiamo passato?»

«Il weekend deluxe comprenderà tutti i pasti e un'escursione snorkeling» continua Nico, come se non mi avesse neppure sentito. «Inoltre, mi consenta di ricordarle che, come vincitori del gioco delle coppie, lei e suo marito più tardi siete invitati alla cerimonia di premiazione, dove vi sarà consegnata la coppa degli sposi felici della settimana.» Fa un leggero inchino. «Congratulazioni.»

«La coppa degli sposi felici della settimana?» Praticamente gli urlo in faccia. «Mi sta prendendo in giro? E la smetta di guardarmi il seno!» aggiungo, accorgendomi di colpo che mi è scivolata la camicia.

Raccolgo il reggiseno e, mentre Nico si allontana con discrezione, comincio ad allacciarmelo. Nella mia mente infuria la burrasca. Pensieri ed emozioni formano vortici pericolosi, e temo che qualcuno di essi possa fare qualche danno. "Il matrimonio con Ben è fallito. Lui non è neppure riuscito a consumarlo. Fliss è una STRONZA ficcanaso. Mi manca ancora Richard. Mi manca moltissimo. Sono stata io a causare l'incendio. Sono stata io." Sento una fitta di angoscia e mi sfugge un singhiozzo. In un certo senso, è questo il pensiero che mi fa più male: sono stata io a causare l'incendio. Per quindici anni quel ricordo mi ha incoraggiato e rassicurato tutte le volte che la mia vita prendeva una brutta piega: almeno in quel caso avevo salvato la situazione. Ora invece so che è vero il contrario: sono io quella che ha rovinato tutto.

«Ciao.» Ben entra nella stanza vestito di tutto punto, impeccabile come se si fosse appena fatto una doccia veloce.

«Ciao» rispondo avvilita. Non ha senso confidargli i miei pensieri. Non mi capirebbe. «Tanto perché tu lo sappia, più tardi dovremmo partecipare a una cerimonia di premiazione e ricevere una coppa. Siamo stati eletti "sposi felici della settimana".»

«Io vado sullo yacht di Zhernakov» dice, ignorandomi. «Manda una barca a prendermi» aggiunge, dandosi un'aria di importanza.

«Vengo anch'io» dico con improvvisa determinazione. «Aspettami.» Non mi perderò un giro sul megayacht di un oligarca. Andrò con Ben, troverò il bar e annegherò tutti i miei dolori nell'alcol, a uno a uno, con una serie di mojito.

«Vieni lo stesso?»

«Sono tua moglie» rispondo seccamente «e voglio vedere lo yacht.»

«Okay» concede lui controvoglia. «Immagino che tu possa venire, ma per l'amor di Dio mettiti qualcosa addosso.»

«Non intendevo venire in reggiseno» replico irritata.

Litighiamo come una vecchia coppia sposata, ma non siamo neppure riusciti a fare sesso. Che figata.

27

FLISS

Un matrimonio aperto?

Ci sono rimasta così di sasso che mi sono accasciata sulla valigia, nel bel mezzo del marciapiede rovente e polveroso, ignorando il flusso di passeggeri costretti a girarmi intorno.

«Pronta?» mi chiede Lorcan, mentre si avvia spedito con Richard e Noah sotto l'abbagliante sole greco. «Dobbiamo muoverci.»

Sono troppo intontita per rispondere.

«Fliss?» Ci riprova.

«Hanno un matrimonio aperto» dico. «Ci credi?» Lorcan alza le sopracciglia e fa un fischio. «A Ben piacerà moltissimo.»

«Un matrimonio aperto?» Richard mi fissa con gli occhi strabuzzati. «Lottie?»

«Esatto!»

«Non ci posso credere.»

«È vero, me l'ha appena detto lei.»

Richard rimane in silenzio per alcuni istanti, prendendo respiri profondi. «Un'ulteriore conferma del fatto che non la conosco veramente» dice alla fine. «Sono stato un idiota. È arrivato il momento di darci un taglio netto.» Tende la mano a Noah. «Addio, ometto, è stato bello viaggiare con te.»

«Non andare, zio Richard!» Noah gli abbraccia affettuosamente le gambe e per un attimo vorrei poterlo fare anch'io. Mancherà anche a me.

«Buona fortuna» lo abbraccio. «Se capito a San Francisco, vengo a cercarti.»

«Non raccontare niente a Lottie di quello che ho fatto» dice con improvviso fervore. «Neanche una parola.»

«Neanche "Ti amo, Lottie, più di uno zloty"?» ribatto io, cercando di rimanere impassibile.

«Smettila.» Dà un calcio alla mia valigia.

«Non ti preoccupare.» Gli poso una mano sul braccio. «Terrò la bocca chiusa.»

«Buona fortuna.» Lorcan gli stringe la mano. «Mi ha fatto piacere conoscerti.»

Richard si dirige verso la fermata dei taxi e io soffoco un sospiro. Se solo Lottie sapesse. Ma non posso farci niente, adesso la mia priorità è scusarmi. Ho già le ginocchiere pronte per gettarmi a terra e chiederle umilmente perdono.

«Okay, si parte» dice Lorcan. Consulta il telefono. «Ben non sta rispondendo ai miei SMS. Sai dove sono?»

«Non ne ho idea. Stavano per fare sesso quando li ho interrotti.» Faccio una smorfia pensando a come ho agito. Il mio cervello offuscato dalla follia sta tornando gradualmente alla lucidità. Ora riconosco con una certa chiarezza di essermi comportata malissimo. E se anche fanno sesso, qual è il problema? E se anche concepiscono un bimbo in luna di miele? La vita è loro.

«Credi che riuscirà mai a perdonarmi?» dico appena saliamo sul taxi. Spero che Lorcan mi dia una risposta rassicurante, tipo: "Ma certo, il legame fra sorelle è troppo forte per essere incrinato da una sciocchezza come questa". Lui invece arriccia il naso e si stringe nelle spalle.

«È un tipo che perdona facilmente?»

«No.»

«Be'... Allora è improbabile.»

Ho un tuffo al cuore. Sono la sorella peggiore mai esistita sulla faccia della Terra. Lottie non mi rivolgerà più la parola, ed è tutta colpa mia.

Compongo il suo numero e scatta subito la segreteria telefonica.

«Lottie, te lo ripeto per la milionesima volta. Mi dispiace moltissimo. Mi devo spiegare, devo vederti, vengo all'hotel. Ti chiamo quando sono arrivata, okay?» Metto via il telefono e tamburello impaziente con le dita. Siamo arrivati sulla strada principale, ma procediamo a velocità modesta rispetto alla media greca. Mi sporgo verso l'autista. «Può andare più veloce? Devo vedere mia sorella al più presto.»

Mi ero dimenticata quanto sia lontano l'Amba Hotel dall'aeroporto. Quando arriviamo, scendiamo dal taxi, sbattiamo la portiera e saliamo di corsa i gradini di marmo, ho l'impressione che siano passate diverse ore, anche se probabilmente non ne sono trascorse neppure due.

«Lasciamo i bagagli a un facchino» dico con il fiatone. «Veniamo a riprenderceli dopo.»

«Bene.» Lorcan chiama un facchino con un carrello e ci butta sopra le nostre valigie. «Andiamo.»

È quasi più impaziente di me. In macchina è diventato via via sempre più teso e allarmato, continuando a controllare l'orologio e a chiamare Ben.

«Il tempo è quasi scaduto» continua a dire. «Ho bisogno di scannerizzare queste firme e spedirle.»

Mentre entriamo nella lussuosa hall che conosco bene, si gira verso di me con aria interrogativa. «Dove saranno?»

«Non lo so!» rispondo. «Come faccio a saperlo? Nella loro suite?»

Dalle porte a vetri in fondo alla lobby scorgo l'azzurro luminoso e invitante del mare: anche Noah l'ha avvistato.

«Il mare! Il mare!» Comincia a strattonarmi la mano. «Andiamo! Il mare!»

«Lo so, tesoro! Fra pochissimo ci andiamo.»

«Possiamo prenderci una granita?» aggiunge, individuando un cameriere con un vassoio di bevande rosa simili a granite.

«Dopo» prometto. «Ci prendiamo le granite, facciamo uno spuntino al buffet e tu potrai andare a fare un bel bagno. Prima però dobbiamo trovare zia Lottie. Tieni gli occhi ben aperti.»

«Ben» Lorcan sta dicendo sbrigativamente al telefono. «Io sono qui, tu dove sei?» Termina la chiamata e si gira verso di me. «Dov'è la loro suite?»

«Al piano di sopra, credo...» Lo guido spedita sull'ampia distesa di marmo, aggirando un gruppo di uomini abbronzati in completo chiaro, quando una voce aggredisce le mie orecchie.

«Fliss? Felicity?»

Mi giro e vedo una figura familiare e robusta attraversare la hall di corsa con le sue scarpe lucide. Merda.

«Nico!» esclamo, cercando di sorridergli come se niente fosse. «Ciao e grazie di tutto.»

«"Grazie di tutto"?» Sembra quasi in preda a una crisi isterica. «Ti rendi conto dei disastri che ho fatto per cercare di accontentarti? Mai vista una farsa del genere, mai viste certe scene da manicomio.»

«Eh, già.» Deglutisco «Ehm... mi dispiace. Grazie davvero.»

«Tua sorella è fuori di sé dalla rabbia.»

«Lo so. Nico, mi dispiace moltissimo, ma ti esprimerò tutta la mia gratitudine dedicandoti un grande articolo sulla rivista, molto lungo e lusinghiero. Due pagine intere.» Lo scriverò di persona, lo giuro. Non ci sarà una sola parola critica. «Avrei ancora una cosetta da chiederti, se potessi aiutarci...»

«Aiutarvi?» Alza la voce indignato. «*Aiutarvi?* Devo preparare la cerimonia di premiazione e sono già in ritardo. Fliss, devo andare. Ti prego di non creare altro caos nel mio albergo.»

Si allontana in fretta, stizzito, e Lorcan mi guarda con le sopracciglia inarcate.

«Ti sei fatta un amico.»

«Si riprenderà. Lo ammansirò con una recensione stellare.» Mi sto guardando intorno freneticamente, nel tentativo di ricordare. «Allora, credo che la Oyster Suite sia all'ultimo piano. Gli ascensori sono tutti da questa parte, vieni!»

Mentre saliamo, Lorcan prova di nuovo a chiamare Ben.

«Lo sapeva che stavo arrivando» mormora minaccioso. «Avrebbe dovuto essere qui pronto a firmare. Questa non ci voleva proprio.»

«Li troveremo fra poco!» ribatto irritata. «Smettila di stressarti.»

Quando arriviamo all'ultimo piano, balzo immediatamente fuori dall'ascensore, trascinando Noah per mano, senza fermarmi a controllare le indicazioni. Mi dirigo alla porta in fondo al corridoio e busso più forte che posso.

«Lottie! Sono io!» Noto un campanello minuscolo e suono anche quello per sicurezza. «Esci, ti prego! Voglio chiederti scusa! Mi dispiace moltissimo! MI DISPIACE MOLTISSIMO!» Batto di nuovo sulla porta e Noah mi imita entusiasta.

«Vieni fuori!» grida, picchiando sulla porta. «Vieni fuori! Vieni fuori!»

D'un tratto la porta si spalanca e uno strano uomo avvolto in un asciugamano mi squadra.

«Sì?» dice contrariato.

Lo fisso perplessa. Non assomiglia alla foto di Ben che ho visto. Per niente.

«Ehm... Ben?» Ci provo comunque.

«No» risponde lui inespressivo.

La mia mente si mette in moto. Lottie ha un matrimonio aperto. Significa forse che... Oddio. Lo stanno facendo in tre?

«Lei è con... Ben e Lottie?» domando con cautela.

«No, sono con mia moglie.» Mi fissa minaccioso. «Lei chi è?»

«Questa è la Oyster Suite?»

«No, la Pearl Suite.» Indica un cartellino discreto posto accanto alla porta che non avevo assolutamente notato.

«Ah, già, mi scusi.» Mi ritiro.

«Credevo che conoscessi l'albergo» dice Lorcan.

«Infatti lo conoscevo, anzi lo conosco. Ero sicurissima...» All'improvviso qualcosa attira la mia attenzione, e mi blocco: da una finestrella con vista sul mare intravedo un molo decorato di fiori. Al centro del molo c'è una coppia dall'aria molto familiare...

«Oh, mio Dio, sono loro! Stanno rinnovando i voti! Forza, veloci!»

Prendo di nuovo Noah per mano e tutti e tre ripercorriamo il corridoio a rotta di collo. L'ascensore è di una lentezza intollerabile, e tuttavia di lì a poco siamo già fuori e stiamo attraversando di corsa prati e vialetti diretti verso il mare. Il molo, ornato di fiori e palloncini, è proprio lì davanti a noi e, al centro, mano nella mano, ci sono loro, gli sposi felici.

«Io faccio il bagno!» urla Noah entusiasta.

«Non ancora» dico ansimando. «Prima dobbiamo...» Mi interrompo, guardando di nuovo la coppia sul molo. Sono girati di spalle rispetto a noi, ma sono sicura che sia Lottie. Credo che sia lei. Solo che...

Aspetta. Mi sfrego gli occhi cercando di mettere a fuoco l'immagine. Devo farmi controllare le lenti a contatto.

«Sono loro?» domanda Lorcan.

«Non lo so» confesso. «Se solo si voltassero...»

«Non è la zia Lottie!» dice Noah sprezzante. «È una signora diversa.»

«E lui non sembra per niente Ben» conferma Lorcan, osservando l'uomo con gli occhi socchiusi. «È troppo alto.»

In quell'istante la ragazza gira la testa e mi rendo conto che non assomiglia per niente a Lottie.

«Oh, mio Dio.» Mi lascio andare su un lettino della spiaggia. Non sono loro. Non ce la faccio più a inseguirli. «Ci prendiamo qualcosa da bere?» chiedo a Lorcan. «Ormai per le firme è tardi. Ci penserai domani mattina. Vuoi un drink? Lorcan? Che succede?»

Lo osservo stupita. D'un tratto ha il viso impietrito. Sta fissando qualcosa dietro la mia spalla, e io mi giro a vedere che cos'è. È una normale spiaggia d'hotel di lusso, con i lettini e le onde che si frangono sulla sabbia, dei bagnanti in mare e, più in là, alcune barche a vela, e ancora più in là, un grosso yacht ancorato al largo. Noto che sta guardando proprio quello.

«È lo yacht di Zhernakov» dice, senza scomporsi. «Che cosa ci fa qui?»

«Oh!» Rimango senza fiato. «Ma certo! È là che sono andati, me n'ero dimenticata.»

«Dimenticata?»

Il suo tono critico mi provoca un moto di stizza.

«Lottie me l'ha detto prima, ma mi è sfuggito di mente. Ben vuole vendere l'azienda. Sta incontrando Yuri Zhernakov sullo yacht del magnate.»

«Che cosa?» Lorcan impallidisce. «Non può essere. Eravamo d'accordo che non avrebbe venduto, non ancora. E di sicuro non a Zhernakov.»

«Forse ha cambiato idea.»

«Non può cambiare idea!» Lorcan sembra fuori di sé. «Sennò perché sarei venuto fin qui con i documenti di rifinanziamento nella valigetta? Perché l'avrei inseguito per mezza Europa? Abbiamo approntato dei progetti per l'azienda. Progetti entusiasmanti. Ci abbiamo impiegato settimane a definirne i dettagli. E lui adesso va a incontrare Yuri Zhernakov?» All'improvviso si concentra su di me. «Ne sei sicura?»

«Guarda qui.» Faccio scorrere gli SMS finché non trovo quello giusto e lo mostro a Lorcan, che lo legge, raggelandosi.

«Va a incontrare Zhernakov, da solo. Senza consulenti. Verrà fregato alla grande! Che imbecille!»

C'è qualcosa nella sua reazione che mi irrita. Continua a dirmi di calmarmi per Lottie, e adesso va fuori di testa per un'azienda che non è nemmeno sua?

«Be'» dico con ostentata indifferenza. «L'azienda è sua, e anche i soldi.»

«Non capisci» dice Lorcan arrabbiato. «È un disastro allucinante, cazzo.»

«Non ti pare di esagerare un filino?»

«No, non mi pare di esagerare! È importante!»

«Adesso chi è che ha perso la capacità di vedere le cose nella giusta prospettiva?» ribatto.

«È una faccenda completamente diversa...»

«Non è vero! A mio modesto parere, sei troppo coinvolto nelle sorti di questa azienda e Ben ce l'ha con te proprio per questo. È una situazione malsana che può solo finire male!»

Ecco, adesso gliel'ho detto.

«Non ce l'ha con me!» Lorcan è incredulo. «Ben ha bisogno di me. Sì, è vero, a volte litighiamo...»

«Non hai idea!» Sono così esasperata che gli agito il telefono sotto il naso. «Lorcan, tu non hai idea! Del rapporto fra te e Ben ne so più io di te! Me l'ha detto Lottie!»

«Che cosa ti ha detto Lottie?» D'un tratto parla sottovoce, il volto immobile. Lo guardo preoccupata per quello che sto per dirgli, ma devo farlo: deve sapere la verità.

«Ben prova risentimento nei tuo confronti» dico alla fine. «Secondo lui, sei un fanatico del controllo che fa una vita comoda. Pensa che tu stia sgomitando per cercare di impadronirti della sua azienda. È vero che una volta gli hai requisito il cellulare in pubblico?»

«Che cosa?» Lorcan mi guarda fisso.

«Così pare.»

Per un attimo aggrotta la fronte, poi ricorda. «Oddio, è vero. È successo dopo la morte di suo padre. Ben è arrivato nello Staffordshire mentre uno degli operai più anziani della cartiera stava tenendo un discorso. Sul più bello Ben ha risposto a una telefonata.» Lorcan fa una smorfia. «È stato di una maleducazione terrificante. Ho dovuto strappargli il telefono di mano per alleviare la tensione. Maledizione, dovrebbe essermene grato.»

«Be', invece è ancora arrabbiato.»

Cala il silenzio. Lorcan è evidentemente turbato e ha lo sguardo perso nel vuoto.

«Faccio una vita comoda?» sbotta alla fine, fissandomi con occhi accusatori. «Faccio una vita comoda? Hai idea di quanto abbia fatto per lui? Per suo padre? Per l'azienda? Ho interrotto la mia carriera. Ho rifiutato offerte da importanti studi londinesi.»

«Non ne dubito...»

«Ho avviato il progetto Papermaker, ho ristrutturato le finanze, ho dato tutto...»

Non ne posso più di ascoltarlo.

«Perché?» Lo interrompo bruscamente. «Perché l'hai fatto?»

«Come?» Mi guarda a bocca aperta come se non avesse capito la domanda.

«Perché l'hai fatto?» ripeto. «Innanzitutto, perché sei andato nello Staffordshire? Perché sei diventato così amico del padre di Ben? Perché hai rifiutato gli impieghi che ti hanno offerto a Londra? Perché sei così legato affettivamente a un'azienda non tua?»

Lorcan sembra annaspare. «Sono... sono dovuto intervenire» comincia. «Ho dovuto prendere in mano...»

«Non è vero.»

«Sì che è vero! Regnava il caos totale...»

«Non è vero!» Prendo un respiro profondo, scegliendo bene le parole da dire. «Non sei stato costretto a fare niente di tutto ciò. È stata una tua scelta. Dopo la fine del tuo matrimonio eri a pezzi. Eri triste, arrabbiato.» È difficile dirlo, ma non ho intenzione di tirarmi indietro. «Stavi cercando di fare quello che ha fatto Lottie, e anch'io, del resto, cioè di rimettere insieme i cocci del tuo cuore spezzato, e hai deciso di farlo tentando di salvare l'azienda di Ben al posto suo. Ma non è stato saggio.» Incrocio il suo sguardo e aggiungo dolcemente: «È stata la tua scelta infelice».

Lorcan sta respirando affannosamente. Stringe i pugni come per prepararsi ad affrontare qualcosa. Vedo la sofferenza sul suo viso, e mi dispiace di essere stata io a provocarla, ma al tempo stesso non mi dispiace affatto.

«Ci vediamo dopo» dice bruscamente e prima che io possa replicare si allontana a passi pesanti. Non so se mi rivolgerà più la parola, ma sono comunque contenta di avergli parlato.

Abbasso gli occhi su Noah, che ha aspettato pazientemente che finissimo di discutere.

«Posso fare il bagno adesso?» domanda. «Posso adesso?»

Penso al suo costume infilato in fondo alla valigia lasciata nella hall dell'albergo. Penso che resta solo un'ora di sole.

«In mutande?» Lo guardo con le sopracciglia alzate. «Di nuovo?»

«Mutande!» urla gioioso. «Mutande! Yeeeeeh!»

«Fliss!» Alzo lo sguardo e vedo Nico attraversare la spiaggia, la camicia bianca più inamidata che mai, le scarpe che luccicano sulla sabbia. «Dov'è tua sorella? Devo parlarle dell'organizzazione della cerimonia. Lei e suo marito sono i nostri sposi felici della settimana.»

«Be', buona fortuna. Lei è là sopra.» Indico lo yacht.

«Riesci a contattarla?» Nico sembra esasperato. «Puoi telefonarle? Avremmo dovuto fare delle prove per la cerimonia, ma tutti i piani sono andati all'aria...»

«Bagno?» mi implora Noah, che ha già gettato i vestiti sulla sabbia. «Bagno, mamma?»

Mentre guardo il suo faccino impaziente, sento una fitta al cuore e all'improvviso so quali sono le cose importanti nella vita. Non le cerimonie di gala e neppure le prime notti di nozze. Non il salvataggio di mia sorella e sicuramente non Daniel. Ce l'ho proprio qui davanti ai miei occhi.

Io indosso un semplice completo di biancheria intima nera: potrebbe benissimo passare per un bikini.

«Scusami» dico allegramente a Nico e comincio a spogliarmi fino a rimanere in reggiseno e mutande. «Non posso trattenermi, vado a fare il bagno con mio figlio.»

Dopo mezz'ora di giochi con Noah fra le onde turchine del Mar Egeo, mi sento in pace con il mondo. Il sole del tardo pomeriggio mi sta cuocendo le spalle, ho la bocca piena di sale e mi fanno male le costole a furia di ridere.

«Sono uno squalo!» Noah avanza verso di me nell'acqua bassa. «Mamma, sono uno squalo spruzzante!» Comincia a schizzarmi furiosamente acqua e io gliene restituisco una buona dose, poi rotoliamo insieme sul morbido fondo sabbioso del mare.

Se la caverà, mi ritrovo a pensare, stringendo il suo corpicino sottile sottile. Ce la caveremo tutti e due. Daniel può andare a vivere a Los Angeles, se vuole. In effetti, gli si addice come posto. Lì amano la gente di plastica.

Sorrido a Noah, che saltella accanto a me.

«Divertente, eh?»

«Dov'è la zia Lottie?» mi chiede per tutta risposta. «Avevi detto che avremmo visto la zia Lottie.»

«Ha da fare» dico rassicurante. «Ma sono certa che prima o poi la incontreremo.»

Tutte le volte che vedo lo yacht stagliarsi gigantesco nella baia, mi chiedo vagamente che cosa starà succedendo là sopra. La cosa strana è che, quando ero ancora in Inghilterra, tutto ciò che faceva Lottie mi sembrava vicino e importante, mentre ora che sono qui mi pare tutto lontano.

Non è la mia vita. Non è la mia vita.

D'un tratto sento un richiamo che assomiglia al mio nome.

Mi giro istintivamente e vedo Lorcan in piedi sulla battigia con il suo completo da uomo d'affari così fuori luogo.

«Devo dirti una cosa!» mi grida, ma anche i suoni mi giungono indistinti.

«Non ti sento!» urlo di rimando senza muovermi.

Non mi metto più a correre. Anche se mi vuole dire che Lottie ha concepito dei gemelli e che Ben si è rivelato un signore della guerra neonazista, potrò ascoltarlo dopo.

«Fliss!» mi chiama di nuovo.

Faccio un gesto che dovrebbe significare "Ho da fare con Noah, ci vediamo dopo", ma non sono sicura che l'abbia colto.

«Fliss!»

«Sto facendo il bagno!»

Sul volto di Lorcan sembra affacciarsi un'emozione nuova. Lascia andare bruscamente la valigetta sulla sabbia ed entra nell'acqua bassa con scarpe e pantaloni. Cammina spedito fra le onde finché non ci raggiunge, poi si ferma. L'acqua gli arriva fino alle cosce. Mi ha lasciato senza parole. Noah, dopo aver guardato Lorcan a bocca aperta, comincia a ridere come un matto.

«Mai sentito parlare di costumi da bagno, vero?» gli dico, cercando di rimanere seria.

«Devo dirti una cosa.» Mi fissa cupo, come se fossi io la causa di tutto.

«Su, parla.»

Segue un silenzio lungo, lunghissimo. Si sentono solo le onde, il brusio proveniente dalla spiaggia e il grido di un gabbiano. Lorcan ha lo sguardo intenso e continua passarsi la mano fra i capelli, come per cercare di riordinare i pensieri. Fa un respiro profondo, poi un altro, ma non parla.

Un canotto pieno di bambini ci passa accanto e poi si allontana ballonzolando. Lorcan continua a non parlare. Mi sa che dovrò farlo io per lui.

«Fammi indovinare» gli dico con dolcezza. «Senza un ordine particolare: hai capito che avevo ragione. È dura accettarlo. Ti piacerebbe parlarne prima o poi. Ti stai chiedendo che cosa ci fai qui, appresso a Ben, quando lui disprezza tutto quello che ti è più caro. D'un tratto vedi la tua vita in una luce diversa e pensi che le cose debbano cambiare.» Mi interrompo un attimo. «E rimpiangi di non aver portato il costume.»

Segue un altro lungo silenzio. Un muscolo piccolissimo sta fremendo nella guancia di Lorcan e d'un tratto mi preoccupo. Ho esagerato?

«Ci sei andata vicina» dice alla fine. «Anche se mancano un paio di cosette.» Fa un passo in mare, con l'acqua che gli sbatte intorno alle gambe. «Nessuno mi ha mai capito come mi capisci tu. Nessuno mi ha mai sfidato come hai fatto tu. Avevi ragione su Ben, sulla mia foto sul sito web. Sono andato a dare un'occhiata e sai che cosa ho visto?» Si interrompe un attimo. «"Chi cavolo sei? Che cavolo guardi? Non ho tempo da perdere."»

Non posso fare a meno di sorridere.

«E hai ragione, la Dupree Sanders non è la mia azienda» dice, serrando la mandibola. «Forse mi piacerebbe che lo fosse, ma non è così. Se Ben desidera davvero vendere, è giusto che lo faccia. Zhernakov chiuderà tutto entro sei mesi, ma pazienza. Nulla dura per sempre.»

«Non ne sarai amareggiato quando succederà?» Non resisto a provocarlo, è più forte di me. «Ci hai messo così tanto di tuo.»

«Forse» annuisce serio. «Per un po'. Ma anche l'amarezza

alla fine scompare. Dobbiamo crederci tutti e due, giusto?» Mi guarda negli occhi e io sento una forte sintonia con lui. L'investimento emotivo è quello più difficile da gestire.

«Però ti sbagli su una cosa» aggiunge Lorcan con improvvisa energia. «Ti sbagli di grosso. Sono felice di non aver portato il costume.»

Dopo di che si toglie la giacca e la getta verso la riva. Cade nell'acqua e Noah si tuffa allegramente a recuperarla.

«Eccola!» La tiene a galla. «L'ho presa!» Strabuzza gli occhi estasiato quando Lorcan si toglie una scarpa, e poi l'altra, gettandole verso la spiaggia. «Sono affondate!»

«Noah, puoi andare a prendere le scarpe di Lorcan sott'acqua?» dico ridacchiando. «E portarle sulla spiaggia? Mi sa che intende fare il bagno in mutande.»

«In mutande!» urla Noah. «In mutande!»

«In mutande.» Lorcan gli sorride. «O così o niente.»

28

LOTTIE

Guardo verso la riva e vedo i bagnanti, minuscole figurine che ballonzolano nel mare. Il sole del tardo pomeriggio getta ombre lunghe sulla spiaggia, ci sono bambini che urlano, coppiette abbracciate e genitori e figli che giocano insieme. D'un tratto, vorrei con tutto il cuore essere come loro. Gente che trascorre vacanze semplici e non ha una vita complicata e neppure un marito egocentrico e pazzoide, e non deve rimediare a scelte disastrose.

Ho detestato lo yacht appena ci ho messo piede. Gli yacht sono orribili. Tutto è rivestito di pelle bianca, al punto che ho il terrore di lasciare qualche segno, e Yuri Zhernakov mi ha lanciato un'unica occhiata che significava: "No, non hai i requisiti per diventare la mia quinta moglie". Sono stata immediatamente relegata con due donne russe con labbra e seni siliconati. Sembrano due palloncini a forma di animali tanto sono gonfie, e non hanno detto praticamente nulla, a parte: "Di che marca è il tuo specchietto in edizione limitata in cui ti stai guardando?".

La risposta è Body Shop, perciò non c'era molto altro da dire.

Mentre sorseggio un mojito, aspetto che le mie preoccupazioni anneghino nell'alcol, ma anziché affievolirsi e svanire quelle continuano a turbinarmi nel cervello e a crescere a dismisura. È una catastrofe totale, è terribile. Mi rendo conto di aver voglia di piangere, ma non posso, sono su un megayacht: devo essere luminosa e spumeggiante e trovare un modo per farmi lievitare il seno.

Mi sporgo dal parapetto del ponte chiedendomi quanto sia alto. Potrei tuffarmi?

No, rischio di farmi male.

Dio solo sa dove sia Ben. È da quando siamo arrivati che è insopportabile, continua a vantarsi e avrà ripetuto a Zhernakov circa quindici volte che ha intenzione di comprarsi anche lui uno yacht.

Mi infilo la mano in tasca. È un po' che ho in mente un'idea: se ne sta lì, come una persona molto paziente che non ha nessuna intenzione di arrendersi. Mi frulla in testa da ore ormai, sempre lo stesso semplice pensiero. "Potrei chiamare Richard." Non ci ho badato per tanto tempo, ma ora non ricordo più i motivi per cui non è il caso di farlo. A me invece sembra un'idea entusiasmante, un'idea che mi riempie di gioia. Potrei chiamare Richard proprio adesso.

So che Fliss mi direbbe di non farlo, ma non è la sua vita, no?

Non so esattamente che cosa vorrei dirgli. Anzi, mi sa che non voglio dirgli niente. Voglio solo stabilire un contatto, come quando si tende la mano per stringerla a qualcuno. Nient'altro: voglio stringergli la mano via etere. E se per caso lui la ritrae, be', almeno lo saprò.

Vedo le due donne russe uscire sul ponte e giro di corsa l'angolo per non farmi vedere. Tiro fuori il cellulare, lo fisso per un istante, poi premo il tasto di chiamata. Mentre sento il segnale, comincia a battermi forte il cuore e mi viene la nausea.

"Salve, parla Richard Finch..."

È scattata la segreteria. Mi si annoda lo stomaco, vado nel panico e chiudo. Non posso lasciare un messaggio. Non è come stringere la mano, ma assomiglia più a mettere una busta in mano. E non so bene che cosa infilarci, nella busta.

Cerco di immaginare che cosa starà facendo Richard in questo momento a San Francisco. Non ho la minima idea di come sia la sua vita laggiù. Forse si sta svegliando? O starà facendo la doccia? Non so neanche com'è il suo appartamento. Lui è scomparso all'improvviso dalla mia vita. D'un tratto guardo avvilita il telefonino, con le lacrime che mi bruciano gli occhi. È il caso di provare un'altra volta? Potrebbe essere considerato stalking?

«Lottie! Eccoti qui!» È Ben, insieme a Yuri. Infilo il telefono in tasca e mi giro a guardarli. Ben ha la faccia arrossata dall'alcol e io mi sento crollare il mondo addosso. Ha gli occhi spiritati, come un bambino che è rimasto sveglio fino a tardi. «Sigilleremo l'accordo con lo champagne» dice eccitato. «Yuri ha del Krug d'annata. Ti va di unirti a noi?»

29

ARTHUR

Ah, i giovani! Con quel loro correre, preoccuparsi e volere *subito* tutte le risposte... Povere creature tormentate, mi sfiniscono.

Non tornate indietro, dico sempre. Non tornate indietro.

La giovinezza è ancora là dove l'avete lasciata, e là deve rimanere. Non tornate indietro.

Tutto quello che valeva la pena di portare con sé nel viaggio della vita, ve lo siete già preso.

Sono vent'anni che lo ripeto, ma mi danno retta? Col cavolo. Ecco che ne arriva un altro. È lì che ansima e sbuffa mentre sale in cima allo scoglio. Avrà poco meno di quarant'anni, immagino. Sembra abbastanza un bell'uomo, stagliato contro il cielo azzurro. Assomiglia vagamente a un politico. O no? Forse a una star del cinema.

Non mi ricordo la sua faccia, anche se non vuol dire niente. Negli ultimi tempi, quando do una sbirciata allo specchio, fatico persino a ricordare la mia, di faccia. Lo vedo scrutare il paesaggio e individuare me, seduto sotto il mio olivo preferito.

«Lei è Arthur?» mi domanda all'improvviso.

«Mi hai scoperto.»

Lo studio con occhio esperto. Sembra ricco. Ha addosso una di quelle polo di marca. Probabilmente è il tipo da scotch doppio.

«Avrai voglia di bere qualcosa» propongo con garbo. È sempre utile convogliare sin da subito la conversazione verso il bar.

«Non voglio bere» dice. «Voglio sapere che cosa è successo.»

Soffoco uno sbadiglio, è più forte di me. È così prevedibile. Vuole sapere che cosa è successo. Un altro promotore finanziario in preda a una crisi di mezza età che ritorna sulla scena della sua giovinezza. La scena del crimine. Lasciala lì dov'era, vorrei rispondere. Girati. Torna alla tua problematica vita da adulto, perché qui non troverai nessuna soluzione.

Lui però non mi crederebbe. Non mi credono mai.

«Caro ragazzo» ribatto con gentilezza. «Sei cresciuto, ecco che cosa è successo.»

«No» insiste lui impaziente, sfregandosi la fronte sudata. «Lei non ha capito. Sono qui per un motivo. Mi ascolti.» Avanza di qualche passo, una sagoma alta e imponente contro il sole, il bel volto deciso a ottenere quello che vuole. «Sono qui per un motivo» ripete. «Non avrei voluto immischiarmi, ma è più forte di me, devo farlo. Voglio sapere *che cosa è successo esattamente la notte dell'incendio...*»

30

LOTTIE

Uno dei temi principali del seminario *Come ingranare nel lavoro!* che tengo per il personale della Blay Pharmaceuticals è "puoi imparare da qualsiasi cosa". Prendo a esempio una situazione lavorativa tipo, poi raccolgo un po' di idee insieme ai colleghi e infine stiliamo un elenco puntato denominato *Che cosa hai imparato da questo*.

Dopo aver trascorso due ore sullo yacht di Yuri Zhernakov, questo è il mio elenco:

- Non mi farò mai rifare le labbra.
- In realtà, non mi dispiacerebbe avere uno yacht.
- Il Krug è il nettare degli dèi.
- Yuri Zhernakov è ricco da far schifo.
- Ben ha praticamente la lingua fuori. E che cosa dire di tutte quelle penose battutine adulatorie?
- Checché ne pensi Ben, Yuri non è interessato ad alcun progetto "congiunto". Non desiderava parlare d'altro che della casa.
- A mio modesto parere, Yuri si disferà subito della cartiera.
- Mi sa che forse Ben è un po' tonto.
- Non saremmo mai dovuti tornare direttamente alla spiaggia.

Questo è stato il nostro grande errore. Avremmo dovuto farci lasciare un paio di chilometri più in là sulla costa. Perché nell'istante stesso in cui siamo scesi, siamo stati braccati da Nico.

"Signori Parr! Siete arrivati giusto in tempo per la cerimonia di gala!"

"Cosa?" Ben l'ha squadrato in modo tutt'altro che cortese. "Di che cosa sta parlando?"

"Hai presente..." gli ho dato una leggera spinta. "'Gli sposi felici della settimana'."

Non avevamo via di scampo. Adesso siamo qui che gironzoliamo insieme a una ventina di altri ospiti dell'albergo, mentre un complesso musicale suona *Some Enchanted Evening*. Tutti spettegolano sullo yacht di Yuri Zhernakov ancorato nella baia. Ho sentito Ben raccontare ad almeno cinque gruppi di persone diverse che poco fa ci siamo stati e abbiamo bevuto champagne Krug. Ogni volta mi procura un sussulto. E fra poco dovremo salire sul palco per ricevere la "coppa degli sposi felici della settimana", che è veramente assurdo.

«Credi che potremmo svignarcela?» bisbiglio a Ben appena la conversazione langue. «Parliamoci chiaro, non si può certo dire che siamo gli sposi felici della settimana.»

Ben mi guarda inespressivo. «Perché no?»

Perché no? Ma ci è o ci fa? «Perché abbiamo già parlato di divorzio!» gli sibilo.

«Ma siamo comunque felici.» Si stringe nelle spalle.

Felice? Come fa a essere felice? Lo guardo malissimo, mi viene voglia di picchiarlo. Non è mai stato convinto del nostro matrimonio. Per lui era solo un diversivo, un colpo di testa. Come quella volta che mi ero fissata con i maglioni scandinavi e mi ero comprata una macchina da maglieria.

Il matrimonio, però, non è una macchina da maglieria! Vorrei urlarglielo in faccia. È una pagliacciata, me ne voglio andare.

«Ah, signora Parr!» Nico mi piomba addosso come se sospettasse che stia per fuggire. «Siamo quasi pronti per la consegna della coppa.»

«Fantastico.» Il mio sarcasmo è così tagliente che lui sussulta.

«Madame, posso scusarmi di nuovo per tutti i disagi che avete sopportato durante queste vacanze? Come dicevo, sarò felice di ricompensarvi con un weekend deluxe per due in una delle nostre premium suite, inclusi i pasti e un'escursione snorkeling.»

«Non mi sembra una ricompensa adeguata.» Lo fulmino con lo sguardo. «Ci ha rovinato la luna di miele, tutto il matrimonio.»

Nico abbassa gli occhi sulla sabbia. «Madame, sono desolato, ma devo dirle che l'idea non è partita da me, tutto questo non è dipeso dalla mia volontà. Da parte mia, ho commesso un terribile errore di cui mi pentirò per tutta la vita, ma l'idea era...»

«Lo so.» Lo interrompo. «È stata mia sorella.»

Nico annuisce. Ha un'aria talmente contrita che provo un moto di simpatia per lui. So com'è fatta Fliss. Quando si mette in testa di fare una crociata, nessuno la può fermare.

«Senta, Nico» dico alla fine. «Non importa, non è colpa sua. Conosco mia sorella, so che avrà manovrato tutto da Londra come un burattinaio.»

«Era molto determinata.» China di nuovo il capo.

«La perdono.» Gli tendo la mano. «Non perdono mia sorella» aggiungo subito «ma lei sì, Nico.»

«Madame, non me lo merito.» Nico si porta la mia mano alle labbra. «Le auguro tantissima felicità.»

Mentre si allontana, mi chiedo che cosa stia facendo Fliss adesso. Nel messaggio vocale ha detto che stava arrivando in albergo. Magari sarà qui domani. Be', quasi quasi mi rifiuto di vederla.

Bevo qualche altro sorso di cocktail e mi metto a parlare con una donna con un abito blu dei migliori trattamenti benessere a nostra disposizione, cercando di evitare Melissa. Non ha fatto che chiederci che mestiere facciamo io e Ben di preciso, e se non è pericoloso tenere una pistola in borsetta. Poi, all'improvviso, il complesso musicale smette di suonare e Nico sale sul palco. Batte sul microfono alcune volte e sorride alla gente radunata lì intorno.

«Salve a tutti!» dice. «Benvenuti al nostro cocktail party con cerimonia di premiazione. Così come Afrodite è la dea dell'amore, l'Amba è la casa dell'amore e stiamo per festeggiare due persone molto speciali. Sono in luna di miele e si sono conquistati il titolo di "sposi felici della settimana": Ben e Lottie Parr!»

L'applauso esplode intorno a noi e Ben mi dà una piccola spinta. «Su, vai.»

«Sto andando!» dico io stizzita. Mi avvio nella sabbia verso il palco e salgo in cima, socchiudendo leggermente gli occhi alla luce dei riflettori.

«Congratulazioni, signora!» esclama Nico, consegnandomi una grossa coppa d'argento a forma di cuore. «Ora vi metto le corone...»

Corone?

Prima che abbia il tempo di protestare, Nico ci posa in testa due corone di plastica color argento. Mi mette rapidissimo una fascia di satin, poi arretra. «La coppia vincente!»

Il pubblico applaude di nuovo e mi sforzo di sorridere, abbagliata dalle luci. Che cosa orribile: una coppa, una corona e una fascia? Mi sento una reginetta di bellezza senza bellezza.

«E adesso diamo la parola agli sposi felici!» Nico consegna il microfono a Ben, che lo passa prontamente a me.

«Ciao a tutti!» La mia voce rimbomba fortissima e io sussulto per il rumore. «Grazie molte per averci accordato questo... onore. Be', naturalmente siamo due sposi felici. Siamo tanto tanto felici.»

«Molto felici» aggiunge Ben al microfono.

«Beati.»

«Abbiamo trascorso la luna di miele ideale.»

«Quando Ben mi ha fatto la proposta di matrimonio, non avrei mai pensato che saremmo stati così... felici. Tanto felici.»

D'un tratto, inaspettatamente, mi scende una lacrima. È più forte di me. Mi rivedo in quel ristorante, mentre accetto estasiata di sposare Ben, e mi sembra di osservare un'altra persona. Una pazza furiosa, una povera illusa. Che cosa mi è saltato in testa? Sposare Ben è stato come bere quattro vodke doppie. Per un attimo ha smorzato il dolore e mi è parso favoloso, ma adesso siamo ai postumi della sbronza e non è per niente bello.

Allargo il sorriso e mi avvicino al microfono. «Siamo così felici» ripeto per ribadire il concetto. «È andato tutto liscio, a meraviglia, e non c'è stato un solo momento di tensione fra noi. Vero, caro?»

Altre due lacrime mi scorrono sul viso. Spero che sembrino lacrime di gioia.

«Abbiamo trascorso giorni piacevolissimi, paradisiaci» aggiungo, asciugandomi il volto. «Giorni meravigliosi, idilliaci. È stato tutto perfetto sotto ogni profilo e non potremmo essere più felici...» D'un tratto mi interrompo, distratta da tre figure provenienti dal mare. Sono avvolte negli asciugamani, eppure...

È...?

No, non può essere.

Di fianco a me, Ben sta guardando nella stessa direzione con la bocca aperta per lo stupore.

«Lorcan?» Mi strappa il microfono di mano e urla: «Lorcan! Ma quando cazzo sei arrivato?».

«Zia Lottie!» grida la figurina più piccola avvolta nell'asciugamano, avvistandomi all'improvviso. «Zia Lottie, hai una corona in testa!»

Ma è la terza sagoma quella che sto fissando con la mascella afflosciata.

«Fliss?»

31

FLISS

Sono impietrita. Non posso fare altro che fissare Lottie a mia volta, muta. Non era così che intendevo informarla che ero arrivata a Ikonos.

«Fliss?» ripete, e ora lo fa in un tono tagliente che mi fa trasalire. Che cosa le dico? Che cosa posso dire? Da dove comincio?

«Fliss!» Prima che io abbia il tempo di riordinare i pensieri, interviene Nico, strappando il microfono dalle mani di Ben. «Ed ecco la sorella degli sposi felici!» Si rivolge al pubblico. «Posso presentarvi Felicity Graveney, direttrice della "Pincher Travel Review"? È venuta a fare una recensione speciale dell'hotel e ad assegnarci di nuovo cinque stelle!» Sorride entusiasta. «Come potete vedere, ha testato le meraviglie del nostro Mar Egeo.»

Il pubblico fa una risata di cortesia. Bisogna riconoscerglielo: Nico non si lascia sfuggire una sola opportunità di marketing.

«Facciamo venire qui sopra tutta la famiglia!» Sta spingendo Lorcan, Noah e me sul palco. «Una foto di famiglia per questo album speciale di luna di miele. Stringetevi tutti insieme!»

«Che cavolo ci fai qui?» Lottie si gira a guardarmi minacciosa.

«Scusami» dico debolmente. «Mi dispiace moltissimo. Pensavo... Volevo...»

Ho la bocca asciutta, sono rimasta senza parole. È come se, percependo il mio senso di colpa, mi avessero piantato in asso.

«Ciao, zia Lottie!» saluta Noah entusiasta. «Siamo venuti a trovarti in vacanza!»

«Vedo che hai arruolato anche Noah» dice Lottie sprezzante. «Carino da parte tua.»

«Un sorriso, prego, tutti quanti!» grida il fotografo. «Guardate di qua!»

Devo assolutamente riscuotermi, devo chiedere scusa.

«Va bene, ascolta» comincio in fretta, mentre vengo quasi accecata dal flash. «Mi dispiace davvero moltissimo, Lottie. Non volevo rovinarti la luna di miele, volevo solo... non lo so, proteggerti. Ma mi sono resa conto di dovermi fermare. Sei adulta, hai la tua vita e io ho fatto un errore colossale e spero tu possa perdonarmi, e voi due siete una coppia stupenda.» Mi giro verso Ben. «Ciao, Ben, piacere di conoscerti, sono Fliss, tua cognata.» Tendo la mano impacciata. «Immagino che ci vedremo spesso, a Natale e simili...»

«Da questa parte!» urla il fotografo, e tutti ci voltiamo obbedienti.

«Allora sei stata tu ad architettare tutto? Anche nella sala d'attesa di Heathrow?» Lottie si gira per vedere la mia espressione colpevole. «Come hai potuto?» E l'olio di arachidi! Ho sofferto come un cane!»

«Lo so, scusa» dico quasi in lacrime, deglutendo rumorosamente. «Non so che cosa mi sia preso, mi dispiace moltissimo, volevo solo proteggerti.»

«Tu vuoi sempre proteggermi! Non sei mia madre!»

«Lo so.» La mia voce ha un fremito. «Lo so bene.»

Incrocio lo sguardo di Lottie e, all'improvviso, fra noi avviene uno scambio silenzioso di ricordi possibile solo fra due sorelle. Nostra madre. La nostra vita. Perché siamo quello che siamo. Poi d'un tratto cala una specie di velo davanti ai suoi occhi ed è tutto finito. La sua espressione torna a essere chiusa e implacabile.

«Un gran sorriso tutti quanti...» Il fotografo agita le braccia. «Guardate di qua!»

«Lotts, mi perdonerai mai?» Aspetto la risposta con il fiato sospeso. «Ti prego...»

Segue un silenzio lungo, angosciante. Non so come finirà, Lottie ha lo sguardo vacuo e so bene che non è il caso di farle pressione.

«Sorridete! Un bel sorrisone grande, tutti quanti!» continua a esortarci il fotografo. Io però non riesco a sorridere, e neppure lei. Mi rendo conto che sto incrociando le dita, anche quelle dei piedi.

Dopo un bel po', Lottie si gira a guardarmi. Ha un'espressione sdegnosa, ma il suo odio si è attenuato un pochino. Mi sta scivolando l'asciugamano e ne approfitto per legarmelo di nuovo intorno al corpo.

«Allora» dice, squadrandomi dalla testa ai piedi. «Hai fatto il bagno in *mutande e reggiseno*?»

Dentro di me esulto. Vorrei abbracciarla. Nel nostro codice significa che mi ha perdonato. So di non essermi ancora salvata del tutto, ma almeno ho qualche speranza di farcela.

«I bikini sono sorpassati ormai.» Imito il suo tono distaccato. «Non lo sapevi?»

«Belle mutande» commenta scrollando le spalle con indifferenza.

«Grazie.»

«Mutande!» grida Noah. «Mutande! Ehi, zia Lottie, devo farti una domanda» aggiunge in tono ciarliero. «L'hai messa la salsiccia nella pagnotta?»

«Che cosa?» chiede lei sussultando. «Intende dire...» Mi fissa incredula.

«L'hai messa la salsiccia nella pagnotta?»

«Noah! Non... sono affari tuoi! Perché non avrei dovuto? E comunque, perché me lo chiedi?» Sembra talmente turbata che drizzo subito le antenne e la guardo. Da come si comporta, sembrerebbe quasi che...

«Lotts?» dico, inarcando le sopracciglia.

«Stai zitta!» ribatte istericamente.

Oh, mio Dio, si è tradita.

«Non l'avete fatto?» Il mio cervello sta facendo gli straordinari. Non hanno fatto sesso? Perché no? Perché cavolo non l'hanno fatto?

«Smettila di parlarne!» Sembra sul punto di piangere. «Levati dai piedi! Esci dal mio matrimonio, dalla mia luna di miele, da tutto!»

«Lottie?» La guardo meglio. Ha gli occhi lucidi e le tremano le labbra. «Stai bene?»

«Certo che sto bene!» All'improvviso scatta come una vipera. «Perché non dovrei stare bene? Ho il matrimonio più felice del mondo! Sono la ragazza più fortunata del mondo e sono estremamente, completamente, estaticamente...»

All'improvviso si blocca, strofinandosi la faccia come se non potesse credere ai propri occhi.

Socchiudo le palpebre per cercare di mettere a fuoco e d'un tratto vedo quello che sta guardando lei. È una figura maschile. Ci sta venendo incontro dalla spiaggia con un'inconfondibile andatura sicura e pesante. Lottie è talmente pallida che temo possa svenire da un momento all'altro, e non c'è da stupirsene. Fisso incredula quella sagoma familiare, formulando mentalmente ipotesi di ogni tipo. Aveva giurato di starne fuori: allora che cavolo ci fa qui?

32

LOTTIE

Mi sa che adesso mi viene un infarto, o un attacco di panico, o qualcosa di simile. Il sangue mi scorre rapidissimo dalla testa ai piedi e poi torna alla testa come se non sapesse che cosa fare di se stesso. Non riesco a respirare. Non riesco a fare... niente.

È Richard. Qui.

Non è a milioni di chilometri di distanza a fare una vita tutta nuova in cui si è dimenticato della mia esistenza. È qui, a Ikonos, e sta venendo verso di me dalla spiaggia. Sbatto le palpebre rapidamente, sussultando; sono senza parole, non ha senso. Lui è a San Francisco, dovrebbe essere a San Francisco.

Adesso si fa largo deciso fra il pubblico. Si sta avvicinando e io tremo in tutto il corpo. L'ultima volta che l'ho visto è stato al ristorante, quando ho rifiutato la sua proposta di matrimonio inesistente. Mi sembra passato un milione di anni. Come faceva a sapere dov'ero?

Lancio un'occhiata tagliente a Fliss, ma lei sembra sbigottita quanto me.

E adesso è davanti al palco e mi sta guardando con quei suoi occhi scuri che adoro, e mi sa che perderò la testa. Stavo quasi riuscendo a controllarmi, poi arriva lui...

«Lottie» dice con la voce profonda e rassicurante di sempre. «So che sei... sp... sp...» Sembra avere difficoltà a pronunciare la parola "sposata". «So che sei sposata e ti auguro tutta la felicità del mondo.» Fa una pausa, respirando affannosamente. Il brusio intorno a lui d'un tratto tace. Tutti i presenti ci osservano attentamente. «Felicitazioni.» Lancia un'occhiata a Ben e distoglie subito lo sguardo, come se lui fosse una creatura spregevole di cui non sopporta la vista.

«Grazie» riesco a dire alla fine.

«Quindi non ti tratterrò a lungo, ma ho pensato che dovessi sapere una cosa: non sei stata tu a causare l'incendio.»

«Che cosa?» Lo guardo, incapace di comprendere le sue parole.

«Non sei stata tu a causare l'incendio» ripete. «È stata un'altra ragazza.»

«Ma cosa... come... come facevi a...»

«Fliss mi ha detto che eri convinta di aver causato l'incendio, e io ero certo che fossi rimasta sconvolta e non potevo credere che fosse vero, così sono andato in cerca della verità.»

«Sei andato alla pensione?» domando incredula.

«Sì, ho parlato con il tuo amico Arthur. Gli ho fatto tirare fuori il vecchio rapporto della polizia e gli ho chiesto di leggermelo da cima a fondo. Tutto è risultato chiaro: l'incendio non era cominciato dalla tua stanza, perché era partito da sopra la cucina.»

Per un attimo ho una confusione tale in testa da non riuscire neppure a parlare. Nessuno fiata, si sentono solo le bandierine che sbattono al vento.

«Sei andato alla pensione?» alla fine ripeto esitante. «Hai fatto questo? Per me?»

«Certo» dice Richard, come se fosse ovvio.

«Anche se sono sposata con un altro?»

«Certo» ribadisce Richard.

«Perché?»

Richard mi lancia un'occhiata incredula, come a dire: "C'è proprio bisogno di chiederlo?".

«Perché ti amo» mi dice in tono pacato. «Scusa» aggiunge, rivolto a Ben.

33

FLISS

Fra tutti i momenti che ho vissuto in vita mia, questo non me lo dimenticherò proprio mai. Sto trattenendo il fiato. Regna il silenzio assoluto. Lottie fissa Richard come se fosse rimasta folgorata, gli occhi sbarrati. La fascia con su scritto "Sposi felici della settimana" scintilla sotto le luci del palco e la corona le è scivolata di traverso.

«Allora... ehm...» Sembra incapace di proferire parola. «Ti amo ancora!» Si strappa la corona dalla testa. «Ti amo!»

Richard sobbalza visibilmente per lo choc. «Ma?» Indica Ben.

«È stato un errore!» Adesso sta quasi singhiozzando. «È stato tutto un errore! E non ho mai smesso di pensarti, ma tu eri andato a San Francisco... Però adesso sei qui...» D'un tratto si gira verso di me in lacrime. «Fliss, sei stata tu a portarmi qui Richard?»

«Eh... Be', più o meno» dico con cautela.

«Allora voglio tanto bene anche a te.» Mi getta le braccia al collo. «Fliss, ti voglio tanto bene.»

«Oh, Lotts.» Adesso ho anch'io le lacrime agli occhi. «Ti voglio bene. Desidero solo che tu sia tanto, tanto felice.»

«Lo so.» Mi stringe a sé, poi si gira, salta giù dal palco e si lancia fra le braccia di Richard. In vita mia non ho mai visto un abbraccio così. «Credevo che te ne fossi andato per sempre!» gli dice, premendo il viso contro la sua spalla. «Credevo che te ne fossi andato per sempre. Non lo sopportavo! *Non lo sopportavo.*»

«Neppure io lo sopportavo.» Richard lancia un'occhiata a Ben. «L'unico problema è che sei sposata.»

«Lo so» dice lei avvilita. «Lo so, ma non voglio.»

Drizzo le antenne, è arrivato il mio momento! Balzo giù dal palco e batto forte sulla spalla di Lottie.

«Lotts, dimmi una cosa, è importante.» Appena si volta, l'afferro per le spalle. «Avete...» Do un'occhiata a Noah. «Avete messo la salsiccia nel panino? L'avete fatto? Dimmi la verità! È importante!»

34
LOTTIE

Che senso ha mentire ancora?

«No!» rispondo con aria quasi di sfida. «Non l'abbiamo fatto! Siamo sposi completamente fasulli. Non siamo una coppia felice, anzi, non siamo neppure una coppia! Ecco qui.» Mi giro verso Melissa, che ha assistito avidamente alla scena insieme a tutti gli altri. «Tieni la corona e anche la fascia.» Me la strappo di dosso e afferro la coppa dalle mani di Ben. «Tieni tutto quanto! Abbiamo raccontato bugie dall'inizio alla fine.» Le schiaccio addosso la roba e lei mi fissa con gli occhi socchiusi.

«Il primo appuntamento all'obitorio?»

«Bugia» dico.

«Sesso sulla scrivania del procuratore distrettuale?»

«Bugia colossale.»

«Lo sapevo!» Si gira trionfante verso il marito. «Visto? Te l'avevo detto.» Si mette in testa la corona d'argento e alza la coppa. «Secondo me, ce la meritiamo noi! Siamo noi gli sposi felici della settimana, grazie a tutti...»

«Dannazione, Melissa» interviene bruscamente Matt. «Non lo siamo per niente.»

Nel frattempo Richard mi fissa con aria nervosa. «Allora è vero che non avete...»

«No, neanche una volta.»

«Sììì!» Richard alza il pugno in aria con un'espressione assolutamente euforica. «Alla faccia tua. Vittoria! Sììì!» Non l'ho mai visto così aggressivo. Dio, come lo amo!

«Hai attraversato mezzo mondo per me.» Mi rannicchio di nuovo contro la sua spalla.

«Certo.»

«E poi sei venuto in Grecia.»

«Certo.»

Non so perché abbia mai pensato che Richard non fosse romantico. Non so perché ci siamo lasciati. Premo l'orecchio sul suo petto e sento il battito del suo cuore, così familiare e rassicurante. È qui che voglio restare per sempre. Mi sono estraniata del tutto dal resto del mondo, anche se mi giungono vagamente le voci degli altri.

«Potete ottenere l'annullamento» continua a ripetere Fliss. «Capisci, Lottie? È fantastico: puoi avere l'annullamento.»

«Si dice mettere la salsiccia nella pagnotta» continua a ripetere Lorcan. «Pagnotta.»

35
FLISS

Be', sui tramonti aveva ragione. Mai visto niente di tanto spettacolare in vita mia. Il sole non si limita a risplendere calando lentamente nel cielo, ma spara raggi rosa e arancioni con un impeto drammatico che mi ricorda un supereroe dei fumetti di Noah. La parola "tramonto" suona un po' fiacca, un po' insignificante. Questo sole sembra urlare: "*Pam*! Beccati questo!".

Guardo il faccino di Noah illuminato dalla luce rosa e mi ritrovo di nuovo a pensare che se la caverà. Per la prima volta da un secolo non provo né angoscia né stress né rabbia. Se la caverà, si riprenderà. E mi riprenderò anch'io. Va tutto bene.

Abbiamo trascorso momenti strani. Vagamente catartici e sgradevoli, imbarazzanti e allegri, bizzarri e meravigliosi al tempo stesso. Nico ci ha fatto preparare un tavolo al ristorante della spiaggia e tutti e cinque ci siamo seduti a mangiare *meze* così buone da far cantare le papille gustative e stufato di agnello da mandare in estasi lo stomaco.

Qui si mangia veramente bene. Devo ricordarmi di sottolinearlo a dovere nella recensione.

Ci sono state tante domande, tanti racconti, tanti baci.

Io e Lottie siamo... a posto, credo. Ci sono ancora punti dolenti e difficoltà fra noi, ma abbiamo avuto anche una specie di rivelazione. Siamo sulla buona strada per capire gradualmente cosa rappresentiamo davvero l'una per l'altra, cosa che magari approfondiremo come si deve in futuro. (O magari, come è più probabile, non ce ne preoccuperemo più e continueremo a fare la nostra vita.)

Lorcan è stato il protagonista silenzioso della serata. Ha deviato la conversazione tutte le volte che rischiava di diventare imbarazzante, ha ordinato vino fantastico e ha continuato a fare un simpatico giochetto di sfregamento delle ginocchia con me, che ho gradito. Quell'uomo mi piace. Non solo fisicamente, ma anche come persona.

Ben invece è scomparso, e c'è da capirlo. Quando è risultato chiaro che la sua novella sposa l'aveva rifiutato pubblicamente preferendogli un altro uomo, se l'è svignata. Come dargli torto? Immagino che sia andato a consolarsi in un bar chissà dove.

Richard e Lottie si sono allontanati sulla spiaggia e Noah è andato in riva al mare a lanciare sassi sul pelo dell'acqua, perciò io e Lorcan siamo rimasti soli, seduti su un muretto, con i piedi nudi nella sabbia. I profumi della cucina del ristorante si mischiano alla salsedine nell'aria e alla vaga fragranza del suo dopobarba che mi evoca ricordi di ogni genere.

Non mi piace solo come persona, ma anche fisicamente. Moltissimo.

«Ah, aspetta un attimo, ho una cosa per te» dice all'improvviso.

«Mi hai preso un regalo?» chiedo fissandolo.

«Niente di che. L'ho messo via... Aspetta.» Entra nel ristorante e io, incuriosita, lo seguo con lo sguardo. Qualche istante dopo torna con una pianta in vaso. Un piccolo ulivo, per la precisione.

«Per il tuo cortiletto» mi dice e io lo guardo incredula.

«L'hai comprato per me?» Sono così commossa che mi vengono le lacrime agli occhi. Non ricordo quand'è stata l'ultima volta che qualcuno mi ha fatto un regalo.

«Hai bisogno di qualcosa» dice in tono grave. «Hai bisogno di un nuovo... inizio.»

Non avrebbe potuto dirlo meglio: un nuovo inizio. Quando sollevo la testa verso di lui, ha uno sguardo così intenso che mi sento vacillare.

«Io non ti ho preso niente.»

«Tu mi hai già fatto un regalo: la lucidità.» Fa una pausa. «Io ho pensato di regalarti la pace.» Sfiora le foglie dell'ulivo. «Quel che è stato è stato.»

"Quel che è stato è stato." Le sue parole continuano a ronzarmi nel cervello. D'un tratto mi alzo in piedi: devo fare una cosa, subito. Stacco la chiavetta USB dalla catenella che porto al collo e la guardo. Questo pezzetto di metallo sembra contenere tutto il mio dolore e tutta la mia rabbia verso Daniel. Mi pare una cosa malsana: mi sta contaminando, se ne deve andare.

Mi avvio spedita verso il mare e poso una mano sulla spalla di Noah. Lui alza gli occhi e io gli sorrido.

«Ciao, tesoro, ti ho portato una cosa da lanciare.» Gli consegno la chiavetta USB.

«Mamma!» Mi guarda sbarrando gli occhi, scioccato. «È una cosa del computer!»

«Lo so.» Annuisco. «Ma non mi serve più, buttala nel mare, Noah, più lontano che puoi.»

Lo vedo prendere la mira e lanciarla sul pelo dell'acqua. Fa tre rimbalzi e poi affonda nel Mar Egeo. Un, due, tre ed è scomparsa davvero.

Risalgo lentamente la spiaggia diretta verso Lorcan, godendomi il contatto dei piedi nudi con la sabbia.

«Eccoci qui.» Lui mi prende la mano intrecciando le dita alle mie.

«Eccoci qui.» Sto per proporgli una passeggiata sulla spiaggia, quando sento la voce di Ben alle mie spalle.

«Lorcan. Finalmente ti trovo!»

Non devo neppure girarmi per capire che è ubriaco e mi fa un po' pena: non deve essere facile per lui.

«Ciao, Ben» dice Lorcan, alzandosi in piedi. «Stai bene?»

«Oggi ho incontrato Zhernakov. Sul suo yacht.» Ben ci guarda tutti e due come se si aspettasse una qualche reazione da parte nostra. «L'ho incontrato sul suo yacht» ripete. «Ho bevuto champagne Krug, abbiamo parlato del più e del meno, hai presente...»

«Fantastico.» Lorcan annuisce gentilmente. «Quindi alla fine vendi.»

«Forse. Sì.» Ben ha un tono aggressivo. «Perché no?»

«Peccato che tu non me l'abbia potuto dire prima che sprecassi settimane di lavoro per preparare quegli accordi di rifinanziamento e ristrutturazione. Adesso non servono più, vero?»

«No. Cioè... sì.» Ben sembra confuso. «Il fatto è...» Il tono spavaldo si ridimensiona un po'. «Io e Yuri abbiamo fatto un accordo. Un accordo fra gentiluomini. Adesso però...» Si strofina la faccia. «Mi ha già mandato una mail che non capisco...» Porge il BlackBerry a Lorcan, che l'ignora e si limita a guardare Ben con un'espressione indecifrabile.

«Insomma» gli dice sottovoce «vuoi davvero vendere la cartiera che tuo padre ha costruito nel corso di tanti anni di lavoro, lasciandola andare in malora.»

«No, non è così.» Ben si incupisce. «Yuri ha detto che per l'azienda non cambierà nulla.»

«Non cambierà nulla?» Lorcan scoppia a ridere. «E tu te la sei bevuta?»

«È interessato allo sviluppo di nuovi progetti!» dice Ben con foga. «Dice che è una bella aziendina!»

«Credi che Yuri Zhernakov sia interessato a produrre un nuovo tipo di carta di pregio per il consumatore medio?» Lorcan scuote la testa. «Se ci credi, sei ancora più ingenuo di quel che pensassi. Lui vuole la casa, Ben, nient'altro. Spero che tu abbia ottenuto una bella cifra.»

«Be', non so esattamente... Non so bene che cosa abbiamo...» Ben si asciuga di nuovo il viso, chiaramente preoccupato. «Devi dare un'occhiata.» Gli porge di nuovo il BlackBerry, ma Lorcan alza le mani.

«Al momento non devo fare proprio niente» dice con calma. «La mia giornata lavorativa è finita.»

«Ma non so neppure in che cosa consistano gli accordi.» Ben ha perso tutta la sua spavalderia. «Dacci un occhio, va bene, Lorcan? Sistema le cose.»

Segue un lungo silenzio, e per un attimo mi chiedo se alla fine Lorcan capitolerà. Invece scuote la testa.

«Ben, ho sistemato già abbastanza cose per te.» Ha la voce stanca e un po' triste. «Devo fermarmi.»

«Cosa?»

«Do le dimissioni.»

«Che cosa?» Ben è rimasto di sasso. «Ma... Non puoi farlo!»

«Fa' conto che sia il mio preavviso. Sono rimasto con te fin troppo a lungo. Tuo padre è morto e... insomma, anche per me è giunto il momento di andare.»

«Ma... ma non puoi farlo! Tu sei molto coinvolto nelle vicende dell'azienda!» Ben strabuzza gli occhi in preda al panico. «Anche più di me! Tu adori l'azienda!»

«Sì. Ed è proprio questo il problema.» C'è una punta di ironia nella voce di Lorcan e io gli stringo la mano. «Ti aiuterò finché non finirà il periodo di preavviso, poi me ne vado. E sarà un bene per tutti.»

«E io che cosa faccio?» Ben sembra sinceramente nel panico.

«Prendi in mano la situazione.» Lorcan fa un passo verso di lui. «Ben, tu hai la facoltà di scegliere. Se vuoi, puoi vendere l'azienda a Yuri, intascare il denaro e divertirti. Ma lo sai che cos'altro potresti fare? Prendere in mano le redini dell'azienda, assumerne il controllo. La cartiera è tua, la tua eredità: provaci.»

Ben sembra sbalordito.

«Puoi farcela» aggiunge Lorcan. «Ma non sarà una sfida da poco, devi volerlo sul serio.»

«Ho fatto un accordo fra gentiluomini con Yuri.» Gli occhi di Ben guizzano frenetici da tutte le parti. «Oddio, non lo so, adesso che cosa faccio?»

«Yuri Zhernakov non è un gentiluomo» replica Lorcan sarcastico. «Quindi da quel punto di vista puoi stare tranquillo.» Sospira, poi si passa le dita fra i capelli con un'espressione imperscrutabile. «Senti, Ben, ho gli accordi per la ristrutturazione nella valigetta e domani li leggiamo insieme. Ti spiegherò quali sono secondo me le strade che puoi seguire.» Fa una pausa. «Ma non ti dirò che cosa fare. Puoi vendere o non vendere, spetta a te decidere. A te.»

Ben apre e chiude la bocca un po' di volte, apparentemente incapace di proferire parola. Alla fine si volta e si allontana, infilandosi in tasca il BlackBerry.

«Bravo.» Gli stringo di nuovo la mano, poi ci risediamo sul muretto. «Sei stato coraggioso.» Lorcan non dice nulla. Si limita a inclinare la testa di lato.

«Ci proverà?» domando esitante.

«Forse.» Lorcan sospira. «Ma o lo fa subito o mai più.»

«E tu che cosa farai quando te ne sarai andato?»

«Non lo so.» Si stringe nelle spalle. «Forse accetterò quell'offerta di lavoro che mi avevano fatto a Londra.»

«Londra?» ripeto, illuminandomi in viso mio malgrado.

«O a Parigi» ribatte lui per scherzo. «Parlo benissimo francese.»

«Parigi fa schifo» dico. «Lo sanno tutti.»

«Allora in Québec.»

«Molto spiritoso.» Gli do uno schiaffo sulla spalla.

«Sono un avvocato.» Il tono beffardo è scomparso; sembra pensieroso. «Ho studiato per diventarlo e quello era il mio lavoro. Può darsi che sia stato sviato per un po', e forse è vero che ho fatto la scelta sbagliata.» Incrocia il mio sguardo e io annuisco. «Ma adesso è giunta l'ora di rimettersi sulla rotta giusta.»

«Rimettersi in moto.»

«Avanti tutta» ribatte lui.

«Vedi la vita come un viaggio in barca?» gli chiedo con espressione fintamente incredula. «È un viaggio su strada, lo sanno tutti.»

«No, in barca.»

«No, assolutamente su strada.»

Per un po' osserviamo il tramonto rosa-arancio sfumare in tonalità lilla chiaro tendenti all'indaco con intense strisce cremisi. È davvero strepitoso.

In questo momento Lottie e Richard arrivano dalla spiaggia e si siedono sul muretto accanto a noi. Hanno l'aria rilassata, e ancora una volta non posso fare a meno di pensare che sono una bella coppia. Stanno bene insieme.

«Insomma, adesso sono disoccupato.» Lorcan attacca discorso con Lottie. «Ed è tutta colpa di tua sorella.»

«Non è colpa mia!» esclamo subito. «Come fa a essere colpa mia?»

«Se non mi avessi aiutato a vedere la mia vita con occhi completamente nuovi, non avrei mai dato le dimissioni.» Sorride sotto i baffi. «Hai un bel po' di responsabilità.»

«Ti ho fatto un favore» ribatto.

«È colpa tua lo stesso.» Gli luccicano gli occhi.

«Mah...» rifletto. «No, respingo l'accusa, in realtà è colpa di Lottie. Se lei non si fosse sposata, non ti avrei mai conosciuto e non avremmo mai affrontato l'argomento.»

«Ah.» Lorcan annuisce. «Ben detto. Allora, è colpa tua.» Si gira verso Lottie.

«Non è colpa mia!» ribatte. «È tutta colpa di Ben! È lui che ha avuto la stupida idea di sposarsi. Se non mi avesse fatto la proposta di matrimonio, non sarei mai venuta qui e tu non avresti mai incontrato Fliss.»

«Allora è Ben il cattivo della storia?» Lorcan solleva un sopracciglio con aria interrogativa.

«Sì» rispondiamo Lottie e io in coro.

«Sì» conferma Richard deciso.

Ora il cielo è di un viola intenso screziato di blu. Il sole è una scaglia di luce arancione all'orizzonte. Lo immagino scivolare in un altro pezzo di mondo, in un altro pezzo di cielo, per brillare su altre Lottie e Fliss, con tutte le loro gioie e i loro guai.

«Scusate un attimo» dico, colta da un'illuminazione improvvisa. «Il cattivo non è Ben, ma Richard. Se lui avesse chiesto subito a Lottie di sposarlo, non sarebbe successo proprio niente.»

«Oh» fa Richard e si strofina il naso. «Ah.»

Segue uno strano momento di silenzio in cui mi viene il folle dubbio che Richard possa gettarsi in ginocchio sulla sabbia e fare quel che deve, ma poi l'attimo passa e nessuno dice nulla. C'è un'atmosfera strana, però, abbastanza imbarazzante: avrei dovuto tenere la bocca chiusa...

«Be', posso rimediare.» Lottie ha una strana luce negli occhi. «Aspettami qui, mi serve la borsa.»

Sconcertati, la guardiamo tornare di corsa al ristorante, dirigersi al nostro tavolo e frugare nella borsetta. Che cosa ha in mente di fare?

Poi all'improvviso rimango senza fiato. Oh, mio Dio. Vorrei saltare per la gioia, la tensione, l'aspettativa. Potrebbe essere meraviglioso, un'idea brillante...

Non rovinare tutto, Richard.

Ora Lottie sta tornando da noi con il mento sollevato ma un po' tremante, e io so esattamente che cosa sta per fare e sono felicissima di essere qui ad assistere alla scena.

Sono senza fiato. Lottie si dirige lenta e determinata verso Richard. Si inginocchia davanti a lui e gli porge un anello.

È un bell'anello, noto con sollievo. Abbastanza da uomo.

«Richard» comincia, poi sbuffa bruscamente, come per sfogare la tensione. «Richard...»

36

LOTTIE

Ho le lacrime agli occhi. Non riesco a credere che lo sto facendo davvero. Avrei dovuto farlo subito.

«Richard» dico per la terza volta. «Anche se al momento sono sposata con un altro... vuoi sposarmi?»

Cala un silenzio immobile, carico di tensione. L'ultima scheggia di luce solare scivola nel mare e nel cielo blu scuro cominciano a luccicare minuscole stelle.

«Certo. Certo. *Certo.*» Richard mi stringe in un goffo abbraccio.

«Lo vuoi?»

«Certo che lo voglio. Voglio sposarmi, con te. Non desidero altro. Sono stato un idiota.» Si picchia la testa con una mano. «Un deficiente, un...»

«Lascia stare» gli dico dolcemente. «Lo so. Allora... è un sì?»

«Certo che è un sì! Oddio.» Scuote il capo. «Certo che è un sì. Non ti lascio scappare di nuovo.» Mi stringe la mano così forte che temo possa rompermela.

«Tanti auguri!» Fliss mi getta le braccia al collo, mentre Lorcan si congratula con Richard con un'energica stretta di mano. «Adesso siete ufficialmente fidanzati! Sul serio, stavolta! Ci vuole lo champagne!»

«E un annullamento» aggiunge Lorcan ironico.

Sono fidanzata! Con Richard! Mi gira la testa per l'euforia e per quello che ho fatto. Mi stupisco di me stessa: gli ho chiesto di sposarmi? Gliel'ho chiesto *io*? Perché non l'ho fatto prima? Era facile!

«Complimenti, brava!» mi dice Lorcan, dandomi un bacio. «Tanti auguri!»

«Sono così felice.» Fliss si stringe le braccia al petto per la gioia. «Così felice, felicissima. È andata proprio come speravo.» Scuote la testa incredula. «Dopo tante peripezie.» Mi prende la mano e me la stringe.

«Dopo tante peripezie.» Gliela stringo a mia volta. Sta passando un cameriere e Fliss lo chiama.

«Champagne, per favore! Dobbiamo festeggiare un fidanzamento!»

E ora, mentre riprendiamo finalmente fiato, c'è un momento di incertezza. Tutti stanno guardando l'anello posato sul mio palmo. Richard non l'ha ancora preso. Devo infilarglielo al dito? O porgerglielo semplicemente? Insomma, che cosa faccio? Che cosa si fa con un anello di fidanzamento da uomo?

«Tesoro, per quanto riguarda l'anello...» dice finalmente Richard. Lo vedo fare una smorfia nel tentativo di trasformare la sua espressione dubbiosa in una maschera di entusiasmo senza però riuscirci.

«Bell'anello» osserva Lorcan.

«È stupendo» dice Fliss incoraggiante.

«Eh, sì, assolutamente» si affretta a confermare Richard. «Molto... luccicante. Molto di classe. Solo che...»

«Non devi per forza portarlo» dico subito. «Non è da mettere. Lo puoi tenere sul comodino o dove ti pare... magari in un cassetto... o in una cassaforte...»

Il sollievo di Richard è così lampante che non posso fare a meno di ridere. Quando mi stringe di nuovo a sé, mi infilo l'anello in tasca. Ce ne dimenticheremo semplicemente.

Lo sapevo che avevo fatto male a comprare l'anello.

RINGRAZIAMENTI

A tutti coloro che mi hanno aiutato: grazie.

Arnoldo Mondadori Editore S.p.A.

Questo volume è stato stampato
presso ELCOGRAF S.p.A.
Stabilimento - Cles (TN)

Stampato in Italia - Printed in Italy